Les
momies

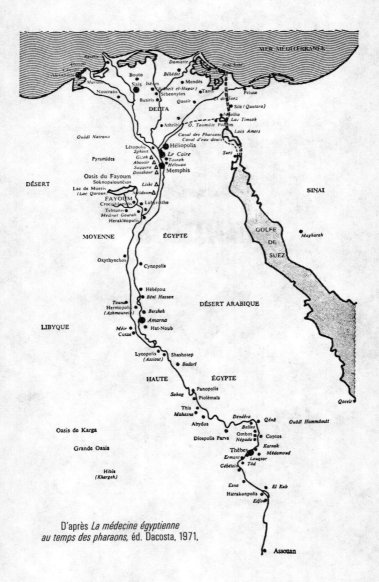

D'après *La médecine égyptienne au temps des pharaons*, éd. Dacosta, 1971,

Ange-Pierre LECA

Les momies

EDITIONS FAMOT

INTRODUCTION

*Q*UE celui qui est angoissé à la seule idée de la mort n'ouvre pas ce livre. Elle apparaît à chaque ligne, tantôt souriante, tantôt hideuse, ici dramatique, là saugrenue, mais toujours la mort. Autour de cette idée maîtresse et de celle de la croyance en une vie posthume qui condition-naient en grande partie le comportement des anciens Egyptiens, nous allons voir apparaître maints faits de civilisation, s'éclairer certains points d'histoire, se dévoiler une mentalité très différente de la nôtre.

Le défunt était l'objet de toutes les attentions. Il fallait, par tous les moyens, assurer sa survie en lui conservant l'aspect qu'il avait de son vivant: telle était la condition majeure pour une vie éternelle. En même temps, la famille lui fournissait de quoi subvenir à ses besoins dans l'autre monde d'où l'abondance de témoignages de la vie quotidienne que nous ont laissée les cimetières égyptiens.

Ce n'est pas que la mort ait été désirée. Elle faisait peur et, à tout le moins, rien ne valait un séjour sur terre: «Fais un jour heureux. Offre à ton nez à la fois le baume et le parfum le meilleur, des guirlandes de lotus aux bras et au cou de ta femme. Que celle que tu chéris soit assise à ton côté, qu'il y ait chant et musique devant ton visage. Rejette loin de toi le souci; songe à te réjouir jusqu'à ce que vienne ce jour d'aborder à la terre qui aime le silence... Vois, il n'est personne qui emporte ses biens avec lui: vois, nul n'est jamais revenu après s'en être allé.» Mais le pire était encore la destruction du cadavre. «Ne pas mourir une seconde fois», est-il écrit sur le fond de certains cercueils. Qu'étaient-ce donc que ces momies, cadavres soustraits à la corruption pour l'éternité?

Ouvrant un ancien dictionnaire de l'Académie française au mot momie on peut y lire la définition suivante: «Corps embaumé par les anciens Egyptiens. Il se dit par extension des corps de ceux qui ont été enterrés sous les sables mouvants que les vents élèvent dans les déserts de l'Arabie et de l'Egypte et qu'on retrouve ensuite desséchés par les ardeurs du soleil... Momie se dit aussi de la couleur brune tirée des bitumes dont les momies ont été enduites.»

Cette définition repose sur une erreur d'interprétation dont il est difficile de préciser la source. Le terme ne figure dans aucun texte égyptien ni dans le vocabulaire copte moderne. L'Egyptien utilisait deux expressions pour signifier le corps mort: «chet» pour cadavre et «wi» pour le corps embaumé et bandeletté. Le mot «momie» que l'on retrouve dans le grec byzantin et en latin, dérive en fait du persan «mummia», le bitume, d'où, par extension, tout corps bitumé. La croyance était fermement enracinée que les anciens Egyptiens conservaient leurs morts grâce à des applications de bitume, témoin la description qu'en donne Ibn el Baïtar (1197-1248), célèbre médecin et pharmacologiste du Caire: «Le nom de momie est donné à la drogue dont nous venons de parler et à celle qui est appelée bitume de Judée et à la momie des tombes qui est trouvée en grande quantité en Egypte et qui n'est rien d'autre qu'une mixture que les Grecs Byzantins utilisaient pour embaumer leurs morts afin que les corps morts puissent rester dans l'état où ils furent ensevelis et ne subissent aucune altération ni aucun changement.» Abd-al-Latif (1162-1231), médecin de Bagdad, acheta au Caire, pour un demi-dirhem égyptien, le contenu de trois crânes et déclara que la substance qui les remplissait était très voisine du bitume. Dès lors, se fiant simplement à l'aspect noirâtre des momies, on répéta, de génération en génération, que les Egyptiens traitaient leurs morts de cette façon, opinion totalement erronée pour la période classique; même à la période gréco-romaine, ce procédé ne fut qu'exceptionnellement appliqué.

CHAPITRE PREMIER

SOURCES DE NOS CONNAISSANCES

E N 1929, Dawson, dans une bibliographie, d'ailleurs non exhaustive, des publications concernant la momification, ne relevait pas moins de cent soixante références. A ce jour, la liste dépasserait assurément le millier.

Le premier guide de l'embaumement

C'est des Egyptiens eux-mêmes que l'on attendrait le plus de détails sur leur méthode d'embaumement des cadavres. Il semble, hélas! qu'ils aient peu écrit sur le sujet. On connaît bien le «Rituel de l'ouverture de la bouche» représenté dans les tombes thébaines sous forme de peintures murales accompagnées de commentaires : c'est un rituel funéraire qui ne concerne pas la momification elle-même mais les gestes accomplis juste avant l'ensevelissement afin de rendre vie à la bouche. De même, les «Livres des Respirations», d'époque tardive, sont destinés à rendre à la momie son souffle vital. Quelques formules inscrites sur des stèles ou sur les parois des tombes de l'Ancien

Empire font appel aux vivants, aux prêtres funéraires et plus spécialement aux «gens de la chambre d'embaumement» pour préparer le cadavre et veiller sur lui. Ces écrits, dont les formules sollicitent les vivants, leur promettant des gratifications ou des châtiments, n'explicitent guère non plus les techniques de la momification.

Seuls, deux manuscrits, de factures très voisines, auraient pu nous détailler les moyens de conservation des corps en usage dans l'Egypte ancienne. On les a réunis sous le nom de «Rituel de l'embaumement». Ces documents sont incomplets, privés de toute une partie initiale dont on ignore l'importance. Le premier, conservé au Musée du Caire sous le nom de papyrus 3 de Boulaq, a été trouvé dans une tombe collective de Thèbes d'époque tardive. Déroulé, il mesure plus de deux mètres de long sur vingt-huit centimètres de haut alors que le second, de provenance inconnue, conservé au Musée du Louvre sous le n° 5 158, encore moins complet, atteint à peine cinquante-huit centimètres de long : il ne contient que les dernières pages du papyrus 3 de Boulaq. Le papyrus du Louvre semble bien avoir été utilisé par un embaumeur, peut-être à titre d'aide-mémoire, car il est surchargé de notes manuscrites en écriture démotique résumant chacun des paragraphes.

Ces deux écrits, que les études paléographiques font remonter au premier siècle de notre ère, sont la copie d'un document plus ancien qui date du Nouvel Empire (1580-1085) :

Le «Rituel de l'embaumement» est divisé en paragraphes déterminés par des titres à l'encre rouge. Chaque paragraphe est lui-même subdivisé en deux parties : la première est un énoncé technique des différents temps de l'embaumement et du bandelettage introduit par la formule : «Ensuite de cela...» ; la seconde contient, en correspondance, les formules rituelles à prononcer : «Paroles à dire après cela...» Les chapitres proprement liturgiques sont d'inégale longueur, le texte à réciter étant, par exemple, beaucoup plus court pour une simple onction de la tête que pour la longue opération du bandelettage des jambes. On peut toujours imaginer que la partie manquante du texte décrivait les différents temps de l'éviscération, de l'excérébration, de la dessication mais rien n'est moins certain car les Egyptiens n'ont pour ainsi dire jamais représenté dans leurs reliefs ou peintures ces premiers stades de l'embaumement. Ce défaut d'illustration de l'ouverture de la momie tenait peut-être à des interdits religieux ou magiques. Le «Rituel de l'embaumement» mentionne donc successivement les dix paragraphes suivants :

- La première onction de la tête.
- Le parfumage du corps (à l'exception de la tête).
- Le dépôt des viscères dans un vase.
- La préparation du dos par des massages à l'huile et le début du bandelettage.

- Une indication technique afin d'éviter de renverser les liquides versés dans les cavités viscérales.
- La pose des doigtiers d'or aux mains et aux pieds.
- La dernière onction et l'enveloppement de la tête.
- Le premier bandelettage des mains.
- Le dernier enveloppement des mains.
- L'onction et l'emmaillotage des jambes.

Grecs, Latins et pères de l'Eglise

Si les textes égyptiens sont avares de renseignements sur la momification, nous avons heureusement le témoignage de certains Grecs. Le plus célèbre d'entre eux, Hérodote, obtint des renseignements de première main des prêtres de Memphis, d'Héliopolis et de Thèbes. Sans doute a-t-il eu aussi, lui-même, des contacts avec des officines d'embaumement. Ses récits ne sont valables que pour la période décadente qu'il a connue ; toute extrapolation aux époques antérieures doit être extrêmement prudente. C'est un peu comme si, d'un enterrement au Père-Lachaise en 1975, nous tirions des conclusions sur les pratiques funéraires des Gaulois, encore que la civilisation égyptienne n'ait évolué qu'avec la plus grande lenteur. A l'en croire, trois méthodes étaient proposées aux familles pour la conservation du corps du défunt : dans la première, la plus coûteuse, on procédait à l'ablation du cerveau et des viscères, puis la cavité abdominale était remplie de substances aromatiques, le corps traité par le natron, oint et enfin bandeletté. Pour la deuxième catégorie, on n'enlevait pas les viscères mais on se contentait de les dissoudre en injectant de l'huile de cèdre par l'anus. Pour les cadavres des familles les plus déshéritées, l'huile de cèdre était remplacée par un produit moins onéreux.

Quatre cents ans plus tard, en 56 av. J.-C., Diodore de Sicile se rendit à son tour en Egypte et fit un récit haut en couleur des mœurs qu'il observa sur place. Sa version recoupe en plus d'un point celle d'Hérodote dont il s'est d'ailleurs peut-être inspiré et c'est lui qui fait mention, pour la première fois, de l'utilisation du bitume : « Les barbares qui font commerce de cet asphalte (le bitume de la mer Morte) le transportent ensuite en Egypte où on l'achète pour l'embaumement des morts ; car s'ils ne le mélangent pas avec d'autres épices aromatiques, les corps ne peuvent être longtemps préservés de la putréfaction. » Cette affirmation est sujette à caution car l'analyse chimique n'a qu'exceptionnellement relevé des traces de bitume sur les momies. Peut-être Diodore fut-il trompé par l'aspect noirâtre des cadavres dont nous aurons plus loin l'explication ? Ces Grecs qui semblent tant s'étonner des coutumes égyptiennes avaient bien fait, eux aussi, quelques tentatives pour préserver certains de leurs morts de la corruption. On raconte qu'Alexandre le Grand fut conservé dans le miel; quant à la dépouille mortelle d'Agésilas, roi de Sparte, elle fut, faute de miel, recouverte de cire fondue: c'est Plutarque qui le dit.

Un autre point litigieux est soulevé à propos du traitement des entrailles. Nous verrons que les Egyptiens leur témoignaient le plus grand soin et les ensevelissaient avec le corps. Or, Plutarque et Porphyre s'accordent pour dire qu'on les jetait dans le fleuve: il en fut peut-être ainsi, parfois, à l'époque grecque mais assurément pas aux siècles antérieurs.

De tout temps, l'homme a essayé de conserver, au-delà de la mort, l'enveloppe charnelle des grands de ce monde. Ainsi en fut-il pour la belle Poppée, favorite de Néron, dont Tacite dit que «son corps ne fut pas détruit par la flamme selon la coutume romaine mais fut embaumé, à la mode des rois étrangers, et tout imprégné d'odeurs».

Grecs et Latins ne faisaient que constater les usages égyptiens et s'en étonner mais les pères de l'Eglise, farouchement opposés à la conservation des corps, s'en indignaient et mettaient plus de flamme dans leurs écrits. Avec les Romains, le christianisme avait pénétré en Egypte et voulait imposer ses rites et croyances. Ecoutons saint Antoine s'élever contre la momification: «N'allez point permettre qu'on emmène mon corps chez les Egyptiens. Je ne veux pas qu'ils le déposent dans leurs maisons... Sachez combien j'ai adressé d'objurgations à ceux qui se livraient à ces pratiques et combien je leur ai demandé toujours d'en finir avec ces coutumes...» Le grand saint Augustin, lui-même, dut se mettre de la partie et tonner dans un de ses sermons contre la momification en réaffirmant avec force que la survie de l'âme n'était pas l'apanage des Egyptiens embaumés et que son immortalité n'avait que faire de la pérennité du corps. Malgré toutes ces voix qui s'élevaient, les Coptes, chrétiens égyptiens, continuèrent de se faire embaumer pendant plusieurs siècles.

Les premiers touristes européens en Egypte

L'Occident s'intéressa de bonne heure aux curiosités de l'Egypte et de 1400 à 1700, plus de deux cent cinquante voyageurs ont relaté leurs pérégrinations dans toutes les langues européennes. Les embarras du voyage et les difficultés rencontrées font de la plupart de ces livres de véritables récits d'aventures. Toutes les catégories sociales et tous les pays sont représentés dans cette liste de touristes. Venu du Mans où il exerçait la médecine, Pierre Belon accompagna, en 1547, une mission diplomatique: il visita les

sépulcres qu'il trouva bourdonnants de mouches et a une expression char-
mante pour désigner les momies qu'il appelle des «corps confits». Pour
parcourir l'Egypte au plus fort de la chaleur, de juillet à septembre 1581, il
fallait bien être poète comme le Forézien Jean Palerme qui, lui aussi, vit
retirer des momies «de petites chambrettes». Allemands et Autrichiens se
mirent de la partie entre 1587 et 1588. Ce n'était pas une mince affaire que
de se faire descendre au bout d'une corde dans un puits funéraire : Kiechel
raconte les risques d'éboulement des parois mal étayées que n'hésita pas à
affronter son compatriote Lichtenstein, avide de se trouver face à face avec
les anciens Egyptiens. Mais le plus effrayé fut encore Hans Christoph Teufel
lorsqu'il se vit rampant, une bougie à la main, dans une longue galerie
pleine de momies amoncelées dont le baume et les bandelettes étaient tout
prêts à s'enflammer au moindre faux mouvement.

Certains ne se contentaient pas d'une simple visite aux momies mais
venaient avec l'intention bien arrêtée d'en rapporter une ou plusieurs,
étrange souvenir de voyage. C'était bien le but d'un certain Reinhold-
Lubenau, natif de Königsberg, lorsqu'il se rendit, dès son arrivée à Alexandrie,
chez le consul de Venise. On lui fit alors savoir qu'il aurait beaucoup de peine
à rapporter l'objet qu'il avait acheté. Les marins, très superstitieux, n'acceptaient pas de corps embaumés à bord du navire et si, par hasard, un capitaine
en avait autorisé l'embarquement, il n'aurait pas hésité à le jeter à la mer en cas
de tempête, l'accusant d'attirer la colère des éléments. Beaucoup de momies,
transportées à cette époque, l'étaient en fraude. C'était presque devenu une
tradition, vers la fin du XVIe siècle, au retour d'un pèlerinage aux Lieux saints,
de revenir par l'Egypte et d'aller se faire ouvrir une ou deux tombes dans la
région de Saqqarah. C'est ce que fit le seigneur de Villamont, en 1591, qui nota
la présence de deux sortes de momies : les unes, noires, embaumées, dit-il,
avec du sel et de la poix et les autres, plus belles, conservées dans la myrrhe
et l'aloès, aux ongles dorés ou passés au henné. Le Hollandais Jean Sommer
fit un voyage plus agité, car, après son séjour à Chypre et sa capture par les
Turcs, il réussit à s'évader et à gagner enfin l'Egypte en 1592. Il y apprit que,
selon les barèmes de l'époque, un corps bien préparé, en bon état, se vendait
quatre cents à cinq cents couronnes. On donnait beaucoup moins pour les
corps spontanément desséchés des malheureux Arabes égarés dans le désert
et surpris par une tempête de sable.

Des Tchèques se rendirent aussi à Saqqarah en 1598 : Christophe Harant,
Polzic et Bezdruzic. Les indigènes avaient alors organisé le circuit touristique.
Le puits par lequel on descendait était couvert de planches et aménagé. Après
avoir traversé des couloirs souterrains taillés dans le rocher, on pénétrait
dans les chambres qui contenaient des milliers de corps momifiés.

George Sandys, fils de l'archevêque d'York, fit un séjour à Memphis en

1611 et fut horrifié par le commerce que Maures et Arabes faisaient de ces momies et des trésors: les violations de sépultures étaient alors monnaie courante. La perfection de l'emmaillotage l'émerveillait mais, avant tout, la présence d'hiéroglyphes sur les bandelettes aiguisa sa curiosité. Il fut suivi, un an plus tard, par son compatriote William Lithgrow.

Pietro della Valle, patricien romain, homme fortuné, hésitait à résoudre une violente peine de cœur par le suicide ou par un voyage. Il opta pour la seconde solution et resta éloigné de son pays de 1614 à 1626. Il dut trouver quelque consolation à son malheur puisqu'il se maria à Bagdad. Durant son séjour au Caire, il se rendit au petit village de Saqqarah où les habitants faisaient vivre leur famille grâce à l'exploitation des tombeaux. Après avoir fait annoncer qu'il était prêt à verser de l'argent pour une trouvaille intéressante, il élimina une cinquantaine de fellahs porteurs d'une idole ou prometteurs d'un site alléchant et accepta de suivre l'un d'entre eux qui lui proposait une très belle momie. Parvenu sur le lieu de la découverte, il fut mis en présence, en effet, d'un corps datant de l'époque ptolémaïque pourvu d'un masque, d'un collier, d'une médaille d'or et de bien d'autres ornements. Devant la modicité de la somme demandée, trois piastres, il proposa d'acheter une autre momie. Sans hésitation, on lui sortit de la réserve un autre corps parfaitement conservé ainsi que celui d'une jeune fille qu'il ne trouva pas en assez bon état pour figurer dans une collection: il brisa alors en menus fragments afin, dit-il, «de juger du mélange des os avec le bitume» et d'y chercher, mais en vain, des amulettes.

Jean Coppin se rendit deux fois en Egypte, de 1638 à 1646. Capitaine-lieutenant de cavalerie, c'est à la mode militaire qu'il s'installa près de Saqqarah, sur une petite éminence; il fit monter le drapeau français et résolut, avec plusieurs de ses camarades, de prendre des tours de garde. Déjà Pietro della Valle avait sollicité des Turcs une escorte militaire. Ces témoignages en disent long sur l'âpreté avec laquelle les habitants avaient coutume de défendre leurs momies providentielles. Balthazar de Montconys écrivit, en 1646, à un de ses amis, qu'il allait rapporter l'une des «plus belles momies que l'on ait vues en France, toute peinte et dorée». La spoliation se poursuivait à un rythme accéléré et nous verrons plus tard qu'en ce qui concerne les momies, elle avait aussi un autre motif que l'ornement des cabinets de curiosités.

Aux environs des années 1600 siégeait, au Parlement d'Aix-en-Provence, un conseiller du nom de Nicolas Claude Fabri de Peiresc. Cet étrange personnage ne se mêlait-il pas de tout connaître sur tout? D'une curiosité universelle, il prolongeait, par ses recherches et son érudition, l'homme de la Renaissance. Sans quitter Aix, il se tenait au courant des événements de l'étranger et entretenait des relations épistolaires avec des érudits de l'Europe entière et des pays voisins du Bassin méditerranéen. Il se faisait expédier des livres qu'il recopiait souvent (sa bibliothèque ne contenait pas moins de cinq mille volumes) et organisait, à grands frais, un cabinet de curiosités. Un jour, vers 1630, parmi tant d'objets étranges, un de ses correspondants lui expédia d'Egypte deux momies qui furent l'ornement de sa collection. L'une d'elles servira de modèle à Rubens pour un dessin.

Toutefois, cet amateur ne pouvait rivaliser avec les grands : le cardinal de Richelieu, Mazarin, le chancelier Séguier, Colbert, par le truchement de leurs représentants diplomatiques et plus spécialement des consuls en Egypte, encouragèrent des missions archéologiques. Ce n'était pas la recherche organisée, consciencieuse et désintéressée à laquelle se livrent les archéologues contemporains ; cependant les ordres de fouilles stipulaient déjà qu'on devait fournir une description minutieuse des découvertes. La quête des trésors n'était cependant pas oubliée. Lucas, chargé de mission par Louis XIV en 1714, pouvait lire dans ses instructions : «il y a ordre de faire ouvrir une petite (pyramide)... On pourrait trouver quelque chose de précieux puisque, dans des simples sépultures, on trouve quelquefois des idoles et d'autres curiosités dignes d'être mises dans les Cabinets de nos roys».

D'ailleurs, le surintendant Fouquet possédait deux magnifiques sarcophages qui, après être passés par divers propriétaires, furent acquis par le Musée du Louvre. La Fontaine, attendant d'être introduit dans le cabinet du ministre, put les voir et en a laissé une description dans un de ses poèmes, les attribuant par erreur à Chephren et Chéops, les bâtisseurs des grandes pyramides :

> Si je vois qu'on vous entretienne
> J'attendrais fort paisiblement
> En ce superbe appartement
> Où l'on a fait, d'étrange terre,
> Depuis peu venir à grand-erre
> (Non sans travail et quelques frais)
> Des rois Cephrim et Kiopès
> Le cercueil, la tombe ou la bière ;
> Pour les rois, ils sont en poussière ;
> C'est là que j'en voulais venir.

Cependant, à la fin du XVIIe siècle, Benoît de Maillet, consul de France au Caire, loin de tout esprit de lucre, fit démailloter une momie. Se penchant sur les bandelettes, il remarqua alors, avec beaucoup de finesse, au-dessous des caractères hiéroglyphiques habituellement rencontrés, une seconde ligne inscrite en caractères différents : peut-être s'agissait-il d'un texte démotique ou copte. Le ministre Ponchartrain lui-même fut alerté et déclara, par une lettre du 16 septembre 1698, tout l'intérêt qu'il portait à cette découverte. Il n'en fallut pas moins attendre près de cent vingt-cinq ans pour que Champollion fît part à l'Académie des principes de l'écriture égyptienne.

Au cœur de la montagne occidentale qui domine Thèbes, s'enfonce la fameuse Vallée des Rois, le Biban-el-Molouk, où les pharaons du Nouvel Empire firent creuser leurs hypogées. En 1743, un voyageur anglais, Richard Pocoke, s'y hasarda. Alors que Strabon connaissait la présence de quarante tombes en cet endroit, Pocoke n'en mentionna que quatorze et dressa le plan de certaines d'entre elles, celles qui n'avaient pas été obstruées par des éboulis. Son incursion dans cette contrée déshéritée fut assez rapide mais témoigna d'un certain courage. En effet, six ans auparavant, un de ses compatriotes, Norden, n'osa pas s'engager si avant et s'arrêta au Ramesseum : dans les grottes creusées dans les collines avoisinantes, des hordes de bandits, solidement installés, tenaient en respect la région. Bruce, en 1769, eut l'occasion de rencontrer ces hors-la-loi. Le gouverneur avait bien essayé de les déloger en remplissant leurs cavernes de broussailles sèches et en y mettant le feu. Rien n'y faisait : pour quelques tués, il en réapparaissait d'autres, plus audacieux. Revenant du tombeau de Ramsès III, dans le crépuscule, Bruce, que ses guides effrayés avaient abandonné, fut attaqué à coups de pierres et ne dut son salut qu'à la fuite, jurant de ne plus revenir dans cette région inhospitalière.

Bonaparte, les savants et les momies

De la grande expédition que Bonaparte entreprit en Egypte, première étape du rêve d'un empire oriental, il ne reste, sur le plan militaire, que le souvenir de la flotte coulée par Nelson à Aboukir, du retour prématuré du général en chef, de l'assassinat de Kléber et de l'expulsion finale des Français. Le mérite de Bonaparte fut de s'être entouré d'hommes de science car c'est à partir de cette désastreuse aventure que commença vraiment l'égyptologie. La Commission des Sciences et des Arts désigna cent soixante-sept hommes de science pour participer à l'entreprise, géographes, historiens, naturalistes, archéologues... Leurs rapports avec les représentants de l'armée étaient des plus tendus et ceux-ci acceptaient mal les rémunérations versées aux chercheurs et les sommes allouées pour leurs travaux dont ils ne comprenaient pas la portée. Dans les moments critiques des combats, un mot d'ordre réjouissait les militaires : « En garde contre les mameluks, formez le carré ! Les ânes et les savants au milieu ! » Ces mêmes savants qui savaient pourtant prendre les armes quand il le fallait et qui laissèrent, en quatre ans de campagne, de juin 1798 à septembre 1802, trente-quatre des leurs sur le sol égyptien.

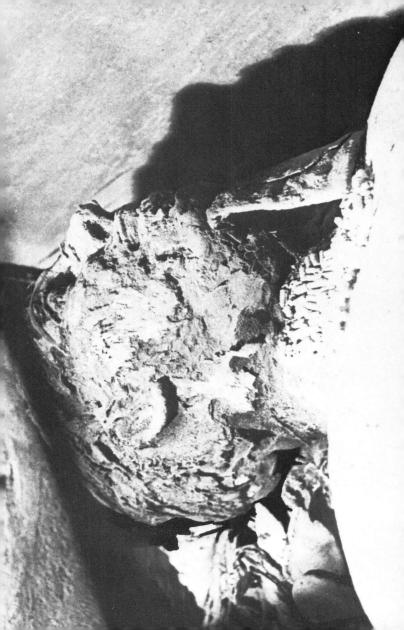

Découverte dans les années 60 près des pyramides de Gizeh, cette momie serait celle d'un musicien de cour au service du premier pharaon de la IXᵉ Dynastie qui régnait sur l'Egypte vers 2490 av. J.-C. Saqqarah. *United Press.*

Précédées par Vivant Denon, deux commissions, dirigées, l'une par Costaz, l'autre par Fourier, parcoururent l'Egypte du Sud au Nord, d'Assouan au Caire pendant tout un été, y amassant une foule de notes, une énorme quantité de croquis, de plans, de dessins, accumulant des collections archéologiques et scientifiques. La monumentale *Description de l'Egypte*, fruit de ces travaux, ne compte pas moins de neuf tomes de texte et quatorze énormes volumes de planches in-folio.

Dans la Vallée des Rois, on ne distinguait plus à ce moment que l'entrée de onze tombeaux et, plus à l'ouest, celui d'Aménophis III. Jomard, membre de l'expédition, fait de son exploration des hypogées thébains, un récit terrifiant. Les caveaux sont tous entièrement bouleversés; on marche sur les momies amoncelées sur le sol et on les sent craquer sous le poids du corps; on a parfois du mal à retirer le pied empêtré dans les ossements et les bandelettes. On peut être obligé de ramper sur le ventre, la bougie à la main, au milieu de ces corps éminemment combustibles. Cette promenade macabre est entrecoupée par le sifflement du vol des chauves-souris qui frôlent les visiteurs; le battement de leurs ailes remue un air chaud, lourd, humide, empuanti par l'odeur fétide de leurs excréments accumulés depuis des siècles; les bougies menacent de s'éteindre. La chaleur est suffocante: il fait de 22 à 25° dans ces souterrains. On peut vérifier, au moins sur un point, l'exactitude des dires de Jomard: si le touriste contemporain peut se promener tranquillement dans les tombes royales dont les couloirs ont été nettoyés et les chauves-souris chassées, la température n'a pas changé. En 1924, Lucas, effectuant des mesures thermiques et hygrométriques a fait les mêmes constatations: la température la plus élevée est celle du fond de la tombe d'Aménophis II, à 29°; la tombe la plus humide est celle de Thoutmosis IV. Jomard échappa encore à bien d'autres dangers: dans une tombe le quart d'un pilier s'écroule tandis qu'il le dessinait et rase sa tête; dans une autre, un incendie qu'il a malencontreusement allumé avec sa torche l'oblige à quitter précipitamment le puits.

Mais c'est dans l'hypogée d'Aménophis III que deux de ses compagnons connurent leur plus grande frayeur. Munis chacun d'une bougie, ils s'avancent dans une galerie. A une certaine distance de l'entrée, un puits profond de dix mètres barre presque toute la largeur du couloir; ils ne peuvent le franchir qu'en s'asseyant sur le bord et en s'avançant sur leurs mains. Ce n'étaient que les prémices d'une périlleuse exploration; ils doivent en franchir ainsi plusieurs au hasard des détours du chemin quand, par malheur, une chauve-souris souffle les deux bougies d'un battement d'ailes. Plongés dans l'obscurité, n'ayant qu'une très vague conscience du trajet parcouru, il leur faut retrouver leur chemin en évitant le danger mortel des puits. Se tenant par la main, palpant les murs, marchant avec précaution, tâtant le sol du bout du pied à chaque instant, ils progressent lentement quand, après une centaine de pas, ils perdent le contact des parois. Arrivés à un carrefour, il leur faut prendre une décision : ils s'engagent dans la voie de droite, évitent les puits et aperçoivent enfin, au bout de la grande entrée de l'hypogée, la faible lueur du jour annonciatrice du salut.

Dans l'inventaire après décès de l'Impératrice Joséphine à Malmaison figuraient, bien entendu, des souvenirs d'Egypte, sans doute rapportés par Bonaparte : dispersés au vent des adjudications, leur trace a été perdue. Parmi les neuf objets signalés, on pouvait voir « deux momies d'Egypte contenues chacune dans une caisse de bois de noyer de cinq pieds et demi ; une tête de momie de femme ; trois momies d'ibis enfermées dans des vases de terre ».

Pillages éhontés et fouilles méthodiques

Les découvertes françaises, les publications du *Voyage* de Vivant Denon et de la *Description de l'Egypte* suscitèrent de nombreuses vocations d'archéologues et, surtout, excitèrent beaucoup d'appétits commerciaux.

Mehemet Ali, qui s'était emparé du pouvoir, établit des relations commerciales avec l'Occident où il exporta de grandes quantités de céréales : les sommes considérables qu'il en retira lui permirent de développer son armée. Ce faisant, il ouvrait largement aux Européens les portes de son pays et accordait, à qui le demandait, un firman, permission de fouiller sans contrôle. Il en résulta des abus et un véritable pillage des trésors de l'Egypte. On ne dira jamais assez combien d'œuvres d'art furent sacrifiées, combien de parois peintes furent effondrées pour en dérober la parcelle convoitée, combien de jalons de l'histoire égyptienne furent à jamais détruits.

Jean-Baptiste Belzoni fut assurément la figure la plus pittoresque du début de ce XIXᵉ siècle. Né à Padoue en 1778 d'une respectable famille romaine, il se signala d'emblée par son non-conformisme : orienté d'abord vers la prêtrise, il échoua en Angleterre dans un cirque où sa taille gigantesque et sa force peu commune l'avaient conduit à jouer les hercules de foire. Ingénieur, en outre, ou se prétendant tel, il construisit une roue hydraulique qui devait remplacer le travail de quatre indigènes. Il essaya de la proposer aux Egyptiens, mais il fut éconduit. C'est alors que, en 1815, il rencontra le consul britannique Salt pour qui il exécuta diverses fouilles. Ayons une pensée reconnaissante pour Belzoni car la collection Salt, riche de quatre mille objets, fut léguée au Musée du Louvre ! Puis Belzoni continua de fouiller pour son propre compte et sa plus heureuse découverte fut celle de la tombe de Séthi Iᵉʳ en 1817. La momie du roi avait disparu mais il restait le magnifique sarcophage en albâtre transparent qu'il rapporta et exhiba à Londres. Le succès de l'exposition londonienne de 1810 fut tel qu'il la répéta à Paris.

Le 27 septembre 1822 est une date mémorable pour les égyptologues: le modeste Champollion offrait, en effet, rue Mazarine, à l'Académie des Inscriptions et Belles-Lettres, son inoubliable opuscule, *Lettre à Monsieur Dacier relative à l'alphabet des hiéroglyphes phonétiques,* qui fut suivi un an plus tard de son *Précis du système hiéroglyphique.* Cette lettre fit sensation dans les milieux cultivés mais, ce même jour, sous les fenêtres de l'Institut, passait un train de péniches transportant les collections du bateleur Belzoni qui allaient faire courir tout Paris. Il installa son matériel boulevard des Italiens: rien n'y manquait, ni les momies, ni le sarcophage, ni de nombreux objets de nature à piquer la curiosité du public; le tout était présenté dans une reconstitution des salles principales du tombeau de Séthi Iᵉʳ, copie à laquelle deux artistes italiens avaient travaillé durant vingt-sept mois. La découverte de la tombe de Toutankhamon, cent ans plus tard, ne fit pas plus de bruit.

Passalacqua, maquignon triestin en déconfiture, vit là un moyen de faire rapidement fortune. Il se lança, lui aussi, dans le commerce des antiquités et, à l'instar de Belzoni, après avoir écumé la région thébaine, il rapporta à Paris une cargaison d'objets et de momies qu'il exposa, en 1826, au 52, passage Vivienne. L'affaire fut bonne et l'événement dut alimenter bien des conversations car Balzac lui-même y fit allusion dans *La Maison Nucingen:* « Malvina ne possède rien ... Noire, grande, mince, sèche, elle ressemble à une momie échappée de chez Passalacqua qui court à pied dans Paris. » Malgré la qualité des objets, le gouvernement français refusa les quatre cent mille francs demandés pour leur acquisition et c'est Frédéric Guillaume IV qui les obtint pour le quart de leur valeur en ayant simplement promu Passalacqua, libéralité peu coûteuse, à la fonction de Conservateur des Antiquités égyptiennes à Berlin.

Champollion, parcourant l'Egypte de 1828 à 1829, fit un séjour dans la Vallée des Rois (cf. p. 20) et n'hésita pas à établir son campement dans la tombe de Ramsès IV. Il ne recherchait pas les momies; il était là pour déchiffrer les textes, copier les inscriptions, les comparer d'une tombe à l'autre. Les hypogées, dénommés jusqu'alors en fonction de certaines particularités de leur décor, tombe des harpistes, tombe de la métempsycose..., reçurent, grâce à lui, leurs attributions réelles. Epouvanté par les dégâts que commettaient les marchands et collectionneurs, il réclama, mais en vain, la création d'un service de protection des antiquités.

La Prusse, dont le Musée égyptien égalait maintenant ceux de Paris, de Londres et de Turin, envoya, de 1842 à 1845, une mission dirigée par

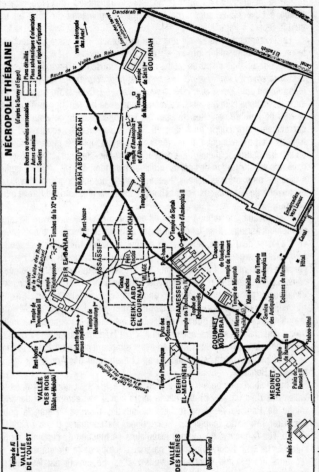

1. *La Nécropole thébaine.* Guide Bleu Egypte.

Richard Lepsius. Ce n'était toujours pas la recherche archéologique respectueuse que nous connaissons de nos jours et de nombreux monuments furent encore ravagés.

Il fallut attendre que Mariette obtînt de Saïd Pacha, en 1858, le titre de «mamoun» des antiquités pour que fût créé le Service des Antiquités de l'Egypte qui soumit enfin les fouilles à un contrôle sérieux. La grande aventure de la vie de Mariette fut sa découverte du Serapeum de Memphis, la sépulture des taureaux sacrés : nous aurons l'occasion d'y revenir à propos des momies animales.

Maspéro, un des très grands noms de l'égyptologie, succéda à Mariette à la tête du Service des Antiquités. Sa découverte des momies royales de la XVIIIᵉ Dynastie, connue sous le nom de «Première trouvaille de Deir-el-Bahari» mérite d'être contée par le menu. Elle surpasse, en importance historique, la découverte de la tombe de Toutankhamon. On savait que les tombeaux de la Vallée des Rois avaient été pillés et ne renfermaient plus les momies des pharaons mais on pouvait se demander si les corps avaient été systématiquement détruits.

En 1875 apparurent, sur le marché, quelques statuettes d'émail bleu, portant, en cartouche, un prénom : Kheperkarê. Ce prénom ne pouvait avoir appartenu qu'à deux rois, Sésostris II, de la XIIᵉ Dynastie, et Pinedjem, de la XXIᵉ Dynastie. C'est à ce dernier que, selon toute vraisemblance, Maspéro attribuait les objets. En 1876, le général anglais Campbell montrait à Maspéro le rituel hiératique du grand prêtre d'Amon et roi Pinedjem qu'il avait acheté à Thèbes pour la somme de quatre cents livres. Un an plus tard, de Saulcy lui prêtait la photographie d'un long papyrus, partagé depuis entre la France, l'Angleterre et la Bavière et qui avait appartenu à la reine Not-mit, mère de Herihor, deuxième souverain de la XXIᵉ Dynastie. Vers la même époque, des statuettes funéraires étaient inscrites cette fois au nom de Pinedjem. Il n'était plus possible d'attendre : on tenait la preuve d'une fouille clandestine qui, croyait-on, s'était attaquée à un ou plusieurs hypogées royaux de la XXIᵉ Dynastie.

Avec une grande patience, sans ménager son temps, Maspéro interrogea les acheteurs, les touristes à qui l'on avait pu proposer des objets sous le manteau. Cette enquête lui permit de découvrir les noms des vendeurs : deux Egyptiens, les deux frères, Ahmed et Mohamed Abd-er-Rassoul, de Cheikh abd el-Gournah, petit village situé à mi-chemin entre le Ramesseum et le temple d'Hatchepsout, et un certain Moustapha Agha Ayat, vice-consul d'Angleterre, de Belgique et de Russie à Louxor. Il était impossible de traîner ce dernier devant les tribunaux car il était couvert par l'immunité diplomatique ; on fit donc pression sur les deux Arabes. Sur ordre de la police de

Louxor, Ahmed fut amené entre deux gendarmes et son interrogatoire commença le 6 avril 1881 : on ne put jamais le faire avouer ; bien plus, de nombreux témoignages des gens de son village lui furent favorables, y compris ceux des maires et des notables. Devant tant de déclarations d'innocence et faute d'avoir même trouvé à son domicile le moindre objet compromettant, on dut le relâcher au bout d'un mois et demi d'emprisonnement. Cependant, le doute était semé dans la famille Abd-er-Rassoul. Le vice-consul, pour prix de sa protection, raflait les antiquités de la région thébaine. Or, il était devenu clair qu'il ne pouvait étendre son immunité à ses associés ; Ahmed avait été incarcéré plus d'un mois ; Maspéro avait promis de reprendre l'affaire dans le courant de l'hiver. Fallait-il donc tout avouer à l'administration du Musée ? C'était l'opinion de Mohamed tandis qu'Ahmed pensait ne courir aucun risque en poursuivant sa fructueuse exploitation. Mais la discorde s'envenima encore entre les deux frères à propos du partage du trésor dont Ahmed, pour dédommagement des six semaines passées en prison, réclamait la plus grande part. Las des querelles et, sentant surtout le filet se resserrer, Mohamed, l'aîné, résolut de dévoiler le secret de famille. Sa révélation fut tellement stupéfiante qu'elle monta, de juridiction en juridiction, jusqu'au Khédive. Maspéro étant, à ce moment, retenu en Europe, on dépêcha sur les lieux Emile Brugsch, conservateur adjoint, qui y parvint le 6 juillet. Là, dans un cirque de la colline qui fait face au village de Cheikh abd el-Gournah, à moins d'un kilomètre de la demeure de nos pillards, juste à côté du temple de Deir-el-Bahari, sur un gradin de la paroi à soixante mètres des terres cultivées, un puits avait été creusé. Profond de douze mètres, large de deux, il aboutit à un couloir étroit de 1,40 m de long sur 0,80 m de haut. Après un trajet de 7,40 m, ce couloir s'élargit, tourne brusquement vers le nord et court ainsi sur soixante mètres pour déboucher dans une chambre irrégulière de 8 m de long.

A la lueur vacillante des bougies, Emile Brugsch et les membres de la commission qui l'accompagnaient découvrirent tout d'abord, près de l'entrée, un cercueil blanc et jaune au nom de Nibsni. S'avançant dans le petit couloir, ils purent alors lire les noms de Sekénenrê, roi de la XVIIe Dynastie, puis de la reine Tiouhator Honttoui, puis de Séthi Ier. Les sarcophages étaient entourés d'une quantité d'objets, déposés pêle-mêle, qui obstruaient le chemin. Dans le grand corridor et la chambre, le désordre était indescriptible. Les savants durent avancer en rampant, éviter des canopes, des coffres, des statuettes, pour reconnaître les cercueils et momies des rois parmi les plus célèbres que l'Egypte ait connus : de la XVIIe Dynastie : Sékénenrê ; de la XVIIIe : Ahmosis, Aménophis Ier, Thoutmosis Ier, Thoutmosis III ; de la XIXe : Ramsès Ier, Séthi Ier et Ramsès II ; de la XXe : Ramsès III et Ramsès X ; de la XXIe : le fameux Pinedjem dont les objets avaient mis Maspéro sur les traces des voleurs. Des membres de leurs familles leur tenaient compagnie : la reine Ahhotep, épouse de Sekénenrê, Siamon fils d'Ahmosis et sa mère Ahmosis-Nefertari, sœur et épouse d'Ahmosis dans son cercueil gigantesque et bien d'autres encore.

Pourquoi les énormes tombeaux vides dans la Vallée de Biban-el-Molouk et cet entassement misérable dans un étroit corridor de tant de personnages royaux ? Pour trouver la réponse à cette question, il faut savoir qu'à la fin du Nouvel Empire sévissaient des bandes organisées de pillards qu'aucun respect religieux et qu'aucune crainte ne retenaient de violer les sépultures, grandes ou petites, pour en dérober les trésors. Nous aurons l'occasion de reparler des tribulations de ces pharaons, déplacés de tombe en tombe jusqu'à leur ultime demeure dans cette humble cachette, car il s'agissait bien d'une cachette. Le site fut si bien choisi et le secret si soigneusement gardé que cette tombe collective, scellée vers la fin de la XXIe Dynastie, échappa aux convoitises des anciens Egyptiens, des voleurs arabes, et même des archéologues jusqu'aux premiers larcins des Abd-er-Rassoul en 1875. Le sommeil de l'éternité n'avait duré, pour les pharaons, qu'un peu plus de deux mille huit cents ans. Dès lors, en quarante-huit heures, le tombeau fut entièrement vidé de ses occupants qui se retrouvèrent au Musée du Caire, mais ceci est une autre histoire.

Dix ans plus tard, le même Mohamed-abd-er-Rassoul, décidément doté d'un flair peu commun, indiquait à Grébaut, successeur de Maspéro à la tête du Service des Antiquités, une seconde cachette, peu éloignée du temple de la reine Hatchepsout : la «seconde trouvaille de Deir-el-Bahari». Sous un dallage parfaitement dissimulé s'ouvrait un large puits, bloqué de pierraille, de briques, d'argiles et de sable, profond de onze mètres. Au fond du puits s'amorçait une galerie où un homme pouvait se tenir debout, longue de quatre-vingt-treize mètres, sur laquelle se greffait un autre couloir plus court. Dans un véritable bric-à-brac de cercueils, de caisses, de vases, de fleurs et de fruits desséchés gisaient cent cinquante-trois momies dans leurs sarcophages, souvent entassées les unes sur les autres, parfois empilées sur deux rangs le long des parois. Les corps étaient ceux des ministres du culte d'Amon à partir de la XXIIe Dynastie, prêtres et prêtresses, chanteuses, membres de leurs familles. Il fallut plusieurs mois pour vider entièrement la cachette et, peut-être embarrassé par cette profusion de cadavres, le gouvernement égyptien en expédia une centaine dans des Musées aux quatre coins du monde.

Les directeurs se suivirent au Service des Antiquités. En 1898, le dernier en date, Victor Loret, mis sur une bonne piste par les fouilleurs clandestins, reprit les recherches dans la Vallée des Rois en un site jusque-là négligé et découvrit l'entrée d'un hypogée. Après avoir descendu puis gravi plusieurs volées de marches, franchi des couloirs et des chambres, il parvint dans une salle où, au milieu d'objets brisés, s'élevait un somptueux sarcophage de quartzite rouge. Dans celui-ci, un cercueil de bois : en ayant soulevé le couvercle, Loret eut la surprise de découvrir une momie intacte, celle d'Aménophis II, enguirlandée de feuillages et de fleurs, un petit bouquet de mimosa déposé sur sa poitrine. La salle du sarcophage était flanquée de quatre chambres plus étroites, deux à droite, deux à gauche. Dans la première pièce de droite, reposaient, à même le sol, sans bandelettes, une femme, un homme et un enfant, sans doute un prince à en juger par la coupe particulière de ses cheveux. Cependant Loret n'était pas au comble de l'étonnement ; il lui fallait explorer la dernière chambre de droite dont la porte murée avait été en partie attaquée par les coups de pioche des pilleurs. Il y avait là neuf cercueils de bois dont quatre avaient perdu leur couvercle : deux contenaient des momies anonymes mais les sept autres étaient ceux des pharaons qui manquaient dans la première cachette de Deir-el-Bahari : Thoutmosis IV et Aménophis III de la XVIIIe Dynastie ; Mineptah et Siptah de la XIXe ; Setnakht, Ramsès IV et Ramsès V de la XXe. Certes la liste n'était pas complète mais la collection des rois s'étoffait.

Cinq ans après cette découverte, T.A. Davis entreprit des fouilles méthodiques dans la Vallée des Rois. Parmi les nombreuses découvertes qu'il y fit, la plus discutée fut celle de la tombe no 55 : dans un sarcophage au nom de Meryet-Amon, fille d'Akhnaton, reposait une momie que l'on considéra un certain temps comme celle de la reine Tiÿ, épouse royale d'Aménophis III et mère d'Akhnaton. Puis on s'aperçut bien vite qu'il s'agissait de la momie d'un homme et l'on crut alors, sur la foi d'inscriptions mal interprétées, que l'on était en présence du pharaon hérétique lui-même. Enfin, des études médicales sérieuses ont permis de conclure qu'il était en réalité Semenkharé, son neveu et gendre.

L'épisode le plus émouvant est celui de la rencontre de Davis avec Youya et Touya, père et mère de Tiÿ. Dans une petite chambre creusée dans le roc, aux parois nues, on avait déposé les cercueils sur une simple couche de sable fin. Quelques meubles ornaient la pièce, parmi les plus beaux que l'on connaisse. La tombe avait été violée, les bijoux dérobés aux momies, mais le tout avait été fait avec un grand soin et la dorure des meubles avait été respectée si bien que l'archéologue eut l'impression d'entrer dans une pièce intacte.

En 1912, Theodore Davis décida d'abandonner ses recherches dans la Vallée des Rois. Si certaines momies manquaient encore à l'appel, elles devaient avoir été détruites ; quant aux tombes royales, on les avait toutes retrouvées, visitées, décrites. Davis était même persuadé d'avoir découvert, en 1907, celle de Toutankhamon : c'était une chambre située près du tombeau d'Horemheb et qui contenait un coffre de bois orné de la figure du roi et de sa femme Ankhsenaman. Il n'y avait, nulle part, trace de corps et Davis en conclut simplement que la tombe avait été pillée. A cent mètres de là, une fosse qui n'atteignait pas deux mètres de long renfermait une douzaine de grands pots bourrés de matériel d'embaumement et scellés de bouchons frappés du cartouche royal. Nullement convaincu par les affirmations de Davis et, bien au contraire stimulé par ces trouvailles, Howard Carter entreprit d'ouvrir un nouveau chantier de fouilles dans la Vallée des Rois, près de la tombe de Ramsès VI, aidé en cela par un mécène passionné d'égyptologie, Lord Carnarvon. Pendant de longues années, les résultats furent médiocres. La concession que Lord Carnarvon avait obtenue en 1917, touchait à sa fin et il restait peu d'espoir de retrouver la tombe de Toutankhamon quand, un matin, après avoir abattu quelques ruines d'une maison privée de la XXe Dynastie, les terrassiers mirent au jour une marche, amorce d'un escalier qui conduisait à un mur crépi où s'inscrivait, intact, le cachet du jeune roi. Le mur abattu, Carter s'engagea dans un couloir en pente douce, long de 7,50 m qui aboutissait à un autre mur portant les mêmes sceaux. Le 26 novembre 1922, Carter enleva une pierre de ce mur et glissa, dans l'ouverture, une torche électrique. «Pouvez-vous voir quelque chose?» demanda Lord Carnarvon. Il fallut à Carter quelques instants pour se remettre de sa stupeur avant que l'émotion ne lui permît de répondre par cette seule phrase banale : «Oui, des choses merveilleuses.» Une dizaine d'années fut nécessaire à des équipes de chercheurs pour faire l'inventaire des quelque deux mille objets que l'on retira de la sépulture, parmi les plus beaux que l'art égyptien nous ait laissés. Quatre chambres étaient remplies de mobilier, de vases, de bijoux, d'étoffes, de statues. Dans la chambre funéraire, quatre chapelles en bois doré, emboîtées les unes dans les autres protégeaient les sarcophages. Dans une cuve de quartzite jaune reposaient un premier cercueil puis un second en forme de momie sculptée aux traits du roi, recouverts de feuilles d'or et incrustés de pierres semi-précieuses et de pâtes de verre. Tout ceci n'était rien encore en regard du troisième cercueil en or massif, qui reproduisait aussi le visage de Toutankhamon, les bras croisés sur la poitrine, les mains tenant les deux sceptres de l'autorité. Il pesait onze cents kilogrammes. A l'intérieur reposait la momie, très noircie et surchargée de bijoux et d'amulettes en or. Une fois débandelettée, elle apparut en assez bon état de conservation et l'on put fixer l'âge du décès à une vingtaine d'années environ.

Dans le Delta, Tanis serait reconstruite sur les ruines d'Avaris, l'ancienne capitale des Hyksos : ainsi en avaient décidé les rois de la XXIe Dynastie.

Très attachés à cette ville, ils y avaient fait construire leur tombeau dont les générations suivantes avaient rasé la superstructure; des constructions privées avaient alors été élevées sur leur emplacement. Les galeries demeuraient cependant puisqu'en 1939 un heureux coup de pioche permit à Montet de découvrir cet ensemble funéraire. La première tombe appartenait à Osorkon II, de la XXIIe Dynastie, dont l'énorme sarcophage, taillé dans une statue colossale de Ramsès II, contenait encore la momie; dans les trois chambres de calcaire adjacentes avaient été inhumés le prince Hornekht, fils d'Osorkon II, mort très jeune, Takelot II, fils et successeur d'Osorkon et un inconnu que l'on suppose être Sheshonq III. L'état de conservation des corps n'était pas fameux: Takelot et Sheshonq étaient réduits à l'état de squelettes. De plus, tous les sarcophages avaient été visités par les voleurs.

Poursuivant ses recherches jusqu'au mois de mai 1940, Montet découvrit, dans une paroi de la chambre de Sheshonq III, deux portes murées, parfaitement dissimulées aux regards par une couche d'enduit recouverte de peintures. Les portes donnaient dans deux caveaux. Le premier contenait un grand sarcophage de granit rose sur les parois duquel était répété à profusion le nom de Psousennès Ier, de la XXIe Dynastie. En fait, ce pharaon s'était approprié un monument qui ne lui appartenait pas en faisant marteler le nom de son premier possesseur en tous les endroits où il était gravé et avait fait inscrire sa propre titulature; mais l'artisan chargé de ce travail avait omis d'effacer un cartouche, ce qui nous permet de dire que la cuve avait en fait été creusée pour Mineptah, le successeur de Ramsès II. De telles appropriations n'étaient pas rares et l'on invoque, pour les excuser, la pauvreté relative des rois en cette période troublée. Le second caveau renfermait aussi un sarcophage en argent contenant la momie d'Aménémope, successeur de Psousennès Ier, littéralement couverte de bijoux. Il s'agissait encore d'un réemploi car, sur le petit côté du sarcophage, avait été oublié le nom de Moutnejem, la mère de Psousennès; enterrée près de son fils, elle avait été délogée au profit d'Aménémope.

Cette accumulation de personnages royaux dans la cachette de Tanis prouve que, dans le Delta également, les momies des pharaons étaient la proie des pillards et qu'elles avaient erré de sépulture en sépulture avant de finir dans cette tombe commune.

CHAPITRE II

POURQUOI LES MOMIES?

Les cadavres démembrés

BIEN des millénaires se sont écoulés avant que n'apparaissent en Egypte, vers la IVᵉ Dynastie, les premiers signes de momification. Cependant, il existait déjà, à la période néolithique, vers 4500, une population de culture très évoluée, passée du nomadisme à l'agriculture, fixée sur des sites choisis et qui fabriquait de la poterie. Vers 4000, avec la civilisation dite de Nagada, nous avons la preuve d'un culte des morts car les plus beaux objets, bijoux, vases de schiste, palettes à fards, ivoires travaillés, ont été trouvés dans les cimetières. Là, pas de tombes élaborées, mais de simples fosses, creusées dans le sable, ovales ou rectangulaires, où le cadavre reposait sur le côté gauche, les genoux au menton, la tête au sud, la face tournée vers l'ouest. Il était le plus souvent recouvert d'une natte ou d'une peau d'animal, plus rarement enveloppé dans une pièce de toile; il est exceptionnel que l'on ait mis en évidence des preuves de l'utilisation d'un cercueil. Les restes humains ne sont, bien entendu, que des ossements mais, dans des tombes intactes, sans aucune trace de remaniement, il arrive parfois que les squelettes soient entièrement disloqués ou que des pièces manquent.

Quelques exemples, simple échantillon d'une pratique répandue, peuvent être signalés dans les tombes amratiennes (première époque de Nagada) :

2. *Osiris, le dieu des morts. Enveloppé dans sa gaine, comme une momie, les mains croisées sur la poitrine tenant le sceptre et le fouet, le front ceint de la mitre blanche flanquée de deux plumes. Statuette en bronze de Basse Epoque.*

à El Amrah, les os étaient disposés en un tas auprès duquel se trouvait le matériel funéraire ; à Abydos, on a découvert ici, un squelette divisé en deux moitiés enterrées à quelque distance l'une de l'autre et là, un amas d'os surmonté du crâne. On a vu, aussi, des ossements teintés à l'ocre rouge. Ces faits font supposer que le cadavre était démembré avant d'être inhumé. Les raisons de cette étrange pratique paraissent si peu claires qu'elles ont été diversement interprétées. Petrie y voit une manifestation de cannibalisme où, pour s'approprier les qualités du défunt, la famille mangeait sa chair au cours d'un banquet macabre. Maspéro pense que c'est la crainte d'un possible retour des morts qui aurait été à l'origine de cette coutume barbare : pour les empêcher de venir hanter les vivants, on les disloquait, interdisant ainsi l'union de l'âme et du corps nécessaire à la vie, mais, pleins de contradictions, les Egyptiens auraient cependant assuré à leurs défunts une survie possible dans l'au-delà en ensevelissant avec eux nourriture et mobilier funéraire. Wainwright croit que certains os étaient prélevés pour servir d'amulettes mais cette hypothèse, toute gratuite, ne repose sur aucune preuve archéologique. Hermann, enfin, ne trouvant aucun fondement sérieux à toutes ces explications, se contente d'affirmer qu'il s'agit d'une préoccupation d'ordre religieux, curieux rite de salut destiné à assurer 'au défunt une existence sublimée dans l'au-delà.

Osiris, le dieu des morts

C'est, en tout cas, à partir de cette coutume que naquit la légende d'Osiris, le dieu des morts, où l'on pourrait reconnaître, à la fois, l'indication du démembrement du cadavre et les premiers indices du bandelettage du corps (fig. 2).

D'abord simple tradition populaire, l'histoire de ce dieu évolua par retouches successives pour être finalement fixée par la religion officielle. On en connaît plusieurs versions : celle donnée par Plutarque semble avoir été la plus répandue. Fils de Nout qui personnifiait la voûte céleste et de Geb le dieu-terre, frère d'Isis, de Nephtys et de Seth, il épousa sa sœur Isis et régna d'abord sur la terre comme un dieu bienfaisant, élargissant sans cesse les frontières de l'Egypte et maintenant, à l'intérieur, justice et bonheur. Mais son frère Seth, jaloux de sa renommée, décida de l'évincer. Il l'invita un jour à un banquet où il avait convié soixante-douze conjurés ; au milieu du repas, il présenta à Osiris un coffre, fabriqué secrètement à ses mesures, et déclara qu'il l'offrirait à qui pourrait le remplir entièrement en s'y couchant. Aucun des invités qui s'y essayèrent ne put satisfaire à cette exigence ; Osiris tenta à son tour l'expérience et, lorsqu'il fut bien installé dans le coffre, les conjurés refermèrent brusquement le couvercle, le clouèrent, le ficelèrent et allèrent le jeter dans le Nil. Eplorée, Isis parcourut le monde à la recherche de son époux et finit par le retrouver, échoué sur le rivage de Byblos. Elle ramena son corps dans les marais du Delta où Seth le découvrit à nouveau, le dépeça et dispersa les morceaux à travers l'Egypte. Alors commença la seconde quête d'Isis qui finit par rassembler tous les fragments épars à l'exception du membre viril, avalé par le poisson oxyrhynque. Ici se termine le récit de Plutarque que des textes égyptiens viennent heureusement compléter. Le dieu soleil Rê envoya du ciel Anubis, le dieu à tête de chacal, qui présidera désormais aux embaumements. Celui-ci reconstitua soigneusement le corps puis l'enroula dans sa propre peau. Osiris parut alors tel que nous le connaissons, vêtu d'un suaire qui lui enserre les jambes, les bras croisés sur la poitrine, la tête coiffée du bonnet blanc flanqué de deux grandes plumes. Isis et Nephtys agitèrent leurs bras pourvus de larges ailes et rendirent au mort le souffle vital. Ainsi naquit une seconde fois Osiris ; son règne sur la terre avait pris fin : il était désormais le dieu des morts. D'ailleurs, chaque défunt lui était assimilé. Dans les nombreux textes écrits sur les sarcophages, on peut lire des invocations de ce genre : «Salut à toi, celle qui est en tête des grands ... Je suis Osiris» ; ou bien : «Nout, étends-toi sur moi, couvre-moi ... Je suis Osiris.» Le mort était devenu un Osiris.

On cessa bientôt de démembrer les défunts et, à la période pré-dynastique, l'idée s'imposa que l'intégrité du cadavre devait être préservée autant que possible. Les corps se conservaient remarquablement dans le sable sec du sol égyptien. Chauffés par un soleil brûlant, ils ne se décomposaient pas mais se déshydrataient lentement et gardaient à peu près les apparences de la vie. A l'occasion d'un glissement de sable ou de l'intervention d'un animal, la révélation de ces cadavres spontanément desséchés imposa peut-être ou renforça la croyance en une survie dans l'au-delà. Si les cimetières étaient construits à l'abri de l'inondation, loin du Nil, en bordure de la montagne, en Haute Egypte ou sur des dunes de sable dans le Delta, c'est bien que, de quelque manière, on avait le souci de préserver les corps.

L'âme et le corps sont immortels

On en vint très vite à la notion d'immortalité de l'âme et de l'enveloppe charnelle. Le mot âme n'est d'ailleurs pas exact car la vie d'outre-tombe supposait la présence simultanée du corps, du ba et du ka. Ces concepts, confus pour nous, et qui l'étaient peut-être aussi quelque peu pour les Egyptiens eux-mêmes, ne peuvent être exposés ici que sous une forme volontairement simplifiée. Le ka est une parcelle d'essence divine, issue de l'esprit diffus qui anime toute matière. C'est à partir du chaos que naissent le corps, partie matériel, et le ka, élément spirituel, qui donne sa personnalité au corps. D'ailleurs, le génie créateur Khnoum, à tête de bélier, qui modèle les hommes dans l'argile, a toujours, sur son tour, deux figurines semblables dont l'une est le corps matériel et l'autre le ka. Cependant, procédant de l'esprit diffus, ce ka, qui conditionne la vie de l'homme, lui est, en quelque sorte, étranger. C'est, en somme, son principe de vie.

Le ba qui apparaît au moment de l'union du ka et du corps, c'est vraiment l'âme, la conscience ; c'est lui qui porte la responsabilité, devant les dieux, de la conduite de l'homme : il est la conscience individuelle. Après la mort, le ka et le ba quittent le cadavre qui n'est plus alors qu'une dépouille matérielle. Le ba, propre à l'homme, ne peut survivre que s'il reste étroitement uni au ka, lequel, d'essence divine, est, par définition, immortel. Enfin, il faut que le corps reste disponible pour que le ka, sorte de double, puisse, en quelque sorte, s'y réincarner, ce qu'il peut faire aussi d'ailleurs dans une statue funéraire à l'effigie du mort, la statue de ka.

De la nécessité de la survivance du corps découlèrent des modifications progressives de la sépulture. Des nourritures devaient être déposées dans la tombe afin que le mort, réhabité par son ka, ne souffrît, ni de la faim, ni de la soif. Il fallait, pour cela, agrandir la fosse. La civilisation gerzéenne (fin du néolithique) vit apparaître, sur les parois de la tombe, un enduit de limon ou un lambrissage de bois destinés à empêcher l'éboulement du sable; en même temps, l'ouverture était refermée par une sorte de plateau de bois, de branches et d'argile pour éviter l'écrasement du corps. Parois et plafond amorçaient la formation d'une chambre funéraire.

Puis les murs se couvrirent de briques crues. Dans les «tombes à rebords», le sol se rehaussa en une banquette sur laquelle étaient déposés les vases d'offrandes. La fosse évolua vers le tombeau lorsqu'une cloison s'éleva entre

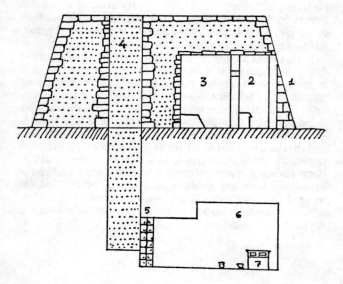

3.   Coupe d'un mastaba: 1. Porte; 2. Chapelle; 3. Serdab; 4. Puits comblé;
      5. Herse; 6. Caveau; 7. Sarcophage.

la partie réservée au cadavre et celle consacrée aux offrandes, préfiguration de la chapelle funéraire. Le système se compliqua encore avec le creusement de chambres de réserve supplémentaires destinées au mobilier. Les étais de bois se multiplièrent pour renforcer la solidité de la pièce et les briques crues firent place à des dalles plates. Enfin le complexe funéraire s'enfonça dans le sol, de plus en plus profondément : on y descendait le mort grâce à un puits d'accès que l'on comblait ensuite de pierres et de sable. On recouvrait le tout d'un mastaba, sorte d'énorme banquette oblongue en calcaire au sein de laquelle étaient ménagées une ou plusieurs chambres décorées de scènes de la vie quotidienne où le ka du mort pouvait venir jouir agréablement de la vie de l'au-delà comme s'il était encore parmi les vivants. Une petite pièce, le serdab, abritait la statue du défunt et communiquait avec l'extérieur par une mince fente où parvenait la fumée de l'encens (fig. 3). Cette statue, aussi ressemblante que possible, permettait ainsi la réincarnation du ka. Surtout, une stèle fausse porte laissait le mort libre de quitter sa tombe de temps en temps ; une table d'offrandes placée devant elle et dont la gravure représentait un amoncellement de mets recherchés fournissait une alimentation substantielle quand la famille omettait d'apporter la nourriture terrestre (fig. 4). Quant à la pyramide, la chambre sépulcrale était construite en son sein même. Le couloir qui y accédait, soigneusement dissimulé, était parsemé de chausse-trapes et obstrué par des herses de granit.

La croyance en la survie du mort conduisit donc à accroître son confort dans la vie du tombeau en agrandissant et multipliant les chambres. On le mettait également à l'abri des déprédations des pillards en éloignant ses appartements de la surface, en bloquant les puits, en l'ensevelissant au cœur des pyramides. Mais, ce faisant, on s'écartait des conditions naturelles de conservation des corps que la chaleur bienfaisante du sable sec préservait de la destruction. Bien plus, la simple natte de roseau, le linge grossièrement tissé ou la peau de chèvre jetée à la hâte furent remplacés par un cercueil dans lequel le corps était enveloppé dans une ou plusieurs épaisseurs de toile. Puis le cercueil lui-même s'emboîta dans un ou plusieurs sarcophages et les couches de linges et de bandelettes se multiplièrent. Toutes les conditions étaient réunies pour accélérer la décomposition des matières putrescibles et ce ne fut plus qu'un squelette qui occupa des complexes funéraires de plus en plus somptueux.

Le pharaon Sekenenrê-Taâ, surnommé le Brave, appartient à la XVIIe Dynastie (vers − 1600). Il mourut de mort violente, assassiné ou dans un combat contre les Hyksos. Sa momification faite à la hâte sur le champ de bataille fut négligée, le cerveau n'étant pas enlevé. Musée du Caire. *Photo Hachette.*

4. *Table d'offrandes (tombe de Nakht). On y reconnaît des raisins, une oie, divers légumes, des cuissots d'antilopes, une tête de veau, des pains, des fleurs.*

L'idée religieuse d'une survie quasi matérielle du défunt imposa alors la recherche difficile d'une préservation artificielle du corps. De nombreux tâtonnements furent nécessaires avant que la momification n'atteignît à ce degré de perfection qu'elle connut au Nouvel Empire.

CHAPITRE III

LES FABRICANTS DE MOMIES

L ES nécropoles abondent en Egypte puisqu'une évaluation approximative a fixé à cinq cents millions le nombre de corps momifiés jusqu'à l'époque romaine. Le culte des morts, poussé à un degré qu'il n'atteignit chez aucun peuple de l'Antiquité, nous vaut cette profusion de tombes, témoins, par leur décor et leur mobilier, de toute une civilisation. L'architecture civile a laissé beaucoup moins de vestiges que l'architecture funéraire car, dans la plupart des cas, celle-là était construite en matériaux périssables alors que les tombeaux étaient bâtis pour l'éternité. A partir du Moyen Empire, Thèbes détrôna Memphis et devint la grande capitale politique et religieuse de l'Egypte. C'est donc dans la région thébaine que l'on a le plus de chances de comprendre l'organisation matérielle d'une nécropole mais sur ce sujet, les documents les plus importants et les plus complets datent seulement des époques hellénistique et romaine. Interprétés à la lumière de quelques textes antérieurs d'origine égyptienne, ils permettront cependant de se faire une idée du fonctionnement de cette vaste entreprise funéraire. Nous devons beaucoup à Bataille dont les *Recherches de papyrologie grecque sur la Nécro-*

pole de Thèbes nous aideront dans la rédaction de ce chapitre et aux fouilles de Bruyère à Deir-el-Medineh.

Les premiers exemples de momification remontent à la IVe Dynastie : ils concernent uniquement des personnages de rang royal. Le pharaon autorisa bientôt certains hauts dignitaires à user de cette pratique, les récompensant ainsi pour services rendus. La momification assimilait le pharaon à Osiris ; autant dire qu'elle le rendait égal aux dieux. On conçoit donc l'importance que devait revêtir, pour l'entourage, l'octroi d'un tel privilège. Un cadeau pour l'éternité était une de ces faveurs royales particulièrement appréciées et que l'on appelait « offrande que donne le Roi ». Le nombre des personnages ainsi gratifiés alla sans cesse croissant, le pharaon faisant don d'un coffre funéraire, d'un lit, de vases à viscères, d'une stèle fausse porte et, de proche en proche, c'est toute la classe aisée de la société qui en vint à se faire momifier. Ce n'était rien encore en comparaison de ce qui se passa à l'époque de la domination perse où chacun, paysan, fonctionnaire, commerçant, quel que fût son rang, voulut accéder aussi à l'immortalité. Une telle démocratisation de l'embaumement nécessita une extension progressive de la nécropole et une organisation de ses activités.

Pour des raisons religieuses, les cimetières étaient le plus souvent situés sur la rive occidentale du Nil, celle du soleil couchant : quand on fonda Alexandrie, on installa la première nécropole à l'occident de cette ville. Pour des raisons évidentes d'hygiène, elles étaient établies à l'écart de la métropole, ce qui n'empêcha pas certains citadins de se plaindre des odeurs nauséabondes provenant des ateliers d'embaumement. Plantons le décor et dessinons le portrait des acteurs avant que le rideau ne se lève sur les activités si déconcertantes de la cité des morts.

La purification sous la tente

Ayant traversé le Nil, le cadavre ne parvient pas aussitôt à l'embaumeur. Le premier bâtiment dans lequel il pénètre est la tente de purification, l'ibou, où il sera lavé à l'eau lustrale. Le mot ibou servait initialement à désigner un simple abri de pêcheur en clayonnage ; c'est à dessein que les Egyptiens l'ont appliqué à cette construction provisoire faite de matériaux fragiles, de toile et de nattes tressées, destinée à pouvoir être démontée et remontée facilement. Le débarcadère où arrive le corps est surmonté d'une sorte de terrasse le long de laquelle courent deux rampes d'accès vers le pavillon : celui-ci, de forme parallélépipédique, s'ouvre sur les rampes par deux portes latérales ménagées dans sa façade (fig. 5). Telle est la tente de purification utilisée pour le commun. Ce bâtiment modeste avait été copié sur certains

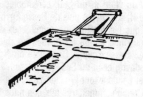

5. *La tente de purification (vue perspective et plan). Au premier plan, le débarcadère, puis deux rampes d'accès qui montent, de chaque côté, vers les deux portes d'entrée du bâtiment.*

temples construits pour les pharaons. En effet, les pyramides royales de l'Ancien Empire étaient accompagnées de deux temples : un temple funéraire ou de la Vallée, en bordure du Nil et un temple haut situé contre la pyramide, les deux reliés par une chaussée d'accès parfois couverte (fig. 6). Un bref rappel historique fera comprendre la raison d'un tel ensemble. Primitivement divisée en Royaume du Nord et Royaume du Sud, l'Egypte fut réunie sous le règne de Narmer, premier pharaon de la Ire Dynastie mais l'usage se perpétua de célébrer à tout propos cette union : double couronne du roi, titu-

6. *Reconstitution des pyramides d'Abousir. 1. Pyramide et temple du haut ; 2. Temple de la Vallée.*

lature sous la protection des déesses du Nord et du Sud, cérémonies où le roi intervenait d'abord comme roi de Haute Egypte puis de Basse Egypte. C'est en raison du même symbolisme que les premiers pharaons, ceux des dynasties thinites, se faisaient construire une tombe en Abydos en Haute Egypte et un cénotaphe à Saqqarah en Basse Egypte. Le temple du Nord était consacré aux soins donnés au cadavre, celui du Sud, aux offrandes et sacrifices. A partir de la IVe Dynastie et pendant tout l'Ancien Empire, il n'y aura plus qu'une tombe avec les deux temples funéraires tels que nous les avons indiqués. C'est dans celui du bas, le temple de la Vallée, près du Nil, qu'auront lieu les rites de l'embaumement pharaonique.

L'exemple le plus frappant est donné par le temple de la Vallée de Chephren dont le bâtiment d'entrée, allongé transversalement avec deux portes latérales ouvertes sur la façade, est un modèle sans équivoque de la tente de purification mais bâti en matériau durable (fig. 7). Bien mieux, le dallage

7.   Reconstitution de la façade du temple bas de Chephren (équivalent de la tente de Purification).

du toit de cet édifice est creusé de trous destinés à recevoir les piquets d'une tente ou d'un kiosque. Il est clair, à présent, que le temple de la Vallée abritait tout le processus de la momification mais on a tout lieu de penser que l'aspersion lustrale du cadavre se faisait à l'intérieur même de ce bâtiment dont la forme évoque bien celle de la tente de purification et que l'embaumement proprement dit se faisait sur le toit, dans un édifice provisoire.

La manufacture de momies

On a longtemps pensé que les ateliers ou laboratoires d'embaumement étaient quelques constructions dissimulées aux regards des vivants où des équipes de manœuvres traitaient sur le mode industriel les corps que la famille leur confiait. Or, s'il en était probablement ainsi dans certains grands cimetières d'animaux, les preuves de telles entreprises sont rares. Un dessin nous montre un contremaître passant de cellule en cellule pour surveiller le bandelettage de plusieurs momies. Entre les colonnes de la terrasse centrale du temple d'Hatchepsout, Naville a retrouvé des parois de briques crues délimitant une construction dont la présence était singulière en ce lieu: du matériel utilisé lors de l'embaumement jonchait le sol, jarres contenant des sacs de natron, paille hachée, amulettes, lits brisés. S'agissait-il d'un atelier permanent ou d'une simple réserve de matériel? En 1972, les archéologues belges ont découvert, dans la colline de l'Assassif, une construction également en briques crues contenant un cercueil au nom d'Aba, directeur de l'administration civile à Thèbes au VIe siècle av. J.-C. La présence de sept grandes jarres, de linges et d'aromates permet de considérer cette chambre comme l'endroit où il avait été momifié.

En fait, si les pharaons avaient leur propre temple d'embaumement, les opérations sur les cadavres des particuliers se faisaient généralement dans un kiosque démontable que les embaumeurs dressaient, de tombe en tombe, au gré de la demande et que l'on appelait l'«ouabit», la «place pure». Certains textes, parlant de «ta place d'embaumement» ou de «sa place d'embaumement», spécifient bien d'ailleurs le caractère personnel de cette place pure. Dans cet abri, un lieu privilégié, l'«ouabit per nefer», maison de la régénération, était l'emplacement de la table où allaient œuvrer les embaumeurs. La table d'embaumement était, le plus souvent, un objet à usage collectif en dépit de quelques spécimens rencontrés dans des tombes particulières. La plus ancienne semble être une simple plate-forme de bois d'un peu plus de 2 mètres de long sur 1,50 m de large, découverte près de la tombe du vizir Ipy de la XIIe Dynastie. Elle était accompagnée de quatre blocs de bois, sorte de billots destinés à caler le corps. L'imprégnation de tout ce matériel par de la résine et du natron ne permet de garder aucun doute sur sa destination. Une seconde table de bois assez semblable fut trouvée dans l'Assassif: faite de deux planches de sycomore, elle avait conservé ses deux pieds antérieurs sculptés en forme de têtes de lion. Une natte, mise au jour non loin de là, la recouvrait, sans doute, pendant les différents temps de l'embaumement.

Une table en calcaire, en provenance d'Héliopolis, avait été réutilisée comme couvercle de sarcophage par un certain Reduty, maître d'hôtel royal, laveur des mains et Grand de la chambre. Une table d'embaumement, malheureusement en partie brisée, taillée dans l'albâtre, porte le nom d'Amenhotep qui fut intendant de Memphis pendant le règne d'Aménophis III: c'est la seule preuve que nous possédons du caractère privé d'un

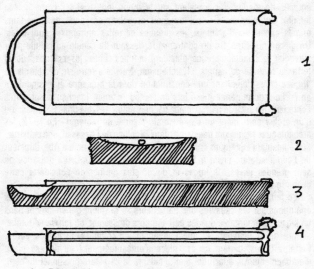

8.   Table d'embaumement. 1. Plan; 2. Coupe transversale; 3. Coupe
      longitudinale; 4. Vue latérale.

tel objet. A chaque angle de la table était foré un trou dont l'usage n'est
pas encore parfaitement établi. Il se peut qu'on y ait introduit des chandelles
que l'on utilisait dans les rites de la mort. Sur les faces latérales de ce
meuble courait précisément l'inscription suivante: «Que le roi fasse offrande
à Anubis (qui préside à la momification) premier de la tente des dieux…
Afin qu'il vous donne une chandelle pour vous éclairer durant la nuit et que
la lumière puisse briller sur votre corps…» Ailleurs, sur une stèle de Ramsès,
on peut lire une invocation à Osiris qui confirmerait cette hypothèse: «O
Osiris, j'ai allumé pour toi une chandelle le jour de l'emmaillotement de
ta momie…» Il se peut aussi que ces petites cavités aient contenu des
signes «ankh», amulettes en forme de croix ansée représentant le signe de
vie. La plus belle table d'embaumement, en bon état de conservation, a été
exhumée du temple de Medinet Habou (fig. 8). Deux lions étirés l'encadrent
latéralement. Elle est en pente légèrement inclinée de la tête vers les pieds et
la surface est un peu creusée dans le sens transversal, conforme ainsi à nos
modernes tables de dissection. Les liquides s'écoulant du corps traversaient

un orifice percé au pied dans le bord de la table et étaient recueillis dans un bassin semi-circulaire. En raison de sa faible hauteur, vingt-six centimètres, on peut déduire que les embaumeurs y travaillaient accroupis.

Les besognes salissantes étaient donc accomplies sur de telles tables mais un autre matériel était réservé pour l'exposition de la momie: le lit funéraire. Sur ce lit d'apparat, en forme de lion, on achevait peut-être l'emmaillotage de la momie; en tout cas, elle y reposait pour l'accomplissement des derniers rites. A partir du Nouvel Empire, les rois, et eux seuls, possédaient trois lits d'apparat tels qu'ils sont représentés sur les parois de la tombe de Séthi Ier ou tels qu'on les a retrouvés dans la tombe de Toutankhamon: le premier avec une vache, le deuxième avec un lion, le troisième avec un hippopotame, c'est-à-dire les déesses Hathor, Sekhmet et Thouéris.

Grandeur et misère des embaumeurs

Les personnages principaux de la Cité des Morts étaient évidemment les embaumeurs: sans eux, pas de survivance du corps matériel et pas d'espoir d'immortalité pour le ka du défunt. Selon Diodore, c'était un scribe qui dessinait, sur les téguments, le tracé de l'incision que l'embaumeur aurait charge d'ouvrir. Oublions-le vite, car nous n'en trouvons trace nulle part ailleurs. Le premier spécialiste qui intervenait réellement était celui que l'on nomme le «paraschiste», l'homme qui ouvrait le flanc en l'incisant avec une «pierre d'Ethiopie», en réalité, un silex taillé. Il était également chargé d'enlever les viscères puis il laissait la place au second technicien, le «taricheute», qui mettait en œuvre les moyens destinés à assurer la conservation du cadavre. Ce nom vient d'un mot grec qui signifie «saleur» et s'appliquait aussi bien aux embaumeurs qu'aux ouvriers employés dans les conserveries de poissons. Combien plus aimable est le terme égyptien «khereb» qui veut dire lecteur et indique qu'en même temps qu'il se livrait à ses interventions anatomiques, l'embaumeur devait lire des textes rituels. Cette distinction entre paraschistes et taricheutes n'est attestée qu'à partir des Ptolémées et il est bien possible qu'aux époques précédentes les deux fonctions aient été exercées par une seule personne.

Des contrats délimitaient les domaines respectifs d'intervention des paraschistes qui se voyaient attribuer les morts d'un certain nombre de villages: il était interdit d'empiéter sur le territoire d'un confrère. Cela n'allait pas sans quelques frictions car nous possédons la requête d'un embaumeur d'ibis – et il devait en être de même pour ceux qui momifiaient les hommes – qui se plaignait à un haut fonctionnaire de n'avoir pas perçu la rémunération de son travail. Or, venu d'Hermopolis, il avait œuvré sur un ibis du temple de Thot, à Memphis et avait ainsi contrevenu au règlement qui lui imposait de rester dans son domaine.

Les charges d'embaumeurs se transmettaient de génération en génération. Les taricheutes étaient protégés contre les expulsions arbitraires, les vexations, les atteintes à leur liberté. Si un tel décret dut être pris à l'époque ptolémaïque à l'égard des embaumeurs, c'est que, malgré leur rôle quasi religieux les assimilant à Anubis, ils devaient être tenus en mésestime par la population. C'était tellement vrai que le papyrus Rhind nous révèle les efforts qu'ils déployaient pour rehausser leur position en se comparant successivement à tous les dieux du panthéon égyptien. Dans l'atelier d'embaumement, maîtres des opérations, ils se transfiguraient et leur fonction les élevait au-dessus du rang des mortels. L'«Anubis, supérieur des mystères» dirigeait les opérations coiffé de son masque à tête de chacal, rappelant le dieu qui avait présidé à l'embaumement d'Osiris. Le «Chancelier divin», devenu chef des embaumeurs depuis la VIe Dynastie, l'assistait : il jouait le rôle d'Horus, fils d'Isis et d'Osiris. Ils étaient entourés de prêtres lecteurs qui avaient pour mission de réciter les textes liturgiques des Rituels pendant que s'accomplissaient les divers temps de la momification. Il leur était sans doute encore dévolu de choisir les bandelettes et de dessiner les figures rituelles sur les linges. Enfin, des assistants préposés aux bandes, à la préparation des onguents, au lavage du corps et des viscères, s'affairaient autour du mort. Les embaumeurs n'occupaient pas un rang bien élevé dans la hiérarchie sociale : si l'on en croit Diodore, ils inspiraient même une certaine répugnance. Lorsque le parachiste avait terminé l'éviscération du cadavre, il était obligé de fuir car les assistants, horrifiés qu'il ait pu blesser le corps, se précipitaient sur lui et lui jetaient des pierres. Peut-être faut-il voir là une affabulation supplémentaire de Diodore ou plus probablement s'agissait-il du simulacre d'une coutume tombée en désuétude. Le métier, peut-être lucratif, n'était pas des plus plaisants car le papyrus Sallier III nous dit : «L'embaumeur, ses doigts sont nauséabonds, car l'odeur qui s'en dégage est celle des cadavres. Ses yeux brûlent de la chaleur. Il est trop fatigué pour tenir tête à sa propre fille. Il passe le jour à tailler de vieux haillons car l'habillement lui est une abomination.»

Que dire encore de ce taricheute surpris à violer le cadavre d'une femme ! Le fait avait dû se répéter souvent car l'usage s'imposa de ne confier à la nécropole les corps des femmes de qualité ou de celles qui brillaient par leur beauté que plusieurs jours après la mort. C'est peut-être aussi une des raisons de l'apparition, à l'époque tardive, de femmes taricheutes auxquelles on réservait les cadavres féminins.

Direction et employés

Si les embaumeurs constituaient la corporation maîtresse de la Cité des Morts, l'organisation n'aurait pas pu fonctionner sans une foule de prêtres et de subordonnés. Les opérations funéraires ne pouvaient se faire que sur la rive occidentale du Nil mais les embaumeurs avaient le droit d'habiter la métropole sur la rive orientale. Cependant, presque tout le petit monde de la Nécropole vivait à Thèbes, dans un village d'ouvriers, à Deir-el-Medineh, sur la rive des morts où, pendant de longues années, l'école française a poursuivi des fouilles fructueuses. Ce village possédait sa propre nécropole où sont inhumés les employés du cimetière que nous connaissons grâce à leurs stèles.

Le premier personnage auquel la famille endeuillée avait affaire était, au moins à la période romaine, un représentant de l'administration habilité à délivrer le permis de momification; par la même occasion, on rayait le nom du défunt du rôle des contribuables. Alors commençait le processus qui allait mettre en jeu une foule de corps de métiers de toutes catégories. Pour la construction des tombes, il fallait des terrassiers, des carriers, des maçons, des manœuvres dirigés par des contremaîtres et des architectes. Des jardiniers entretenaient la végétation et les canaux. Les décorations tombales, la confection des cercueils et des masques, exigeaient l'intervention de peintres, sculpteurs et menuisiers. Des chasseurs, pêcheurs, bouviers, chercheurs de miel, approvisionnaient les magasins d'où l'on distribuait les salaires en nature. Des serviteurs, des domestiques entretenaient les tombes et participaient au culte des morts pendant que les prêtres officiaient à jours déterminés. Une armée de scribes enregistrait les revenus, les taxes diverses, contrôlait les entrées et les sorties du matériel et répartissait les salaires: l'administration égyptienne était volontiers paperassière et il est peu d'activités où l'on ne rencontre la présence d'un ou de plusieurs scribes. N'oublions pas les indispensables croque-morts, les nécrotaphes, chargés de porter le mort jusqu'à son tombeau: leur tâche devait être rude quand plusieurs lourds cercueils s'emboîtaient les uns dans les autres et on les imagine manœuvrant tout un appareillage de treuils, de palans, de traîneaux pour installer les défunts dans leur chambre souterraine. Entre eux aussi s'élevaient parfois des discussions; l'une d'elles fut précisément consignée par un scribe. Cela se passait dans la ville d'Oxyrhynchos: un groupe de croque-morts reprochait à un autre d'avoir enlevé un lot de morts plus important que celui auquel il avait droit.

Un corps de police effectuait des rondes entre les tombes pour les protéger contre les incursions des pillards. La preuve nous en est donnée par la plainte qu'un prêtre de Thèbes déposa, vers 127 av. J.-C. pour violation de sépulture : le fait était grave car, la tombe ayant été laissée ouverte, des chacals étaient venus dévorer le corps. Si les voleurs avaient pu commettre impunément leur forfait ce jour-là, c'est que la police de la Nécropole avait été appelée en renfort sur la rive orientale pour une tâche qui ne lui incombait pas.

Un organisme officiel coiffait le tout, composé d'administrateurs, d'économes et d'intendants. Enfin, à la tête de cette administration : le «Président de la Nécropole» qu'on appelait, à Thèbes, le «Prince de l'Ouest de Thèbes» avait la haute main sur le fonctionnement de l'entreprise. Il nous est surtout connu par les redevances qu'il percevait.

La question de la circulation d'argent et des salaires en espèces et en nature à l'intérieur de la Nécropole est des plus complexes car elle a varié suivant les époques et les textes auxquels on peut se référer sont d'interprétation difficile. Le Président recevait certaines sommes d'argent qui lui étaient versées par un haut fonctionnaire et qui provenaient directement du trésor royal. Il percevait, par ailleurs, des droits sur la production du vin et de la bière : ces impôts n'étaient pas versés, bien entendu, entre les mains mêmes du Président mais on s'étonne de la qualité des employés chargés parfois de les recueillir tels que chanteuses d'Amon, jardiniers, gardiens de porte, etc. Les taxes de sépulture étaient différentes : elles étaient également remises au Président mais, cette fois, par le nécrotaphe, au prorata du nombre des momies entrées et en fonction du type d'embaumement. Contrairement aux précédentes, elles dépendaient directement du fonctionnement de l'organisation funéraire et représentaient, en quelque sorte, un impôt sur la momie : elles variaient d'un demi à un kite d'argent. Les taxes, acquittées par le nécrotaphe, avaient d'abord été réglées par la famille. Toutefois, les frais d'embaumement pouvaient être couverts d'une autre façon car, sur un papyrus daté de l'année 38 d'Amasis, on peut lire que le Président accuse réception d'un bœuf destiné à régler le coût de la momification.

Condition ouvrière et grèves sociales

La condition des ouvriers varia selon les époques : très convenable lorsque le pharaon savait faire régner la prospérité en Egypte, elle devenait misérable quand le pouvoir se dégradait. Ainsi, sous Ramsès II, nous avons des preuves certaines d'un niveau de vie satisfaisant. La Nécropole n'avait pas encore atteint les proportions gigantesques qu'elle connaîtra sous les Ptolémées. On pense que cent vingt familles habitaient le petit village de Deir-el-Medineh. Là, chacune était propriétaire d'une maison blanchie à la chaux dont la première pièce, un peu en contrebas de la rue, était la chambre des maîtres; elle était suivie de la pièce d'apparat, plus vaste, puis d'une autre chambre et d'une cuisine; un escalier conduisait à la terrasse, un autre à la cave (fig. 9). L'alimentation était très variée: fruits, légumes divers, viandes

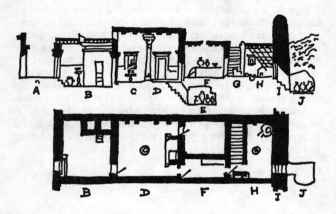

9. Maison type de Deir-el-Medineh dans le village des ouvriers de la Nécropole:
A. Rue; B. Salle du lit clos; C. Laraire; D. Salle du divan; E. Cave;
F. Chambres des femmes; G. Escalier de la terrasse; H. Cuisine et pétrin;
I. Four; J. Cave.

et poissons de toute sorte et bière. Les salaires étaient versés en nature et complétés par du cuivre. Le roi mettait un point d'honneur à ce que les ouvriers fussent bien traités et pouvait écrire: «J'ai rempli pour vous, à l'intention des ouvriers de la Montagne Rouge, des magasins de toutes sortes de choses», dont «des sandales et des vêtements pour que vous soyez habillés toute l'année et que vous ayez de bonnes chaussures aux pieds chaque jour».

En dépit de tous ces avantages, la conduite de certains n'était pas toujours sans reproche. Dans ce cas, le délinquant était déféré à la justice qui était rendue par un tribunal d'ouvriers à moins que la gravité du cas ne dépassât sa compétence. L'affaire était alors portée devant le vizir: c'est ainsi qu'une citoyenne Heiya, à la XIXe Dynastie, eut maille à partir avec l'autorité au sujet d'un vol d'objets de cuivre dans la Ville des Morts.

Mais, sous Ramsès III, le pouvoir royal s'étant affaibli, l'Égypte connut des années de misère. Les employés de la Nécropole, las d'attendre leur salaire, déclenchèrent la première grève dont l'Histoire ait retenu la mémoire. «Ce jour, l'équipe d'ouvriers a franchi les murs de la Tombe Royale, disant: nous avons faim; dix-huit jours sont déjà écoulés de ce mois.» Malgré les objurgations des contremaîtres et des administrateurs, les grévistes tinrent bon pendant plusieurs jours. Alors vinrent un scribe et des prêtres du Ramesseum pour «écouter les ouvriers. Ceux-ci leur ont dit: nous sommes venus ici poussés par la faim et la soif; il n'y a pas de vêtements, pas de graisse, pas de poissons, pas de légumes. Ecrivez à ce propos à Pharaon, notre bon seigneur, écrivez au vizir notre chef, pour que l'on nous donne de quoi vivre». Cette grève fut suivie par beaucoup d'autres dont les motifs étaient le plus souvent de même nature. Le travail ne reprenait que lorsque l'administration centrale donnait satisfaction aux plaignants même par le simple octroi d'un acompte «pour permettre de vivre en attendant que Pharaon donne les rations». Ainsi, tant bien que mal, de dynastie en dynastie, les nécropoles se développèrent dans toute l'Egypte.

Chapitre IV

CONFECTION D'UNE MOMIE

AVANT de nous intéresser aux rites qui entouraient le mort et l'ensevelissement, il nous faut maintenant pénétrer dans l'atelier d'embaumement pour y suivre le déroulement des opérations maté-
rielles. Nous allons voir à l'œuvre les paraschistes et taricheutes, les inciseurs
et les saleurs, que nous appellerons tout simplement les embaumeurs. La
momification, en Egypte, ne fut pas de tout temps d'une qualité égale et connut
de multiples variantes selon les époques. Elle eut sa période d'essais jusqu'à
la XVIIIe Dynastie, sa pleine réussite à la XXIe, puis une prompte décadence
au début de l'invasion perse. Elle n'atteignit jamais à ce haut degré de perfection auquel parvinrent d'autres civilisations. Par exemple, la momie de l'épouse
du prince Li-Chu-Tsang, vieille de 2100 ans, découverte récemment dans le
Sud de la Chine, est un modèle du genre : le corps avait gardé toute sa souplesse
et les traits n'étaient pas déformés ; on nous dit même que l'artère fémorale avait
la couleur d'une artère prélevée sur un cadavre récent. Telle qu'elle est cependant, la tentative égyptienne pour immortaliser le corps humain afin de permettre la survie de l'âme est émouvante. L'échelle sur laquelle elle fut entreprise
surpasse de très loin ce que d'autres peuples ont pu faire dans ce domaine.

Il n'est pas un seul des différents temps de la momification qui n'ait donné lieu à de nombreuses discussions entre spécialistes : certaines n'étant pas closes, il nous faudra bien prendre parti. L'ordre lui-même des opérations n'est pas parfaitement établi. Nous l'avons reconstitué de la façon suivante :
– L'ablation du cerveau.
– L'éviscération.
– Un premier lavage du corps.
– Le traitement des viscères.
– La déshydratation du corps.
– Un second lavage.
– Le bourrage du crâne et des cavités.
– Le traitement particulier des ongles, des yeux et des organes génitaux externes.
– Les onctions et le massage du corps après la déshydratation.
– La pose de la plaque de flanc.
– Les ultimes préparatifs avant le bandelettage, le traitement du corps avec de la résine.
– Le bandelettage.

Les crochets de bronze dans le crâne

Ayant pris possession du corps, les embaumeurs entreprenaient d'abord de le débarrasser de son cerveau qui n'était qu'un viscère banal aux yeux des Egyptiens et ne faisait donc l'objet d'aucune attention particulière. On l'extrayait le plus souvent par voie nasale, à l'aide de longs crochets de bronze au bout recourbé ou spiralé. C'est une grossière erreur anatomique de croire, comme certains l'ont écrit, qu'on le sortait ainsi en une masse que l'on faisait dessécher et que l'on ensevelissait avec la momie. La voie d'abord employée ne permettait qu'une extraction fragment par fragment de la substance cérébrale si fragile : Leek qui tenta l'expérience sur deux crânes de mouton ne retira bien que de la bouillie cérébrale avec d'ailleurs, beaucoup de difficultés. La tige de bronze pénétrait dans une narine, effondrait parfois la cloison nasale et perforait la base du crâne à la racine du nez ; l'os est particulièrement mince à cet endroit et criblé de petits pertuis pour le passage des filets du nerf de l'odorat. Puis, par des mouvements de va-et-vient, le cerveau était morcelé et extrait ; cela n'allait pas, souvent, sans l'arrachement, au passage, d'un des cornets du nez. La manipulation n'était cependant pas maladroite car l'extraction de la totalité du cerveau par cette voie devait être malaisée. La plupart des perforations de cet os de la base du crâne que l'on appelle l'ethmoïde siègent à droite : on a pu en déduire que l'embaumeur,

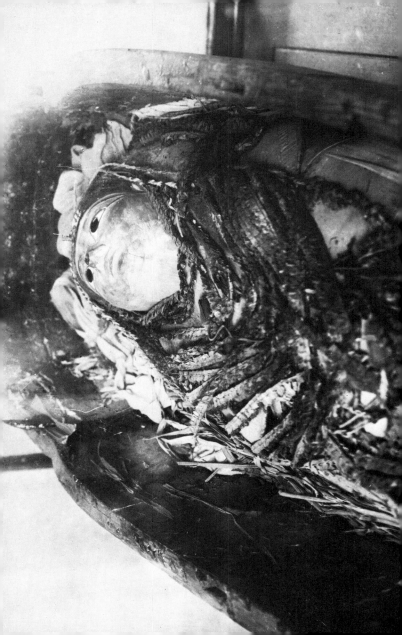

Aménophis Ier (Amenhotep) est un pharaon de la XVIIIe Dynastie
(Nouvel Empire). La tête de sa momie est recouverte de son masque,
le corps de fleurs et branchages. Musée de Gizeh. *Roger-Viollet.*

en général droitier, se tenait, lors de l'excérébration, à gauche du corps, qu'il introduisait le crochet par la narine gauche ; au cours du grattage des parois, l'instrument déviait tout naturellement vers la droite.

Parfois la cloison du nez était enlevée en totalité ou partiellement, permettant d'ouvrir largement la base du crâne, ce qui facilitait l'issue de la matière cérébrale. C'est le cas de la si belle momie de Taousret, prêtresse d'Amon de la XXIe Dynastie, qui fut retrouvée dans la seconde cachette de Deir-el-Bahari. L'aspect extérieur du visage est soigné, mais l'ablation du cerveau a été faite d'une manière brutale par des praticiens qui ont détruit non seulement la cloison mais tous les os voisins de la base du crâne. Une autre méthode qui consistait à énucléer un œil et enfoncer la paroi supérieure de l'orbite réalisait un orifice plus grand pour l'extraction de la masse cérébrale : elle fut peu employée. On pouvait aussi juger plus radical de décapiter le cadavre : ainsi, par le trou occipital libéré de ses attaches vertébrales, on pouvait retirer le cerveau à la cuiller. Il suffisait ensuite de planter la tête sur un bâton ou un faisceau de tiges de palmier et de la remonter sur le tronc en la fixant à l'aide de bandelettes. Ce procédé qui fut utilisé pour le roi Ahmosis ne se retrouve plus guère avant l'époque ptolémaïque. Enfin, sur un crâne de l'époque grecque, un orifice large de vingt millimètres fut ouvert grâce à un instrument tranchant sur le côté du crâne ; des cheveux adhéraient encore à la brèche. Ce trou pouvait être considéré comme une simple prise d'air ; d'ailleurs, il n'est pas impossible que, parfois, la perforation de la base du crâne faite à la racine du nez n'ait été aussi qu'un second orifice permettant le drainage du cerveau par le trou occipital avec l'aide, peut-être, d'une circulation d'eau.

Tous les cadaves n'étaient pas excérébrés. La méthode était certainement réservée aux momifications coûteuses. Elle gagna du terrain au cours des siècles : Nicolaeff, sur une étude de quatre cent quatre-vingt-douze crânes provenant de Saqqarah, en a trouvé la preuve dans moins de 5 % des cas à la IVe Dynastie, alors qu'à l'époque grecque un cadavre sur deux était ainsi traité.

L'ablation des entrailles

Le cerveau enlevé, les embaumeurs s'attaquaient aux viscères. A l'aide d'un silex préparé, le paraschiste entaillait le flanc gauche en une incision verticale d'une dizaine de centimètres qui allait des dernières côtes à la crête iliaque. Il en fut du moins ainsi jusqu'à Thoutmosis II car, avec ce pharaon, une nouvelle mode naquit qui consistait à tracer l'incision abdominale tout le long du pli de l'aine (fig. 10). Dans la béance de cette plaie

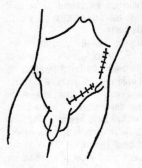

10. *Tracé de l'incision d'éviscération. Verticale, avant Thoutmosis III; oblique, après Thoutmosis III.*

de dimensions somme toute modestes, la main du technicien allait chercher l'intestin, le déroulait au dehors et le sectionnait, puis venait le tour de l'estomac, du foie, de la rate; le péritoine suivait les viscères; les reins étaient parfois enlevés; la vessie restait le plus souvent en place. La cavité abdominale débarrassée de son contenu, il fallait évacuer la cavité thoracique et, pour cette opération, on devait effondrer le diaphragme, cette coupole de muscles et d'aponévroses qui sépare le thorax de l'abdomen. Alors, enfonçant son bras jusqu'à l'aisselle dans les entrailles, l'embaumeur allait sectionner au ras du cou, la trachée et l'œsophage et extrayait les poumons. Au début de l'Ancien Empire, la momification en était encore à ses balbutiements mais on savait déjà enlever les viscères. Ceux de la reine Hetep-Hérès, la mère de Chéops, bâtisseur de la grande pyramide, étaient conservés dans les quatre compartiments d'une boîte d'albâtre, immergés dans une solution faible de natron.

Le cœur faisait l'objet d'un soin particulier et devait toujours être laissé en place. On le retrouve sur la plupart des momies, parfois entamé par le ciseau de l'embaumeur, éraflé ou tailladé mais en position normale. S'il arrivait, par accident, qu'on l'arrachât en même temps que les poumons, il était soigneusement replacé et, parfois, suturé par derrière. Chez une femme d'une cinquantaine d'années découverte à Lisht, il avait été ainsi enlevé malencontreusement: l'embaumeur l'avait alors enveloppé de toile et remis à sa place dans le thorax.

Le texte retrouvé sur les parois d'un sarcophage du Moyen Empire prouve bien que cette règle était essentielle: «... Mets-moi ma tête sur mon cou réunis mes membres... que mon cœur ne soit pas tranché». En effet, le cœur, pour l'Egyptien, était le siège de la vie affective, intellectuelle et physique. C'est en lui que résidait la personnalité de l'individu. Lorsque le défunt était amené devant le tribunal de l'au-delà, on posait précisément son cœur sur la grande balance de la vérité; isolé de l'homme, le cœur ne pouvait mentir. Il était donc indispensable lors du jugement, puis dans la vie éternelle, d'où les précautions dont on l'entourait. En cas de négligence de l'embaumeur, une formule du Livre des Morts prémunissait le cadavre en lui restituant symboliquement son cœur.

La deuxième toilette du mort

Après l'éviscération, le corps était soumis à un lavage qui n'avait rien de commun avec le lavage rituel précédant la momification et était destiné simplement à débarrasser la peau de tous les déchets qui l'avaient souillée. Il se faisait soit à l'eau, soit au vin de palme. Non seulement on nettoyait la surface extérieure du corps mais les cavités étaient soumises au même traitement, d'où l'usage de nombreux tampons. Certains de ceux-ci étaient montés au bout de fines baguettes de bois formant écouvillon et permettaient d'atteindre les recoins: le Musée du Caire conserve un exemplaire d'un tel instrument.

Vases à viscères ou paquets d'entrailles

Les organes enlevés du corps étaient traités séparément. L'embaumeur les lavait puis les mettait dans le natron comme il le fera pour le corps. Après dessication, il les enduisait de gomme-résine chaude et les emmaillotait délicatement dans des bandes de toile de plusieurs mètres. Il faisait ainsi quatre paquets qu'il déposait dans quatre urnes funéraires. Le «Rituel de l'Embaumement», muet sur les temps précédents, est très explicite sur ce point: «Or, ensuite de cela (extraire les entrailles?) une seconde fois et les placer dans un vase de faïence contenant l'onguent des Enfants d'Horus afin que (cet) onguent du dieu imprègne le corps divin. Car les entrailles sont régénérées par l'humeur qui sort du corps divin. Tu réciteras sur elles la même formule une seconde fois en mettant (les entrailles) à reposer dans un réceptacle jusqu'à ce qu'on ait à aller les rechercher à nouveau.»
Les jarres qui recueillaient les viscères sont appelées vases canopes par les archéologues. Canope était un port situé sur une des bouches du Nil à l'emplacement de l'actuelle Aboukir. A l'époque grecque, l'idole d'Osiris adorée à Canope avait la forme d'une cruche fermée par un bouchon en forme de tête d'Osiris, d'où l'usage du mot «canope» pour les jarres dont

le couvercle représentait une tête. Ces vases sont d'argile cuite pour les plus ordinaires, de calcaire, de pierre dure ou d'albâtre pour les plus riches. Au nombre de quatre, ils sont sommés de la tête des quatre fils d'Horus, génies protecteurs des entrailles. L'intestin grêle, replié sur lui-même en un paquet oblong, était déposé dans le vase à tête de singe cynocéphale du dieu Hapi; le foie, souvent enroulé en forme de tube, était recueilli par le canope à tête de faucon du dieu Qebehsenouf; l'estomac était destiné à la jarre à tête d'homme de Amset; quant aux poumons, ils étaient sous la protection de Douamoutef à tête de chacal (fig. 11).

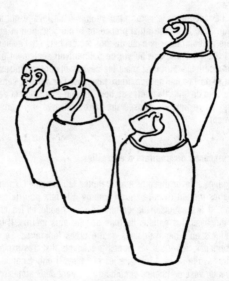

11.   *Les quatre vases canopes. Les bouchons sont à l'image des têtes des quatre fils d'Horus.*

Après qu'on en eut scellé le couvercle au plâtre, ces vases canopes, sorte de petits cercueils, accompagnaient le mort dans sa sépulture. Ils étaient souvent réunis en un coffre divisé en quatre compartiments que l'on déposait, à par·ir de la Vᵉ Dynastie, à côté du sarcophage. A la IIIᵉ Dynastie, une niche, creusée dans la partie sud de l'antichambre de la tombe, était destinée à les recevoir. A la même époque, ils étaient parfois placés dans un second sarcophage que l'on installait à côté de celui qui contenait le corps. Quelquefois même, et ce fut sans doute le cas pour le roi Djeser dont la momie reposait dans sa pyramide à degrés, les canopes étaient déposés dans un second caveau: la tombe du sud aurait peut-être abrité les viscères de ce roi. Le premier exemple de coffre à canopes que l'on connaisse est celui de la reine Hetep-Hérès dont nous avons déjà parlé: il renfermait les quatre paquets traditionnels. Coffre et sarcophage sont souvent faits de la même matière dans les tombes royales de l'Ancien Empire, quartz, quartz rose, quartzite. Plus tard, le bois peint et décoré remplacera la pierre.

La conservation des paquets viscéraux connut aussi des avatars. A la XXIe Dynastie, les entrailles séchées, couvertes de résine et dûment emmaillotées étaient remises dans le corps. Chacun des quatre paquets contenait une figurine de cire ou d'argile représentant un des quatre fils d'Horus selon la tradition des canopes; ils étaient replacés dans le corps sans souci de localisation anatomique et c'est ainsi que l'on pouvait trouver le paquet intestinal dans le thorax et les poumons dans la cavité abdominale. Parfois même des organes différents étaient bandelettés ensemble. La même Taousret, dont nous avons vu qu'elle avait été soumise à une excérébration grossière, avait été regarnie sans ordre: les poumons, non bandelettés et simplement saupoudrés de sciure, avaient été placés en haut et à droite du thorax, surmontant le foie enroulé autour d'une figurine de singe cynocéphale; la partie gauche du thorax ne renfermait que deux petites statuettes de cire à tête d'homme; à gauche du foie, un paquet réunissait l'estomac et le rein gauche; l'abdomen contenait la masse emmaillotée des intestins avec, en son centre, l'effigie de cire de Douamoutef à tête de chacal; enfin, le rein droit et un morceau d'intestin étaient enveloppés dans le même linge. Cependant, l'usage des vases canopes se poursuivit çà et là mais leur destination originelle avait été oubliée et l'on connaît des momies dont les viscères avaient été remis dans le corps et qui étaient accompagnées des quatre vases traditionnels, mais vides.

A la XXVIe Dynastie, les entrailles ne regagnaient plus le corps mais étaient placées entre les jambes. C'est à la même époque qu'une autre méthode commença à se répandre. L'embaumeur regarnissait les vases canopes mais, en même temps, se produisait un phénomène inverse de celui que nous avons vu à la XXIe Dynastie: on remplissait le corps avec quatre paquets factices faits de toiles roulées et imprégnées de résine.

A la période romaine, la momification n'était plus qu'un vain mot: les momies n'étaient plus éviscérées mais elles étaient tout de même accompagnées des quatre vases canopes inutiles. Bien mieux, on a retrouvé des jarres postiches, solides, non creusées. L'embaumement se faisait selon la lettre et non plus selon l'esprit.

Plongés dans le bain ou enfouis sous le sel ?

Le cadavre que les embaumeurs avaient abandonné pour donner leurs soins aux viscères va être maintenant l'objet de la manipulation principale, la dessication, qui lui assurera une conservation indéfinie. C'est ce temps de la momification qui a soulevé le plus de controverses parmi les chercheurs. Comment parvenir, en effet, à chasser les 75 % d'eau que contient un corps humain ? La chaleur solaire intense et le sable chaud auraient pu y suffire et nous avons déjà rencontré des corps spontanément momifiés de cette façon. Toutefois, le processus aurait été particulièrement lent et aurait nécessité une première inhumation de plusieurs années avant que l'on ait pu déposer le corps dans le cercueil, ce qui ne s'accorde pas avec ce que l'on sait des rites funéraires de l'ancienne Egypte.

Certains ont alors suggéré que les corps avaient été desséchés par le feu. Dans la nécropole de Thèbes, Yievin découvrit, dans une tombe, des chambres noircies par la fumée et, dans l'une d'entre elles, un amoncellement de momies desséchées, empilées jusqu'au plafond. Cette découverte n'est pas unique car Bruyère, dans le village de Deir-el-Medineh, en a retrouvé maints exemples. En fait, il semble bien que le noircissement des tombes soit dû au feu allumé par les pillards de sépultures ou, peut-être, au zèle iconoclaste des premiers chrétiens. De toute façon, il est impensable qu'un tel procédé ait pu être utilisé sur une grande échelle en Egypte où le bois était particulièrement rare : le charbon de bois était fourni parcimonieusement par l'administration et, pendant les soirées fraîches, on se chauffait au fumier séché. On peut encore soulever l'hypothèse du traitement du corps par la chaux car la pierre à chaux abonde dans le pays. Mais les nombreuses analyses chimiques auxquelles ont été soumises les momies n'en ont guère révélé que des traces sous forme de carbonate de chaux, simple impureté du natron.

Comme les Egyptiens conservaient le poisson en le desséchant dans le sel, ils auraient pu avoir l'idée d'utiliser le même procédé pour leurs défunts. Le chimiste Lucas, qui a multiplié les examens de momies et d'objets utilisés lors de l'embaumement, n'en a trouvé que de petites quantités, dans les proportions où elles sont dans le natron.

Qu'est-ce donc enfin que ce natron dont on parle depuis l'Antiquité et dont on est à présent certain qu'il était l'agent essentiel de la déshydratation des momies ? C'est un dépôt cristallin laissé par la décrue printanière de certains lacs dans la région dite de «Ouadi Natroun» entre le Caire et Alexandrie : il sert encore de nos jours à blanchir le lin. On y trouve, en proportions variables, du carbonate de soude (le «cristau» des droguistes utilisé pour le nettoyage), du bicarbonate de soude, du chlorure de sodium (le sel ordinaire) et du sulfate de sodium, auxquels viennent s'ajouter des

traces de sels minéraux divers. Ce carbonate de soude donne au natron ses
propriétés particulières. Le sel commun, en tant qu'agent conservateur et
déshydratant aurait été au moins aussi efficace, il devait également être
meilleur marché, car beaucoup plus abondant, tandis que la récolte du natron,
dans une région bien déterminée, impliquait des frais de transport. Mais, par
le carbonate de soude qu'il contient, le natron débarrassait les chairs des
corps gras: c'est un agent purificateur, d'où son caractère sacré et son
emploi dans les cérémonies religieuses. Aucun doute n'est possible: on en
a retrouvé des sachets, des jarres pleines dans des ateliers de momification;
il incruste le bois des tables d'embaumement, il cristallise sur la peau et les
chairs des momies, il imprègne les tampons dont on bourrait les corps.

Les opinions divergent surtout quant à la façon dont il a été employé, en
solution ou à l'état sec. Dawson, partisan de l'immersion, invoque, à l'appui
de sa thèse, la disparition fréquente de l'épiderme et des poils sur les
momies. C'est pour cette raison, dit-il, qu'on liait les ongles sur le cadavre
avec un petit fil noué. Cependant la tête conserve le plus souvent ses
cheveux et son épiderme. Qu'à cela ne tienne! Dawson imagine alors qu'on
installait le corps verticalement, en position recroquevillée, dans une grosse
jarre, que seule la tête dépassait, enduite d'une épaisse couche de pâte
résineuse et qu'on rectifiait le niveau du liquide au fur et à mesure de
l'évaporation. Mais où seraient donc passées ces énormes jarres? Nul
musée au monde n'en conserve la trace. Aucun archéologue n'en a jamais
découvert le moindre fragment.

Le décollement de l'épiderme n'est pas un argument satisfaisant. Avec
le début de la putréfaction, il se détache et tombe ou bien, restant sur le
corps, il adhérera aux bandelettes et viendra avec elles lorsqu'on déroulera
la momie. Le natron est caustique et peut très bien, même à sec, détruire
les couches superficielles de la peau et les poils.

Un autre argument en faveur du bain de natron est la présence, à la Basse
Epoque, de momies désunies. On trouve en effet fréquemment, à ce moment,
des corps à qui il manque un membre, d'autres qui en ont plus de quatre,
ou dont les membres sont remplacés par des bâtons. Certains se représentent
alors d'immenses piscines où les corps plongés dans le bain de saumure
allaient mariner pendant les quarante jours rituels. Mal surveillés, apportés
déjà en état de décomposition, ils se disloquaient, se mélangeaient, flottaient
de-ci de-là et les embaumeurs n'avaient plus que la ressource de réaliser
des assemblages composites. Mais alors, pourquoi de telles momies auraient-
elles été l'apanage de l'époque romaine si le procédé d'immersion était le
même aux époques antérieures? Un corps livré tardivement aux embaumeurs
peut très bien se désagréger même sous le natron car, avant que le corps ne
soit complètement déshydraté, la putréfaction a commencé son œuvre. Il

est possible, aussi, qu'aux époques tardives, un souci d'économie ait conduit à réduire les quantités de natron, à employer le même produit pour le traitement de nombreux cadavres jusqu'à épuisement de son activité, ou même à ne plus l'utiliser du tout.

Voulant en avoir le cœur net, Lucas décida d'expérimenter les différentes méthodes d'embaumement sur des pigeons éviscérés qu'il sépara en quatre lots ainsi répartis: le premier, dans une solution de natron à trois pour cent, le deuxième, dans une solution de sel, le troisième, couvert de natron sec et le quatrième enfoui dans le sel. Il laissa s'écouler quarante jours avant de mettre fin à son expérience, laps de temps pendant lequel une odeur fort incommodante se dégagea des corps mis dans les solutions. Le pigeon de la solution de natron était en assez bon état, avec une peau intacte, il fut rincé puis séché au soleil pendant quelques semaines. Le pigeon de la solution salée n'était plus qu'un amas informe de peau, d'os et de graisse d'où toute chair avait disparu. Les pigeons qui avaient été enfouis sous les cristaux de natron ou de sel étaient, l'un et l'autre, intacts, durs, secs, émaciés, ayant tout à fait l'apparence des momies que nous connaissions.

La preuve est ainsi faite de la déshydratation du cadavre par enfouissement dans le natron sec. Le corps était placé sur une natte ou plutôt, sur un lit d'embaumement légèrement incliné. L'eau issue du corps se mélangeait au natron et formait une solution concentrée qui, suivant la pente et les rigoles creusées dans la table, était collectée par le bassin semi-circulaire situé au pied. En même temps, la solution alcaline dissolvait les graisses. D'ailleurs, avant de recouvrir le cadavre d'un tas de natron, on avait pris soin de traiter les cavités vidées de leurs viscères: le corps devait être déshydraté de l'intérieur comme de l'extérieur. Pour ce faire, on utilisait des tampons de toile ou des sachets de natron dont on bourrait le thorax ou l'abdomen. Un peu de sciure aidait à l'absorption des liquides, ainsi que, çà et là, de la paille hachée, des fibres de feuilles de palmier et du lichen. Il n'est pas impossible que l'on ait ajouté certaines gommes-résines odoriférantes pour masquer la puanteur de la putréfaction partielle que subissait le corps avant d'être complètement desséché. En même temps qu'ils s'imprégnaient du sang, des humeurs et de l'eau, ces bourrages conservaient, au cadavre, un semblant de formes naturelles en empêchant l'affaissement de la paroi abdominale. De tels tampons ont été retrouvés dans des jarres et leur analyse permet bien d'affirmer qu'il s'agit d'un matériel de bourrage temporaire: ils contiennent, en effet, du natron et des savons, au sens chimique du terme, c'est-à-dire de produits qui résultent de la combinaison d'un corps alcalin et d'un acide gras, ici les graisses du cadavre.

La troisième toilette du mort

Lorsque le corps était enfin déshydraté, on le sortait du natron. Tous les linges imbibés étaient extraits des cavités viscérales et conservés dans des jarres. On procédait alors à une nouvelle toilette du mort. On le lavait intérieurement et extérieurement, à grande eau, puis on le séchait avec des serviettes. Certains corps portent, sous les bandelettes, des traces de moisissures et l'on voit parfois des champignons sur les linges qui sont les plus proches du corps : leur prolifération était sans doute liée à un séchage incomplet avant l'emmaillotage.

Les ongles peints

Avant que le cadavre ne fût mis dans le natron, nous avons vu qu'on enroulait des cordonnets autour des ongles des mains et des pieds pour éviter leur chute. Après dessiccation, on faisait, à la base de chaque ongle, une petite incision qui isolait l'épiderme du bout des phalanges et réalisait une sorte de dé de peau au bout de chaque doigt et orteil, puis on ôtait ou non les fils. Les ongles des mains et des pieds étaient teintés au henné.

Il faut combler les vides

La momie n'était désormais plus périssable. Il fallait alors combler les vides et, pour commencer, celui laissé dans la boîte crânienne par l'ablation du cerveau. Ce n'est qu'à partir de la XVIIIᵉ Dynastie que l'on songea à cette technique, encore ne se généralisa-t-elle que plus tard. On introduisait dans la cavité crânienne des linges imprégnés de résine, du lichen ou bien on coulait de la résine chaude par l'orifice qui avait servi à extraire l'encéphale. Des radiographies de profil de la tête de certaines momies montrent bien l'ombre opaque de la résine qui s'est accumulée à la partie postérieure du crâne sur le cadavre lorsqu'il était couché, avec un niveau horizontal parfaitement net. Il est possible que, beaucoup plus tard, l'utilisation occasionnelle du bitume ait nécessité des voies d'introduction plus larges et la perforation de la voûte crânienne. Les embaumeurs procédaient alors au bourrage définitif. Lorsque les paquets d'entrailles étaient remis dans le corps, ils comblaient à peu près les cavités viscérales et il suffisait de leur ajouter quelques tampons de linge. Mais lorsqu'ils avaient été déposés dans des vases canopes, un important matériel d'appoint devenait nécessaire pour prévenir l'affaissement des parois thoracique et abdominale. Dans les momies de

Siptah, de Ramsès IV et d'un homme de la XXIe Dynastie, l'abdomen était littéralement bourré de lichen sec. C'était parfois de la sciure de bois qui était utilisée, seule ou dans les interstices de ballots de linges résinés. Smith a souvent découvert des oignons dans les corps embaumés entre la XXe et la XXIIe Dynastie. On versait quelquefois de la résine à travers l'incision du flanc : la momie gréco-romaine de Cratès, jeune homme de dix-sept ans, a ainsi conservé un fragment de poterie remplie de résine brûlante que l'embaumeur avait laissé échapper dans l'abdomen et qu'il n'avait pu rattraper. Tous les subterfuges étaient bons pour restaurer l'aspect du vivant : dans la momie de Sepa, simple mortel de la XIIe Dynastie, on avait glissé, dans le thorax, un bol de terre cuite pour soutenir le sternum.

Prothèses oculaires post-mortem

La préservation des yeux était le moindre souci des embaumeurs égyptiens. Comment auraient-ils pu, d'ailleurs, conserver leur tonicité et leur éclat au cours du processus de déshydratation qui intéressait tous les tissus ? Aussi, au sortir du natron, les orbites apparaissaient-elles vides de leur contenu : le globe oculaire, rétracté en cupule au fond de la cavité, était à peine visible. On tentait d'abaisser un peu les paupières et les praticiens du Moyen Empire se satisfaisaient de ce résultat. A partir du Nouvel Empire, on essaya de bourrer la cavité orbitaire avec un morceau de toile chiffonnée ou une boule d'étoffe sur laquelle on allait parfois jusqu'à simuler l'iris d'une grossière tache de peinture noire : ainsi fut-il fait pour Ramsès III. On serra d'un peu plus près la ressemblance avec Ramsès IV chez qui les tampons furent remplacés par deux petits oignons peints de façon assez réaliste ; deux résultats étaient acquis d'un coup : approche de la vérité et fonction magique des oignons. Ramsès V dut se contenter d'un petit bourrage de linge, mais, plus tard, les princesses royales reçurent, en guise d'yeux, des pierres blanches incrustées de pierres noires tenant lieu d'iris et de pupilles. Bruyère a vu, sur des momies gréco-romaines, des prothèses oculaires en cire et en stuc doré, assez figuratives.

Les organes génitaux

Les organes génitaux internes de la femme, utérus, trompes et ovaires étaient toujours enlevés. Le périnée était souvent maintenu par un bourrage de linges. La vulve était enduite d'une pâte résineuse comme on le fit pour Nefertari, la femme d'Ahmosis et pour Meritaton, la fille d'Akhnaton. Les grandes lèvres étaient soit accolées, soit écartées sous la pression d'un tampon de toile qui, poussé de l'intérieur du bassin, venait combler la cavité vaginale. Chez l'homme, les organes génitaux externes étaient le plus souvent laissés en place. Toutefois, Séthi Ier et Ramsès II avaient été émasculés au ras du pubis à l'aide d'un instrument tranchant qui avait réalisé une section nette. On ne connaît pas bien le sens de cette amputation rituelle. Le pénis et les testicules étaient alors bandelettés à part et conservés dans une statuette d'Osiris en bois doré qui accompagnait le corps dans la tombe.

Huiles et onguents

Selon le témoignage de Diodore de Sicile, le cadavre momifié était frotté d'onguents précieux. Au sortir du natron, le corps desséché, à la peau ratatinée, ressemblant à du cuir ou du parchemin, avait besoin d'être assoupli pour faciliter les manœuvres du bandelettage. Le « Rituel de l'embaumement » insiste sur ces onctions qui étaient maintes fois répétées. On commençait par frictionner la tête avec de l'huile d'oliban. Dans le deuxième temps, « parfumage du corps à l'exception de la tête », il est dit qu'on « prendra le vase à onguents pour lui faire les dix onctions ». Puis venait l'assouplissement du dos par massages à l'huile : « Tu masseras son dos pour l'assouplir avec la même huile précieuse qu'auparavant. Faire en sorte que son dos soit aussi souple que lorsqu'il était sur terre. » La notice suivante spécifie bien que l'embaumeur ne massait pas le corps à mains nues mais qu'il utilisait un morceau d'étoffe imprégné d'huile. Le Rituel entre dans les moindres détails techniques lorsqu'il précise : « Prends garde à ne pas le retourner sur sa poitrine ou sur son ventre, remplis de produits médicamenteux, car sinon, les dieux qui sont à l'intérieur de son abdomen seraient chassés de la place qu'ils doivent occuper. » Cette indication visait à éviter que les paquets viscéraux réunis dans l'abdomen, protégés par les figurines des fils d'Horus, les dieux, ne pussent s'échapper par la plaie du flanc encore béante. Suivaient une « seconde onction et enveloppement de la tête » et les « dernières onctions de la tête ». C'est peut-être à ce moment qu'on appliquait sur le crâne le placard de graisse odoriférante qui imprègne souvent le premier suaire.

Dans un dépôt de jarres trouvé à Saqqarah et examiné par Lauer et Iskander, une coupe, contenant une matière jaunâtre ayant servi à l'embaumement, portait, en inscription, la composition du produit : « Huile de cèdre, huile fluide de gebety (?), huile de cumin, une huile du Liban, de la cire, de la gomme, de l'huile fraîche de térébinthe, de l'encens, du natron et une autre matière minérale ». L'analyse chimique a, dans une certaine mesure, confirmé l'exactitude de cette étiquette et, par là même, authentifié la description de Diodore.

La plaque de flanc

La plaie du flanc gauche qui avait servi à l'éviscération était parfois, mais rarement, recousue d'un grossier surjet de cordonnet. Le plus souvent, les lèvres étaient rapprochées et l'embaumeur coulait, à chaud, une plaque de cire. Pour les cadavres de rang royal, l'incision était obturée par une plaque allongée, arrondie ou rectangulaire qui pouvait être de bronze et parfois d'or. Cette plaque restait nue ou était gravée : le motif le plus fréquemment rencontré est celui de l'œil «oudjat», l'œil fardé d'Horus sous lequel se détache le petit triangle blanc qui orne la joue du faucon (cf. fig. 24, p. 107).

Ultimes préparatifs

L'embaumeur insérait dans la bouche des morceaux de toile et remodelait de même les cavités nasales affaissées. Il arrivait qu'il obturât les orifices naturels avec des plaques de cire. Aux époques tardives, on déposait sur la langue une plaque d'or dont on connaît des exemples marqués d'un cartouche royal : l'or était le métal divin, la chair du soleil et, d'ailleurs, la tente de Purification où, à son second passage, le défunt entrait dans l'immortalité pour, enfin, s'égaler aux dieux, ne s'appelait-elle pas aussi le «Château de l'or»? La langue était ainsi transformée en un organe divin. Pour la même raison, dans les embaumements de première catégorie, on dorait le visage, les ongles et la poitrine. Enfin, le corps entier était couvert de couleur rouge pour les hommes et safran pour les femmes, de cette même couleur qui les distingue sur les parois peintes.

Il ne restait plus qu'à verser de la résine sur le corps et dans les cavités pour compléter la protection, ceci, bien entendu, avant la mise en place de la plaque de flanc. Après son introduction par la plaie, on remuait le cadavre afin qu'elle gagnât toutes les anfractuosités. L'examen de la momie de Sit-Amon fut, à cet égard, très révélateur : la résine, très fluide à haute température, avait brûlé en grande partie le matériel de bourrage. Elle avait pénétré très profondément entre les côtes et même, sur une côte brisée, elle avait coulé à l'intérieur de l'os, dans la cavité médullaire. Versée brûlante sur le corps, elle avait une action bactéricide mais c'est probablement aussi une des raisons pour lesquelles certaines momies se brésillent si facilement. Ces produits devaient être fort coûteux car les conifères ne poussent pas en Egypte. La résine venait de Syrie d'où on l'extrayait du bois «ash», identifié au sapin cilicien ou au pin ordinaire, ce même bois «ash» dont on faisait les mâts de navire, les pylônes ou les portes des temples. Un petit vase trouvé dans la tombe de Toutankhamon était marqué : «Résine ash».

Si le bitume a pu être occasionnellement utilisé à partir de l'époque ptolémaïque, il n'était pas du nombre des produits habituellement employés par les embaumeurs. De nombreuses analyses chimiques et des examens spectroscopiques n'en ont pas retrouvé la trace aux époques classiques. On supposait que le bitume était responsable de la couleur noire de certaines momies que l'on opposait aux momies blanches traitées par le natron. Il n'en est rien. Lucas imagine, pour expliquer cette teinte sombre, parfois même bleuâtre, un lent processus de combustion organique se développant sous les bandelettes, occasionné par la prolifération de moisissures. Il est possible également que certaines gommes-résines aient noirci sous l'action de la chaleur ou simplement par le fait du vieillissement.

Bien que l'Histoire atteste que le corps d'Alexandre le Grand fut conservé dans le miel, l'usage de ce produit ne dut pas être fréquent et il nous faut faire crédit à Abd-el-Latif, ce médecin de Bagdad que nous avons déjà rencontré. Un Egyptien de ses amis lui raconta qu'en recherchant un trésor dans une tombe de la région de Gizeh, il découvrit, avec ses compagnons, une jarre scellée; l'ayant ouverte, ils furent surpris d'y trouver du miel parfaitement consommable qu'ils commencèrent d'ailleurs à déguster quand l'un d'eux remarqua qu'un cheveu s'était enroulé autour de ses doigts poisseux; intrigués, ils vidèrent la jarre et découvrirent le cadavre d'un petit enfant, tout habillé, orné d'amulettes et très bien conservé.

Chirurgie esthétique des momies

Après la déshydratation dans le natron, les onctions avaient rendu une certaine souplesse aux téguments mais la momie apparaissait comme décharnée, avec une peau flasque ne recouvrant qu'un corps affaissé dont les contours n'étaient plus ceux de l'être vivant. Les embaumeurs imaginèrent donc, à partir de la XXIe Dynastie, de reconstituer le modèle naturel en introduisant sous la peau, au travers d'une série d'incisions spéciales, de la boue, du sable et de la sciure, parfois même des morceaux de toile. Ils poussaient ce matériel entre la gencive et la joue, jusqu'au bord orbitaire, regonflant les joues et les pommettes puis jusqu'à la pointe du menton pour recréer l'ovale du visage. Ils parvenaient, avec la main, à décoller la peau du cou en passant par la plaie du flanc, ce qui représentait une prouesse peu commune, et ils glissaient la boue dans les interstices dégagés: celle-ci était maintenue en place par deux pièces de toile qui entouraient la base du cou. De la même façon, ils dégageaient la peau des cuisses mais, manuellement, ils ne pouvaient guère dépasser le genou. Ils utilisaient alors de longues baguettes qui leur permettaient de faire le tour des jambes et d'y pousser leur bourrage.

Ils incisaient aussi la plante du pied entre le premier et le deuxième orteil et y introduisaient de la sciure. Les membres supérieurs étaient traités au travers d'une incision verticale du bras ou horizontale sous l'épaule. C'est encore à l'aide des baguettes que, par l'ouverture du flanc, ils séparaient la peau des muscles sur toute la surface du dos et des fesses. De grandes quantités de matériel étaient nécessaires pour combler ce vaste décollement : quand la boue commençait à se raffermir, un savant modelage reconstituait la courbe des fesses et l'ensellure lombaire. On faisait de même pour la paroi abdominale.

Un curieux clystère

Certaines momies, et non des moindres, trouvées par Winlock à Deir-el-Bahari n'avaient été éviscérées en aucune manière malgré la qualité de leur embaumement : il s'agit de la reine Aashayt, épouse de Mentouhotep II et de Mayet, une princesse ensevelie avec elle. Ces momies, que l'on pourrait qualifier d'intactes, sont généralement l'apanage de la dernière catégorie de momification. Certains corps du Nouvel Empire, découverts par Bruyère à Deir-el-Medineh, manquaient de quelques viscères et ne portaient cependant pas trace d'incision ; il en allait de même d'une momie perse examinée par Granville et d'une momie nubienne chez laquelle Smith n'a plus retrouvé aucun organe abdominal.

C'est le moment de nous rappeler ce que nous dit Hérodote de l'organisation des pompes funèbres telle qu'il a pu l'observer : «Lorsqu'on leur apporte le cadavre, les embaumeurs montrent à leurs clients des modèles de momies, en bois peint, fort bien imitées. Le plus précieux, leur expliquent-ils, reproduit l'embaumement d'Osiris ; ils en montrent ensuite un second modèle, moins soigné que le précédent et moins cher, puis un troisième, le moins coûteux de tous.» Nous savons, maintenant, en quoi consistait la première classe qui comportait l'éviscération par la plaie du flanc. Hérodote nous renseigne sur les autres : «Quand on choisit la classe moyenne et qu'on veut éviter une grande dépense, ils préparent le corps de la manière suivante. Ils remplissent leurs seringues avec toute l'huile de cèdre et en remplissent l'abdomen sans faire aucune incision ni retirer les entrailles ; ils injectent l'huile dans le fondement et, ayant empêché l'huile de ressortir, ils traitent le corps pour le nombre de jours prescrits et, au dernier jour, ils laissent l'huile de cèdre qu'ils avaient injectée sortir de l'abdomen ; tel est le pouvoir de cette huile qu'elle entraîne avec elle les entrailles et les organes internes en état de dissolution... La troisième méthode d'embaumement qui est pratiquée pour les classes les plus pauvres est la suivante : après avoir nettoyé l'abdomen avec un purgatif, ils traitent le corps pendant soixante-dix jours et le remettent ensuite pour être emporté.»

Le texte est clair. Dans la troisième catégorie, il n'y avait pas de destruction des viscères mais simplement un lavement à l'aide d'un liquide quelconque qui pouvait être simplement de l'eau. Dans la deuxième catégorie, par contre, l'huile de cèdre instillée dans le rectum dissolvait lentement les viscères : elle était maintenue en place par un tampon de toile ou, peut-être, de cire qui obturait l'anus et son action durait pendant tout le séjour du corps dans le natron. L'embaumeur n'avait plus ensuite qu'à laisser s'écouler l'horrible mélange d'entrailles dissoutes. Cette huile de cèdre ne provenait sans doute pas du cèdre du Liban mais plutôt d'un genévrier. C'était probablement un acide corrosif obtenu par la distillation du bois et contenant un mélange d'huile de térébenthine et de goudron.

Bras croisés ou bras tendus

La position des bras et des mains a beaucoup varié suivant les époques. Au début, les bras étaient étendus le long du corps et enveloppés avec lui dans les bandelettes, les mains aux doigts allongés reposaient sur la face externe des cuisses chez les femmes et se croisaient au-devant des organes génitaux chez les hommes. A partir de la XVIIIe Dynastie, on voit, de temps en temps, les bras, emmaillotés séparément, se croiser devant la poitrine, les mains touchant les épaules : c'est l'attitude que les embaumeurs imposèrent à Aménophis Ier, Thoutmosis II, Thoutmosis III, Aménophis II et Thoutmosis IV. Aux XIXe et XXe Dynasties, cette position devint la règle, au moins pour les momies royales comme celles de Séthi Ier, Ramsès II, Mineptah, Siptah, Séthi II, Ramsès III, Ramsès IV et Ramsès V. Parfois un bras était replié et l'autre étendu. A partir de la XXIe Dynastie et jusqu'à l'époque ptolémaïque, on allongea à nouveau les bras, les mains le long de la face antérieure ou de la face externe des cuisses chez la femme, devant les organes génitaux chez l'homme, avec, cependant, quelques exceptions. Un retour aux bras croisés à l'époque ptolémaïque sera suivi d'une nouvelle extension des bras à la période romaine.

Naissance et désuétude de la momification

Avant d'atteindre ce degré de perfection que nous avons constaté entre la XVIIIe et la XXVIe Dynastie, la momification passa par bien des tâtonnements et connut des échecs.

Dès la IIIe Dynastie, les Egyptiens essayèrent de préserver les corps de la corruption en retirant au cadavre les entrailles qui risquaient le plus de se décomposer. Mais, sans illusion sur la qualité de leur intervention, ils recréaient le personnage qu'ils avaient à traiter en modelant sur lui des linges imbibés de résine. Ainsi un semblant de réalité était-il préservé. Ils moulaient avec beaucoup de fidélité le nez, la bouche, les organes génitaux externes et, chez la femme, les seins et les mamelons. Du roi Djeser (IIIe Dynastie) pour qui le fameux Imhotep construisit la pyramide à degrés de Saqqarah, il ne nous est parvenu qu'un fragment de pied dont l'état prouve une tentative de conservation. La momie du roi Dedkarè-Isesi, de la Ve Dynastie, est certes, en très mauvais état; cependant, elle montre, en de nombreux endroits, des fragments de peau, des muscles, des tendons et des ligaments, des vaisseaux et des troncs nerveux parfaitement identifiables. Sur la face interne des côtes, des traces de résine attestent l'intervention des embaumeurs, de même que la présence des vases canopes.

Au Moyen Empire, la technique n'avait guère progressé. A la XIe Dynastie, les seuls corps que nous connaissions sont ceux de personnages de la cour de Mentouhotep II. L'éviscération par le flanc était peu pratiquée et l'on avait recours à l'injection anale d'huile de cèdre. La plupart des momies de cette époque, sans doute insuffisamment ou non déshydratées, fragilisées par le développement des moisissures, ne supportent pas le transport et tombent en poussière dès qu'on les sort de leur tombe. Il en va de même pour les momies de la XIIe Dynastie et pour celles de la seconde période intermédiaire.

La technique se dégrada avec la décadence de l'empire égyptien. Le sentiment religieux commença à s'altérer; l'Egypte, repliée sur elle-même, avait perdu, en Asie Mineure, les possessions d'où elle tirait ses onguents et ses huiles parfumées; l'argent manquait pour les payer à leur valeur réelle. Alors on accorda de moins en moins de soins au traitement du corps et toute l'attention se reporta sur le bandelettage qui, à l'époque romaine, devint une véritable œuvre d'art. Mais, sous un magnifique emballage, il ne restait pas grand-chose de l'être qui devait parvenir à l'éternité. Le jeune Pedi Amon, décédé à l'âge de sept ans et dont le Musée de Chicago conserve la momie, était trop grand pour son sarcophage: on y remédia le plus simplement du monde en lui supprimant les bras et en brisant ses fémurs à mi-cuisse pour le raccourcir. Tel autre, conservé au Musée de Leyde, était trop petit pour son enveloppe; on emprunta deux tibias à un autre cadavre et on les cala sous ses pieds: ainsi put-il remplir son cercueil. La décomposition avait ailleurs brûlé les étapes; on bourrait l'abdomen avec les fragments de membre détachés et, pour recréer tout de même l'illusion, on remplaçait le membre manquant par un postiche de toile. Bienheureux encore ceux qui pouvaient se présenter devant le tribunal de l'au-delà avec leurs bras et jambes ou leurs viscères en

Thoutmôsis (en égyptien Thoutmès) II régna vers − 1520-1484 (XVIIIe Dynastie). Premier époux de sa demi-sœur Hatchepsout, il mourut vers trente ans, probablement à la suite d'une longue maladie, si l'on en juge par son visage émacié. Musée du Caire. *Photo Hachette.*

désordre. A Deir-el-Bahari, Winlock a découvert une curieuse momie pour laquelle l'embaumeur n'avait aucune excuse puisqu'il opérait à la XXIᵉ Dynastie ; ayant égaré les viscères, il avait confectionné de faux paquets avec un rouleau de corde, un morceau de cuir et des chiffons dont il avait bourré le ventre, en y adjoignant, cependant, pour éviter tout sacrilège, les figurines de cire des quatre fils d'Horus. Tout ceci était encore tolérable en regard de ces pauvres simulacres faits d'un crâne surmontant une botte de roseaux et quelques fragments de chiffons.

Aussi comprend-on mieux cet épigramme funéraire de basse époque, inscrit en grec sur un édifice de Touna el-Gebel :

> Je suis le fils d'Epimaque.
> Ne longe pas ma tombe avec indifférence.
> Tu ne seras pas incommodé par la pénible odeur de l'huile de cèdre.
> Prête un peu l'oreille aux propos d'un mort qui sent bon.
> Le trépas me fit subir la loi commune, avec l'aide de la toux.
> Alors, ne pleure pas, mon bon, je déteste les larmes.
> Aussi ai-je prié Philermès, mon cousin, de s'abstenir de toute lamentation funéraire.
> De ne pas m'enterrer pour me déterrer.
> De ne procéder qu'une fois à ma sépulture, sans huile de cèdre.
> Les funérailles réitérées, les gémissements des femmes, ne me causent aucun plaisir.
> Car tout homme est destiné au trépas.

Ce jeune garçon, mort tuberculeux à l'âge de douze ans, avait refusé les funérailles à l'égyptienne et avait peut-être été incinéré, comme cela commençait à se faire à l'époque romaine. Plus tard, les chrétiens coptes, malgré l'interdit de leur religion, continuèrent à se faire embaumer : on n'incisait plus le corps ; on le recouvrait simplement d'une couche épaisse de natron ou de sel pour le dessécher, on l'habillait de ses vêtements ordinaires et on l'ensevelissait dans le sable ou sous des voûtes de briques. L'Egypte avait connu là les dernières années de la momification.

Des centaines de mètres de bandelettes

Les embaumeurs en ont enfin terminé avec le traitement du cadavre et vont maintenant utiliser l'extraordinaire appareil de linges qui fera de la momie un paquet méticuleusement enveloppé. Le corps restait sans doute un certain temps exposé avant d'être emmailloté ; ainsi seulement peut s'expliquer la quantité d'œufs et de pupes d'insectes nécrophages variés, coléoptères et diptères, retrouvés sur les momies.

Trois sortes de pièces étaient employées : les suaires ou linceuls qui empaquetaient la totalité du corps, les bourrages qui comblaient les cavités et atténuaient les reliefs et les bandelettes qui maintenaient le tout en place. Les étoffes étaient de lin car l'usage de la laine était interdit dans les pratiques funéraires comme il l'était pour la confection des vêtements des prêtres. Sur une même momie, on trouve souvent plusieurs qualités de bandages mais les plus fins étaient toujours placés au contact du corps. Un bon nombre de linges portaient des inscriptions : l'étude de ces signes a fourni des renseignements précieux quant à leur origine et leur destination. Certains étaient des parties de vêtements qui avaient appartenu au défunt ou à sa famille comme en témoignent les franges qui les bordent, les traces de raccommodage, de rapiéçage et des marques de propriétaires déteints par les lavages répétés.

L'utilisation des linges de familles devait remonter assez loin car, sur la princesse Aashayt, femme de Mentouhotep II (XIe Dynastie), on a retrouvé deux bandelettes portant, l'une l'inscription : « Le roi Mentouhotep » et l'autre : « Le magasin de lingerie fine. » Sur d'autres, étaient tracés des extraits du Livre des Morts : il s'agissait alors d'étoffes confectionnées pour l'emmaillotage de la momie que la famille se procurait auprès de fabricants. Il nous est ainsi parvenu un compte de dépenses funéraires dans lequel un certain Thotataïs donne par contrat, à l'embaumeur, les linges destinés à la momie de son fils. Certaines étoffes avaient une provenance beaucoup plus étonnante. L'une d'entre elles portant l'inscription « Linge vénérable du temple d'Amon » nous servira d'exemple. Lorsque le roi ou un grand prêtre célébrait le rituel dans le temple, il accomplissait, entre autres gestes, celui de dévêtir la statue du dieu puis de la recouvrir d'un vêtement nouveau. Ces pièces de toile qui habillaient le dieu provenaient de la lingerie du temple et portaient des marques qui en indiquaient la destination. Ayant paré Amon, les linges avaient acquis un caractère sacré et l'on imagine la vertu protectrice que pouvaient avoir des bandelettes taillées dans ces vêtements divins. Dans la tombe de Paheri, à El Kab, on peut lire : « Puisses-tu être enveloppé de linges sacrés, d'étoffe fine, de vêtements enlevés aux corps divins. » Ce qui est vrai pour Amon, l'est aussi pour d'autres dieux. Un papyrus funéraire du Louvre cite les bandelettes d'Horus, de la déesse Sekhmet, des dieux et déesses de Karnak.

Le nombre sept, qui joue un rôle considérable dans la magie de l'Egypte ancienne, ne pouvait manquer de se retrouver ici et c'est souvent par sept que se chevauchaient les suaires, les bandelettes et les amulettes. Le nombre total de pièces de toile dénombrées sur une momie est important : il se chiffre toujours par plusieurs dizaines ; quatre-vingt-trois sur la momie de la prêtresse d'Amon, Taousret. Autour du cadavre, les bandelettes et les compresses qui allaient servir à l'enroulement s'empilaient par centaines de mètres. La longueur des linceuls dépassait de beaucoup celle du corps puisqu'ils mesuraient, en moyenne, 4,50 m sur 1,20 m : on les nouait à la tête et aux pieds.

Tout ce matériel était préparé dans la salle d'embaumement. Un scribe comptable groupait les linges par séries et les entassait en piles de mêmes dimensions : ici les suaires, là les bandelettes. Il inscrivait sur la pièce de dessus la destination de la série, celles du dessous n'étant pas marquées. Plusieurs cadavres étaient, sans doute, traités en même temps car, sur l'un d'eux, on a trouvé une bandelette portant l'inscription : «Les bandages des trois momies.» C'était la première des bandes qui avaient dû servir à l'emmaillotage des trois corps.

L'embaumeur commençait à envelopper la momie dans un grand linceul de toile jaune safran qu'il maintenait en place par un premier enroulement de bandes. Puis, il entourait les doigts et les orteils séparément avec de minces bandelettes de lin. Il s'occupait alors de l'emmaillotage de la tête qui comprenait de multiples tampons, chacun marqué au nom d'un dieu, le tout assujetti par les tours de bande qui partaient en sautoir de l'épaule droite. Entre les couches de toile il déposait les amulettes. Les différents tampons que l'on plaçait sur le sommet du crâne, sur les temps, les oreilles, les yeux, la bouche, étaient choisis, dans les piles de linges, par un préposé, le «Supérieur des Mystères», qui vérifiait les inscriptions : «La pièce d'étoffe de Sekhmet la Grande, aimée de Ptah, en deux rouleaux pour sa tête…»

Puis l'embaumeur revenait aux mains dont il bourrait les paumes de morceaux de tissu repliés. Les bras enveloppés, le thorax emmailloté par les bandes en sautoir de la tête, il ne restait plus qu'à recouvrir l'abdomen et les jambes. Nous n'avons donné ici qu'un très rapide aperçu du bandelettage d'une momie tel qu'il est indiqué dans le «Rituel de l'embaumement». Le lecteur pressé sautera le paragraphe suivant dont l'énumération est cependant édifiante et permet de se faire une idée de la complexité de l'emmaillotage. Il concerne une momie gréco-romaine d'un jeune garçon que Bruyère et Bataille ont déroulée : l'habillement en est modeste puisqu'il ne comprenait que quarante-deux pièces. De l'extérieur à l'intérieur, on trouve :

1. Une série d'enroulements parallèles transversaux de bandes écrues de 0,05 m de large recouvrant le scapulaire du masque. Bandes épaisses de grosse toile, pliées en trois dans le sens de la longueur.

2. Une série d'enroulements croisés en diagonale de bandes semblables recouvrant aussi le scapulaire du masque. Les bandes noires, grossières, sont pliées en trois dans le sens de la longueur.

3. Masque de cartonnage non cousu au maillot.

4. Sous le masque, la tête est couverte de bandelettes en épi, de toile plus fine.

5. Suaire rouge foncé, sans résille peinte, fermé dans le dos, sans contenu. Longueur : 1,10 m.

6. Linceul écru ne recouvrant pas la tête, non cousu. Longueur : 1,25 m ; largeur : 0,65 m.

7. Linceul écru couvrant toute la momie y compris la tête ; mêmes dimensions et même qualité de toile mi-fine.

8. Rembourrages d'étoffe grossière pliée le long du flanc droit et à l'extérieur des deux cuisses.

9. Enroulements de bandes de grosse toile croisées et se nouant en dessous ; largeur : 0,065 m, couvrant les jambes.

10. Enroulements de bandes plus fines de largeur de 0,055 m autour des pieds.

11. Rembourrage de linges usagés sur le flanc gauche et contre l'épaule gauche.

12. Enroulements de bandes de 0,07 m partant du talon jusqu'à la tête.

13. Enroulements de bandes très grossières de 0,05 m autour de la tête.

14. Linceul écru, usagé et déchiré, fermé devant ; longueur : 1,50 m ; largeur : 1,03 m.

15. Enroulements de bandes de grosse toile de 0,06 m entourant la tête seule.

16. Enroulements identiques autour du tronc.

17. Linge couvrant la tête, le tronc et s'arrêtant aux cuisses.

18. Linge couvrant la tête, le buste et s'arrêtant aux hanches.

19. Linge fin enveloppant la tête.

20. Enroulements de bandes larges de 0,10 m autour du corps entier.

21. Rembourrage de linges pliés aux pieds ; rembourrage sur les jambes et sur l'épaule gauche.

22. Etoffe usagée et repliée sur la tête.

23. Linge plus fin sur le visage.

24. Enroulements de bandes de 0,10 m autour du tronc.

25. Enroulements de bandes croisées de 0,10 m autour de la tête.

26. Rembourrage d'étoffes pliées sur les épaules.

27. Rembourrage de linges fins sur la tête, le haut du buste, tout le long des flancs depuis les épaules jusqu'aux chevilles ; les deux pieds.

28. Rembourrage de linges pliés : deux sur la tête, pliés en quatre ; un sur le visage, plié en deux ; sur la jambe droite ; sur les deux genoux.

29. Enroulements en spirale de bandes de 0,06 m sur tout le corps.

30. Linge grossier enveloppant le corps de la tête aux chevilles, fermé en avant.

31. Rembourrage de linges sur la jambe droite et sur le flanc gauche.

32. Enroulements de bandes d'étoffe fine de 0,02 m à 0,04 m autour des pieds.

33. Rembourrage de cinq pièces de linge autour des pieds.

34. Encapuchonnage d'étoffe pliée autour de la tête.

35. Rembourrage d'étoffe chiffonnée enduite de matière rouge foncé sur le ventre.

36. Rembourrage sous les pieds, sur les jambes et linge plié en huit sur le ventre.

37. Linceul fin enveloppant le corps de la tête aux chevilles.

38. Enroulements transversaux de bandes de 0,05 m de la tête aux pieds.

39. Linceul de la tête aux genoux.

40. Tampon de chiffon sur le bas du visage.

41. Cinq linceuls superposés sur le corps, du cou à la cheville.

42. Une petite bande de 0,04 m de long sur le devant du corps et en écharpe du sein droit à la hanche gauche.

La liste ci-dessus ne donne qu'un aperçu de l'invraisemblable technique du bandelettage qui, si l'on suit strictement le «Rituel de l'embaumement», est beaucoup plus élaborée. On pense qu'il durait environ une quinzaine de jours. A l'occasion d'une pause, deux souris, attirées par l'odeur des onguents, étaient venues grignoter les bandelettes d'une momie et s'y étaient foré une cachette. Le lendemain, les embaumeurs ne les ayant pas aperçues, avaient continué leur travail et c'est ainsi que Winlock, déroulant cette momie, découvrit, trente siècles plus tard, leurs deux petits squelettes entre deux couches de bandes.

Les doigtiers d'or étaient réservés aux personnages de haut rang. Ils étaient passés par-dessus les bandelettes. Ceux de Toutankhamon recouvraient les deux dernières phalanges ; une fine ciselure indiquait le dessin de chaque ongle et les plis de la face dorsale des doigts (fig. 12).

12.   Doigtiers et bagues d'or sur la main de la momie de Toutankhamon.

Pendant l'emmaillotage, les bandelettes étaient imprégnées de résine. Quatre scènes représentées dans la tombe de Thoui (XIXe Dynastie) à Thèbes, dépeignent les détails matériels de cette pratique. La porte de l'atelier d'embaumement est à gauche. Au centre, la momie, raide et déjà partiellement bandelettée, repose par la nuque et les talons sur deux piédestaux. A la tête et aux pieds se tiennent les deux embaumeurs ; entre la porte et la momie officie un prêtre-lecteur. Dans la première scène, les opérateurs ajustent les bandages. Le registre suivant est mutilé. Le troisième dessin montre les embaumeurs tenant d'une main un petit bol contenant la gomme-résine et, de l'autre, une

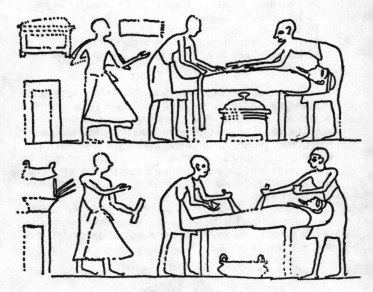

13.   Différents temps de l'emmaillotage. Tombe de Thoui. En bas, application
      de résine sur les bandelettes.

brosse avec laquelle ils appliquent le produit liquide sur des bandelettes. Sous la momie, un grand récipient contient la réserve de résine dans laquelle ils puisent au fur et à mesure de leurs besoins. Au-dessus de la porte, une marmite semblable chauffe à petit feu sur un réchaud (fig. 13). A la période gréco-romaine, la momie n'était achevée que lorsqu'on l'avait recouverte du suaire osirien, couleur rouge sang, cousu par derrière. Ce linceul était orné d'une résille de perles longues vertes ou bleues et de perles rondes, blanches ou jaunes. Pour les momies moins luxueuses, la résille était simplement peinte sur le suaire.

L'étoffe n'était pas teinte à l'avance mais une fois mise en place : en effet, la peinture imprègne encore les premières couches de bandes sous-jacentes et n'a pas pénétré dans les replis du tissu ; par endroits, on voit encore l'esquisse de la résille dessinée au crayon alors que le linceul enveloppait déjà la momie.

On inscrivait parfois le nom du défunt, soit sur le front, soit sur le ventre.

Le travail n'était terminé que lorsqu'on avait ajusté le masque funéraire dont le plus bel exemple au monde et dans toutes les civilisations reste celui de Toutankhamon. C'est un plastron-masque qui recouvrait la tête, la partie supérieure du thorax et celle du dos. Il est fait d'une feuille d'or battue, polie et repoussée et paraît reproduire fidèlement les traits du roi. Il porte au front les emblèmes de la royauté, la déesse vautour Nekhbet et l'uraeus. Les yeux sont incrustés de pierres semi-précieuses et le nemès, coiffure mortuaire des pharaons, alterne l'or et des bandes de pâte de verre bleue. Le visage émouvant est celui d'un adolescent, au nez légèrement retroussé, aux lèvres charnues, au regard un peu triste.

Les autres masques que l'on connaît à partir de l'époque ptolémaïque paraissent bien pauvres comparés à cette parure royale. On les fabriquait sans doute en série, dans des ateliers, en superposant plusieurs épaisseurs de toile stuquée. Ce procédé, utilisé en Haute Egypte où le papyrus était plus rare, était remplacé, en Basse Egypte, par un cartonnage fait de plusieurs couches de papyrus de rebut. Le décollement de certains d'entre eux a permis, d'ailleurs, de recueillir des textes intéressants pour l'étude de la civilisation.

A la période romaine, le portrait du défunt était peint à l'encaustique sur des planchettes de bois que l'on insérait au-devant du visage, entre les bandelettes. C'est ce qu'on appelle les portraits du Fayoum du nom de la région où l'on a pu en faire la plus ample récolte. On ne demandait pas au masque de reproduire exactement les traits du défunt mais, par la valeur symbolique des détails du visage, de la coiffure et du pectoral, de signifier son âge, son sexe et s'il était célibataire ou marié. Plus proches de la statuaire, les masques égypto-romains dits d'Antinoé, couvraient la tête et la poitrine des femmes. La tête, un peu rejetée en avant, appuyée sur un coussinet, est souvent couronnée de roses ; un bouquet de ces mêmes fleurs, en stuc, repose sur la poitrine. Ces portraits remplaçaient la partie supérieure du couvercle du sarcophage momiforme (fig. 14).

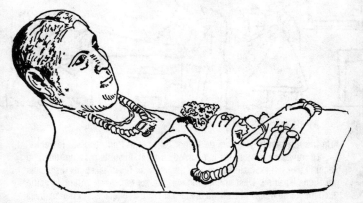

14. *Masque égypto-romain dit d'Antinoé qui remplaçait, à Basse Epoque, la partie supérieure du couvercle du sarcophage.*

Soixante-dix jours pour faire une momie

Toutes les opérations de la momification demandaient beaucoup de temps. Lorsqu'on lit, sur une inscription de la XIXe ou XXe Dynastie: « L'an VI, le second mois de l'été, le quinzième jour, Tahené mourut; elle fut enterrée le dix-septième jour», il est bien évident qu'aucune des interventions que nous avons évoquées n'avait été mise en œuvre et que cette femme, sans doute pauvre, avait été ensevelie sans la moindre préparation. La durée habituelle de la momification était de soixante-dix jours: c'est, du moins, ce qu'affirme Hérodote. Une formule de la XVIIIe Dynastie confirme le fait: «Une bonne sépulture t'advient dans la paix après que tu as accompli tes soixante-dix jours dans le lieu d'embaument.» Cette période a, peut-être, une valeur symbolique et le rapprochement s'impose avec la durée de disparition de l'étoile Sothis, notre Sirius, pendant les soixante-dix jours de sa conjonction avec le soleil: c'était bien le laps de temps qui s'écoulait entre la mort de l'individu et sa résurrection. En fait, cette longue période ne couvrait pas uniquement les opérations matérielles sur le cadavre. Dans la Genèse (50, 2–3) on peut lire: «Puis Joseph ordonna aux médecins qui étaient à son service d'embaumer son père et les médecins embaumèrent Israël. On lui consacra quarante jours pleins, car tel est le nombre de jours que dure l'embaumement. Les Egyptiens le pleurèrent soixante-dix jours.» Il est probable que, selon la classe choisie et le soin apporté à l'embaumement, la durée variait de façon importante.

Le papyrus Fouad signale qu'une femme a été momifiée et transportée dans un autre village en neuf jours seulement: ceci se passait en l'an 64 de notre ère. Nous avons des détails très précis au sujet d'un certain Aan-em-her: l'embaumement commença quatre jours après la mort; pendant cinquante-deux jours les embaumeurs, après avoir procédé à l'éviscération, le laissèrent dans le natron puis le séchèrent; les seize jours suivants furent consacrés à l'enveloppement; enfin l'enterrement eut lieu trois jours après la mise dans le cercueil.

Les déchets

Rien de ce qui avait été en contact avec la chair du défunt ne devait disparaître. Les linges tachés de sang ou souillés d'humeurs, les tampons de natron imprégnés de graisse, les chiffons qui avaient servi à nettoyer le corps, même le natron où le cadavre avait été enfoui, imprégné des liquides d'exsudation, tout devait être conservé. On remplissait des récipients de sciure usagée, des pots de natron humide, des jarres de bourrages graisseux, des vases de lambeaux de toile couverts de sanie. On allait même jusqu'à mettre dans des sacs les balayures de l'officine d'embaumement pour ne pas risquer de perdre la moindre parcelle du mort. Mais tous ces déchets que l'on préservait avec soin n'avaient pas été concernés par le rituel de l'osirification qui faisait du mort un dieu. Ils étaient impurs et, comme tels, ne pouvaient être ensevelis dans la tombe elle-même. On les enfouissait donc dans ce qu'on appelle les « cachettes d'embaumeurs », sorte de petits sépulcres, à quelque distance du tombeau. De nombreux emplacements de cachettes ont été découverts : dans une tombe à Qurna, on retrouva une centaine de sacs de natron qui avaient servi à l'embaumement d'un seul individu. La cachette la plus célèbre est celle découverte en 1908 par Davis, à une centaine de mètres de la tombe principale : elle contenait les déchets de momification de Toutankhamon, enfermés dans douze grosses jarres.

Ainsi s'achevait la phase purement technique de la transformation du corps livré aux embaumeurs en une momie desséchée et bandelettée. Mais les opérations matérielles étaient précédées, accompagnées et suivies de rites dont nous allons suivre maintenant le déroulement.

CHAPITRE V

RITES AUTOUR DE LA MOMIE

Deux mois de jeûne et d'abstinence

DANS une famille thébaine, la mort a frappé. Point n'est besoin de faire-part. Les voisins sont aussitôt avertis par les cris de douleur poussés par la veuve. C'est un concert de lamentations qui s'élève et gagne bientôt tout le quartier car les femmes de la maison et les servantes se répandent dans les ruelles qu'elles remplissent de leurs gémissements funèbres. De proche en proche, la famille et les amis apprennent la nouvelle. Une longue période de deuil va commencer (fig. 15). Les femmes prennent à pleines poignées la poussière des rues ou la boue charriée par le Nil et s'en couvrent la tête. La tunique qu'elles revêtent, pour la circonstance, est maculée du limon qui dégoutte de leur chevelure. Les hommes ne vont plus se raser. Une esquisse provenant d'El Amarna représente le roi Akhnaton portant une barbe négligée en signe de deuil (fig. 16).

Jusqu'au moment de l'ensevelissement, la nourriture sera limitée au strict minimum. Dans une lettre au mort, conservée au Musée de Leyde, un homme, affligé par la perte de sa femme, a écrit cette phrase quelque peu excessive :

« Et quand tu mourus, je passai huit mois sans manger ni boire, comme un homme avait l'habitude de le faire. »

Diodore affirme que, quand un roi mourait, le peuple était plongé dans l'affliction : « Tous les habitants pleuraient et déchiraient leurs vêtements ; les temples étaient fermés et le peuple s'abstenait de sacrifices et ne célébrait aucune fête pendant soixante-douze jours. Des foules d'hommes et de femmes d'environ deux à trois cents parcouraient les rues, la tête couverte de boue et les vêtements noués comme une ceinture sous les seins, chantant des chants funèbres, deux fois par jour, à la louange du mort. Ils se refusaient le froment, ne mangeaient pas de viande et s'abstenaient de vin et de bonne chère. Personne ne se baignait, n'appliquait d'onguents ni ne partageait les plaisirs de l'amour. Les soixante-douze jours se passaient en chagrin et lamentations, comme pour la mort d'un enfant aimé. »

La traversée du Nil

Les employés de la nécropole ont été avertis. Ils vont prendre possession du corps et l'emmener sur la rive occidentale. Les rites vont commencer, innombrables, accompagnés de gestes cérémoniels, entrecoupés de cortèges, mettant en jeu un personnel considérable. De nombreux textes nous ont permis de les reconstituer. Les dessins à l'encre, sur les parois de la tombe du vizir Pepi-Ankh, à Meir, sont une mine de renseignements sur l'organisation matérielle des processions : véritables bandes dessinées, ils sont accompagnés d'hiéroglyphes qui indiquent la fonction de chaque personnage et les paroles prononcées. Dans la petite chambre où le défunt a rendu l'âme, les porteurs se saisissent du corps et le déposent dans un sarcophage dont la corniche est faite de palmettes. Ce n'est certainement pas le cercueil définitif qu'on n'a pas encore eu le temps d'assembler mais, probablement une sorte de bière commune destinée au premier voyage. La famille en larmes reste dans la demeure tandis que les porteurs vont emmener le mort jusqu'à l'embarcadère où les attend un groupe de bateaux. L'embarcation qui transporte le cadavre est faite de grosses bottes de papyrus liées et porte un dais soutenu par quatre minces colonnettes sous lequel on installe le sarcophage. A la poupe se tient un maître marinier et, près de lui, un timonier qui, à l'aide de deux longues rames, dirigera le bateau. Deux pleureuses sont accroupies près du dais et commencent à moduler leurs plaintes. Un embaumeur les accompagne mais il n'a pas droit au bâton honorifique comme le maître embaumeur qui est assis devant lui et s'appuie fièrement sur sa canne. A la proue, enfin, un autre maître marinier guidera la manœuvre avec une perche. N'oublions pas un prêtre lecteur, près du sarcophage, ce qui porte à huit le nombre de personnes accompagnant directement le mort.

15. Cortège de pleureuses.

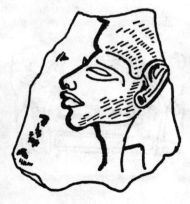

16. Eclat de calcaire gravé au profil d'Akhnaton ; de petites hachures dessinées indiquent la barbe naissante portée en signe de deuil.

Deux bateaux de bois vont remorquer la barque funéraire ; chacun porte un équipage de huit rameurs, un timonier et un marin qui dirige la manœuvre ainsi qu'un personnage assis dont la fonction n'est pas déterminée. On s'interpelle d'un bateau à l'autre : « Dépêche-toi de faire ce remorquage. » Le trajet est court et l'on a tôt fait d'aborder l'autre rive : « C'est un voyage réussi. Le voyage est terminé. » Le groupe de bateaux est arrivé au débarcadère de la Ville des Morts. On hale les embarcations et on va les amarrer : « Tiens bon la corde », dit un maître marinier.

Trois hommes vont maintenant porter le sarcophage sur une civière en forme de lion jusqu'à la Tente de Purification que l'on voit se dresser au bout du quai. En tête du cortège marchent le prêtre lecteur tenant à la main son rouleau de papyrus, les deux embaumeurs et une pleureuse, deux nouveaux embaumeurs, quatre officiants funéraires et un autre prêtre lecteur.

La première lustration

Dans la Tente de Purification, le cadavre est d'abord soumis à une aspersion d'eau lustrale, sans doute une solution de natron. C'était un rappel, selon la théologie primitive d'Héliopolis, de la naissance du dieu Soleil sorti de l'immense étendue d'eau, obscure et froide, appelée Noun. Le mort était donc, en quelque sorte recréé et toute la cérémonie aurait pu en rester là si les pratiques osiriennes n'étaient venues, par la suite, compliquer le rituel.

Il n'y a que peu d'images dépeignant la scène, tant les Egyptiens, nous l'avons vu, répugnaient à dessiner le cadavre : parfois le mort est assis sur une grande jarre, les pieds reposant sur deux croix ansées, les signes de vie ; ailleurs, il est accroupi au bord d'un bassin rectangulaire. C'est sur une paroi du sarcophage d'une dame Moutardis que l'on trouve la représentation la plus

17.   L'aspersion lustrale du cadavre. Purification du corps du défunt représenté en noir.

réaliste de la purification du corps : le cadavre, noir, est couché au fond d'une sorte de caniveau et un prêtre, de chaque côté, verse sur lui le contenu d'un vase (fig. 17). Après une première onction, on habille le défunt de vêtements propres, on le pare, le cas échéant, des attributs et ornements de son ancienne fonction, on le chausse de sandales et le voilà revenu sur la civière en forme de lion, prêt pour un nouveau cortège qui l'emmènera de la Tente de Purification à l'atelier d'embaumement, précédé et suivi des officiels qui ne l'avaient pas quitté.

Anubis entre en scène

Quand la procession y pénètre, la pièce est remplie de quantités de nourritures et de jarres de vin. Un prêtre lecteur récite, en suivant son papyrus déroulé, des formules consacrées conviant le mort au repas. Puis le cortège se disperse et il ne reste plus que les quelques personnes dont la présence est indispensable à la momification, c'est-à-dire les embaumeurs et les prêtres. Parfois sont représentées deux femmes symbolisant les déesses Isis et Nephtys qui, nous le savons, avaient participé à la résurrection d'Osiris. Chaque temps matériel de l'embaumement est accompagné et suivi de la récitation de textes liturgiques par lesquels les prêtres souhaitent au défunt le recouvrement de la vue, de l'ouïe, de la respiration, de la marche, en un mot de toutes les facultés dont il jouissait sur terre et que doit lui rendre l'action combinée de la momification et des rites.

L'enroulement des bandelettes est fait sous la direction d'un maître embaumeur coiffé d'un masque de cartonnage en forme de tête de chacal l'assimilant à Anubis, le dieu qui avait reconstitué Osiris (fig. 18). Les rites ne se limitent pas aux prières, invocations et objurgations mais concernent aussi les gestes dont la diversité est incroyable. Le chapitre IX du «Rituel de l'embaumement» intitulé «Premier enveloppement des mains» va nous en fournir un exemple.

«Or, en suite de cela, concernant l'emmaillotage de ce dieu (le mort), emmailloter sa main gauche dont le poing refermé aura été enduit de la même huile qu'auparavant. Ajouter : plante ânkh-imy, un ; bitume de coptos, un ; natron, un, à l'intérieur. Emmailloter alors ses (?) avec une bandelette de lin royal puis avec une bande. Mettre en place l'anneau – sceau d'or à son doigt et que sa main refermée reçoive à nouveau une dorure, après que sa main aura été mise en forme avec un tampon de tissu. Enduire d'huile l'extérieur jusqu'à la racine des doigts. «Plante ânkh-imy, natron, bitume, plante seneb-netjery ; faire trente-six paquets noués, mettre contre sa main gauche. (Ceci est une

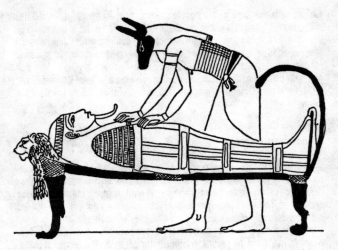

18.   Ultimes préparatifs de la momie par l'embaumeur au masque d'Anubis.

allusion symbolique aux trente-six dieux qui accompagnent son ba et aux trente-six nomes de l'Egypte où Osiris est honoré.)

»Lier ensemble une gousse de plante mensa et un rameau d'arbre-ârou à sa main gauche, à l'aide de cette plante seneb-netjery, étant donné que l'arbre-ârou c'est Osiris. En même temps, assurer l'adhérence de tout cela dans sa main gauche avec de la résine de l'arbre-ârou et un morceau de tissu enroulé sur l'extérieur de sa main gauche. Il doit y avoir, sur ce tissu, le dessin d'une image de Hâpy, puisque c'est le revêtement fait avec sa pièce d'étoffe de Hâpy, le plus grand des dieux ; également un dessin d'Isis fait à l'orpiment pur sur un tampon enroulé six fois.

»Placer alors sur sa main la pièce d'étoffe d'Isis Coptos, après avoir mis dans son poing Hâpy et Isis qui ne doivent pas s'éloigner de lui, jamais. Emmailloter sa main avec une bande par-dessus ces étoffes.»

Si l'on songe qu'il ne s'agit là que d'une petite partie du « Rituel de l'embaumement» et que chaque geste de l'embaumeur était suivi de l'intervention du prêtre lecteur, on conçoit que la momification d'un corps ait pu se poursuivre pendant plusieurs dizaines de jours. La momie enfin prête repose sur le lit d'apparat. Les prêtres, satisfaits du travail, peuvent s'écrier : « Tu revis,

La reine Hatchepsout (XVIIIe Dynastie) obtint tous les pouvoirs d'un pharaon à la mort de son mari Thoutmôsis II. Elle régna de −1504 à −1484. Sa momie fut trouvée dans la tombe d'Aménophis II avec d'autres dépouilles de pharaons. Musée du Caire. *Photo Hachette*.

tu revis pour toujours, tu es de nouveau jeune, tu es de nouveau jeune à jamais.» Les officiants sont retournés prévenir la famille que les funérailles pouvaient commencer. C'est alors un nouveau cortège qui s'ébranle à partir de la maison du mort, traverse la ville et s'embarque pour la Nécropole, avec les mêmes personnages pour accompagner, cette fois, les parents et les amis. Un petit marin, aggripé à une planche, surveille l'«Inspecteur des embaumeurs» qui monte à bord et lui dit : «Je tiens bon la passerelle.» Un nouveau sarcophage est là, celui dans lequel sera enfermée la momie.

Arrivés à la nécropole, tous ces gens se dirigent vers l'atelier d'embaumement pour prendre possession du corps. Les trois hommes qui portent le sarcophage vide se disent entre eux : «Cela, c'est le cortège d'un homme de bien.» Dans la salle d'embaumement, nous trouvons l'amoncellement de victuailles sans lequel aucune cérémonie funéraire ne serait complète. La momie est déposée dans son cercueil. La procession, qui s'est notablement étoffée par la venue de nouveaux arrivants, de ceux, sans doute, qui avaient voulu esquiver une partie des obsèques, se dirige vers la Tente de Purification.

L'ouverture de la bouche

Dans ce lieu sacré va se dérouler le rite essentiel de l'ouverture de la bouche. A partir du Nouvel Empire, ce second passage dans la Tente de Purification sera supprimé et l'ultime cérémonie se fera à l'entrée de la tombe. Goyon a étudié, dans le détail, l'évolution de cette pratique magique qui, initialement, était réservée à l'animation des statues divines et royales : l'ouverture de la bouche qui permettait la visite de l'esprit. Petit à petit, le rite s'est étendu à tout ce qui peut recevoir une parcelle de divinité : les statues, qui pouvaient ainsi participer aux repas d'offrandes, les figures de proue des barques sacrées, les portes des temples, pour donner la vie aux reliefs de leurs parois, jusqu'aux amulettes que sont les scarabées de cœur. C'est très tôt, dès l'époque thinite, qu'on anima les cadavres de la même façon. L'ouverture de la bouche se faisait sur la momie elle-même, puis sur son cercueil et sur ses statues de double. Elle avait pour but de réintroduire, dans le corps, l'énergie vitale qui s'en était échappée et de rendre au mort l'usage de la bouche indispensable au manger et au boire, à la parole et à la respiration.

Ce terme d'ouverture de la bouche ne doit pas faire illusion : l'officiant touchait tous les orifices de la tête à l'aide d'un objet ressemblant à une herminette, objet avec lequel on faisait le simulacre de sculpture qui indique bien une recréation du mort. L'acteur principal est le prêtre-sem. C'est un membre du clergé du dieu Ptah, de Memphis : il est reconnaissable à la peau de panthère qu'il porte sur la poitrine. Il est assisté de l'inévitable prêtre lecteur et, dans les cérémonies importantes, d'une plus large représentation de membres du clergé. Le fils du défunt tient souvent le rôle d'Horus, fils d'Osiris. De nombreux instruments sont à portée de la main : des aiguières pour les libations et les aspersions, diverses sortes d'herminettes, des ciseaux du type des ciseaux à bois, très révélateurs du rôle du prêtre-sem, un doigt d'or, des couteaux de pierre, des écharpes de toutes sortes et des onguents.

Après les purifications et les fumigations d'encens, débute l'animation de la momie. Un animal va être sacrifié, dont le cœur et le cuissot sont présentés. Le prêtre-sem s'approche de la momie et, avec l'herminette et le ciseau, fait, à plusieurs reprises, le simulacre d'ouvrir les orifices (fig. 19), puis il approche

19.   Le rite de l'ouverture de la bouche à l'aide de l'herminette. Isis et Nephtys
      aspergent la momie d'eau lustrale. Sous le lit, de gauche à droite : huiles et
      onguents parfumés, coffre à oushebti et coffre aux vases canopes.

le doigt d'or de la bouche. On offre alors au défunt une grappe de raisin, une coupe de vin, on l'évente avec une plume d'autruche et toutes les fonctions vitales sont ainsi restaurées. Le même cérémonial est renouvelé, une seconde fois, avec quelques nuances, cette répétition rappelant les rites ancestraux du temps où le pays était encore séparé en Haute et Basse Egypte. Après de nouvelles fumigations et une aspersion de la momie, le mort est invité à prendre encore un repas parmi les vivants. Celui-ci terminé, les prêtres se retirent non sans que le sem ait, une dernière fois, touché la bouche du cadavre du bout de son herminette.

Il va sans dire que de nombreuses formules magico-religieuses ont été récitées pendant le déroulement de toute la cérémonie.

Sous l'Ancien Empire, les murs des couloirs et des chambre des pyramides étaient gravés de textes destinés à protéger le roi dans l'autre monde : c'est ce qu'on appelle le « Livre des Pyramides ». Des formules sacrées ou magiques de même nature étaient peintes à l'intérieur des cercueils au Moyen Empire : ce sont les textes des sarcophages. A partir du Nouvel Empire, l'usage se répandit de glisser dans le cercueil, à côté de la momie ou, plus tard, entre ses jambes, avant l'emmaillotage, un papyrus, le « Livre des Morts ». C'était un recueil d'incantations qui, par sa seule présence, permettait, entre autres, la résurrection du défunt, son séjour bienheureux au royaume d'Osiris et l'aide effective de ses oushebti, petites statuettes chargées d'effectuer, dans l'au-delà, les corvées à la place du mort.

Plus tard, spécialement dans la région thébaine, c'est le « Livre des Respirations » que l'on déposait près de la tête ou sous les pieds. A côté des introductions nécessaires auprès des puissances infernales et des recettes pour éviter les pièges qui parsemaient la route du défunt, il comprenait des conjurations contre l'air méphitique des tombes, la chaleur suffocante, et des formules propres à assurer une respiration aisée.

Le dernier cortège

Entre l'enterrement du malheureux qu'on emmène seul, dans une simple natte, vers sa dernière demeure et celui des rois qui mobilisait des centaines de porteurs, il y avait place pour des cérémonies de plus ou moins grande importance (fig. 20).

20.   *Transport simple de la momie (mise au tombeau).*

Suivons l'un de ces cortèges qui vient de quitter la Tente de Purification. Un prêtre-sem ouvre la marche et, tout en lisant des formules rituelles, répand de l'eau sur le sol avec un vase à libation. Précédant le mort, des hommes s'avancent, porteurs de plateaux remplis de vases de vin, de bière et d'huile, de pains et de gâteaux de toutes sortes, de fruits, de légumes, de cuissots d'antilopes, de quartiers de bœuf. D'autres sont chargés du mobilier funéraire qui garnira les chambres du tombeau. L'un d'eux porte une boîte contenant les oushebti.

Sur un traîneau tiré par quatre bœufs, un lourd catafalque décoré supporte la momie dans son sarcophage (fig. 21). Un autre traîneau est chargé des vases canopes dans lesquels on a enfermé les entrailles. Derrière suivent des prêtres, vêtus de lin blanc, des pleureuses aux seins découverts, puis la famille et les amis. Les femmes portent un long voile transparent tandis que la veuve a la tête recouverte d'une résille. Hommes et femmes ont le front ceint d'une bande-lette blanche nouée sur la nuque ; les bâtons que tiennent les hommes sont également entourés d'un nœud blanc.

Si le mort appartenait à une corporation, les confrères étaient tenus d'assister aux obsèques et d'offrir leur contribution ; les absences non justifiées étaient passibles d'une amende.

Les nécrotaphes chargés du transport du corps étaient, du moins à la Basse Epoque, parfaitement organisés. Certains papyrus nous rapportent les démêlés qu'eurent six d'entre eux avec des prêtres au sujet des salaires versés par la famille et qu'ils n'auraient pas intégralement perçus. Des hommes descendus au fond du puits qui donne accès à la tombe attendent, à la lueur

21.   Transport du sarcophage traîné par des bœufs. Des pleureuses accompagnent le cortège. A droite, le prêtre-sem renouvelle une dernière fois l'ouverture de la bouche avant la mise au tombeau.

de petites lampes à huile, qu'on leur descende le lourd sarcophage au moyen d'un appareil compliqué de treuils et de palans. Ils installent également le mobilier funéraire et les offrandes.

Dans la tombe inviolée d'un noble de la IIe Dynastie, à Saqqarah, Emery a découvert un repas cuit pour le défunt qui comprenait un pain triangulaire, une bouillie d'orge, un poisson, un ragoût de pigeon, une caille, deux rognons, des côtes et cuisses de bœuf, une compote de figues, des baies, de petits gâteaux ronds au miel, du fromage et du vin, le tout servi dans des assiettes de poterie brute. On ne sait si la morte à qui était destiné ce menu a pu l'apprécier pleinement car elle avait une mâchoire tellement déformée qu'elle ne pouvait mastiquer que d'un seul côté. Une dernière prière et il ne reste plus qu'à combler ce puits jusqu'à son orifice. Les lamentations des pleureuses se sont tues ; dans le silence du tombeau, le mort repose pour l'éternité.

Il est temps de songer aux vivants. La période de deuil est officiellement terminée. Les provisions de bouche, que nous avons vu transporter de cortège en cortège, de Tente de Purification en atelier d'embaumement et jusqu'à la tombe, étaient en partie destinées aux dieux, aux prêtres et au défunt. Ce qu'il en reste va maintenant permettre à la famille et aux amis de se restaurer près du sépulcre, en un dernier repas pris avec le mort. Les preuves d'un tel banquet funéraire ne manquent pas : dans la cachette d'embaumeur, où nous avons déjà découvert les déchets de momification de Toutankhamon, on a trouvé également, dans de grandes jarres, les restes d'un tel repas sous forme de plats, de bouteilles, d'os de bœuf et de volailles.

Pour les gens de qualité, une variante modifiait parfois le cours des obsèques : le voyage en Abydos. Cette ville sainte où l'on pensait qu'avait été enterrée la tête d'Osiris passait pour renfermer le tombeau de ce dieu. C'était donc une immense faveur pour un trépassé que de reposer auprès de celui qui avait toute puissance au royaume des morts, de participer aux cérémonies données en son honneur et d'avoir sa part d'offrandes. Mais, à ceux qui, pour quelque raison, devaient être inhumés loin de ce territoire sacré, la famille faisait faire un pèlerinage en Abydos. Avant la mise au tombeau, on embarquait la momie sur un bateau et on la transportait, sur le pont, en grand apparat, entourée de prêtres et de pleureuses (fig. 22). On imagine le coût d'un tel périple.

22.   Barque funéraire transportant le mort. Modèle en bois stuqué et peint.
      Moyen Empire.

Pour les gens plus modestes, une stèle commémorative gravée au nom du défunt et déposée dans la ville d'Osiris, remplaçait, à moindre frais, ce voyage.

Le mort chez soi

A la Basse Epoque, il arrivait que le mort ne fût pas enterré dès la fin de la momification. Certaines familles le conservaient auprès d'elles, dans une chambre aménagée pour lui et, parfois même, dans les pièces communes; le mort assistait et participait, au moins symboliquement, aux repas. A l'époque romaine, la coutume se généralisa. Petrie en a trouvé la preuve sur les momies elles-mêmes dont beaucoup de portraits ont reçu des chocs ou ont été rayés; de la dorure manque; des yeux enchâssés ont disparu; des cartonnages ont été déchirés, d'autres ont été exposés à la pluie et sont délavés ou maculés de gouttes de boue tombées du plafond disjoint de la chambre; ou bien encore ils sont recouverts d'excréments d'oiseaux; une jarre d'huile renversée en a imprégné le stuc. Certains ont été restaurés par des parents plus soigneux qui ont refait ici un nez, là un panneau. Tous ces faits témoignent d'un assez long séjour à l'air libre qui pouvait atteindre plusieurs années.

A l'époque grecque, sous les Ptolémées, les entrepreneurs de pompes funèbres, faute de place dans les cimetières, conservaient souvent les momies dans des caveaux provisoires. Certains de ceux-ci étaient même installés sur la rive droite. On connaît des contrats stipulant que les droits cultuels appartenaient à tel entrepreneur avant l'inhumation et à tel autre après. Ils achetaient à l'envi des maisons et des terrains partout où il s'en trouvait afin d'y installer leurs dépôts macabres.

La momie d'un ascendant, d'un frère et, peut-être, d'un enfant pouvait même servir de garantie de dette. On empruntait de l'argent en donnant en gage le corps de son père ou de sa mère. Mais malheur à qui n'aurait pas respecté son engagement! C'était la honte et la privation de sépulture qui attendait celui qui ne retirait pas un tel gage.

Une famille qui ne connaîtrait aucun souci matériel pour les obsèques était celle dont un parent avait été noyé ou avait péri, dévoré par un crocodile. Il était divinisé et seuls les prêtres du Nil pouvaient toucher son cadavre; les funérailles étaient alors à la charge des autorités civiles.

Evolution des cercueils et des tombes

Au cours des temps, les enveloppes protectrices se sont multipliées autour du corps. La simple étoffe jetée sur le mort qui suffisait aux époques prédynastiques a fait place à des linceuls puis à un bandelettage très compliqué. L'usage du cercueil est apparu, en Egypte, dès l'aube de l'époque historique.

Sous l'Ancien Empire, le sarcophage, taillé dans l'albâtre ou le granit, avait une forme rectangulaire et était fermé par un couvercle plat ou légèrement voûté. Ses parois, le plus souvent nues, portaient parfois, en discret relief, les éléments d'une façade de palais. Tel est celui de la Ve Dynastie, trouvé par Bisson de la Roque à Abou-Roach et conservé au Musée du Louvre. A l'intérieur de ces cuves, un cercueil en bois, parfois plaqué d'une feuille d'or, renfermait la momie.

A la première période intermédiaire et sous le Moyen Empire, la caisse extérieure est également en bois. Les deux cercueils, emboîtés l'un dans l'autre, s'ornent d'inscriptions et de listes d'offrandes qui étaient auparavant gravées sur les parois de la tombe. On prend surtout conscience de l'isolement de la momie dans sa double enveloppe et on peint alors, sur la face extérieure gauche près de la tête deux yeux symboliques qui lui permettent de jeter un regard sur le monde (fig. 23). De même, une fausse porte, figurée au-dessous

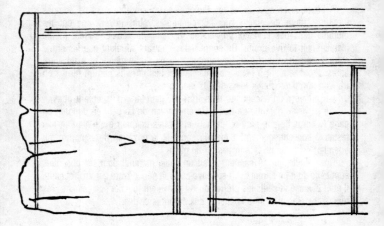

23. Sarcophage de bois antérieur au Nouvel Empire.
     Près de la tête, les yeux symboliques et la fausse porte.

des yeux, autorise le ba, l'âme, à quitter le corps quand elle en a envie et à venir animer la statue funéraire ou, sous la forme d'un oiseau, à aller se percher sur un arbre.

Avec le Nouvel Empire s'accroît la richesse de la décoration et l'on voit apparaître, à la tête et au pied du cercueil, entourant le mort de leurs ailes, les déesses protectrices Isis et Nephtys. C'est surtout de cette époque que datent les cercueils anthropoïdes : ils sont maintenant au nombre de trois, épousant étroitement la forme du cadavre emmailloté. Les véritables gaines de momie sont recouvertes d'or, comme nous l'avons vu pour Toutankhamon ou, plus simplement, vernissées. Elles sont faites de bois, d'épaisseurs de papyrus collés, ou d'étoffes imprégnées de stuc. D'un type très particulier, le cercueil de la reine Nefertari, trouvé à Deir-el-Bahari, ne comporte pas de couvercle : il ressemble à un étui dont le bas protégeait les membres inférieurs et le bassin, le haut, la tête et le buste.

Ces caisses momiformes sont, le plus souvent, de grande taille et sont contenues dans des cuves de pierre plus gigantesques encore mais toujours parallélépipédiques.

C'est à partir de l'époque saïte que cette cuve affecte aussi la forme de la

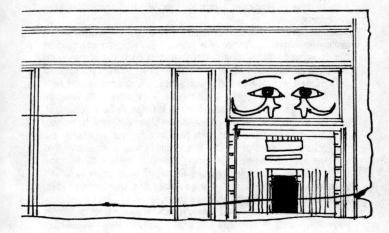

momie, taillée dans le granit noir ou le basalte, admirablement polie et finement gravée. En même temps, les cercueils se font plus grossiers et sont décorés à la hâte. Le sarcophage de pierre atteint progressivement des dimensions colossales puis nous voyons revenir, avec les époques grecque et romaine, des cercueils de dimensions plus modestes avec les portraits peints et les masques de plâtre.

Pendant longtemps, on a placé, sous la momie, une planche destinée à la consolider que l'on attachait avec les derniers tours de bandelettes. Cette planche de momie devait être particulièrement utile au moment du rite de l'ouverture de la bouche où il semble bien, si l'on en croit les peintures, qu'on dressait le sarcophage en position debout. Le Musée du Caire conserve deux de ces objets taillés grossièrement à la forme de la momie et couverts d'inscriptions extraites du «Livre des Morts».

Le corps emmailloté était également collé à l'aide de résine sur le fond du cercueil, la même résine servant à sceller le couvercle; on en a trouvé, versée en coulées, sur le sarcophage lui-même.

L'évolution des tombeaux a connu des changements encore plus importants. Comme nous l'avons vu précédemment, la fosse creusée dans le sable et recouverte d'un clayonnage est devenue une tombe ménagée au sein d'une pyramide ou enfouie dans le sol au fond d'un puits profond sous un mastaba. Au début de la XVIIIe Dynastie, les violations de sépultures ne manquèrent pas de préoccuper les pharaons soucieux d'épargner à leur dernière demeure et, surtout, à leur corps momifié les atteintes sacrilèges des voleurs.

Aménophis Ier décida donc de rompre avec la tradition. Il fit creuser sa tombe dans le rocher, à l'entrée de la Vallée de Deir-el-Bahari, en un endroit dont le secret fut jalousement gardé; l'ouverture de la tombe était dissimulée aux regards tandis que le temple funéraire restait sur l'autre versant de la colline. L'architecte en chef, Inemi, avait fait inscrire sur les murs de la chapelle funéraire une phrase qui confirme le caractère confidentiel de l'opération: «Je supervisai le creusement de la tombe de Sa Majesté, seul, personne ne me voyant, personne n'entendant.» Mais qu'advint-il des ouvriers qui participèrent à la construction et à la décoration de l'hypogée, des porteurs qui y acheminèrent le mobilier et le sarcophage? Carter imagine qu'on a pu employer des prisonniers de guerre dont l'exécution, après le travail, aurait assuré le silence, opinion toute gratuite. Cependant, un tel secret ne put être conservé bien longtemps car la tombe, au moment de sa découverte, en 1899, ne contenait plus que le sarcophage de grès rouge.

La mode des tombeaux creusés dans le roc était lancée et les monarques suivants choisirent le même site pour se faire enterrer. Mais l'orgueil reprit le dessus car il était inconcevable, pour un personnage d'un tel rang, de dissimuler la tombe qui avait été, jusqu'au Nouvel Empire, la matérialisation de sa puissance et de sa gloire. On ne cacha donc plus l'entrée des hypogées; d'ailleurs, la Vallée des Rois pouvait aisément gardée et un corps de police réduit aurait dû suffire à assurer la protection des pharaons et de leur entourage. On dut bientôt déchanter car les pillages continuèrent de plus belle.

Si la forme des sépultures varia au cours des millénaires, il en alla de même de leur mode d'occupation. Ayant étudié le culte funéraire sous l'Ancien Empire, Pirenne a constaté une évolution des tombes en fonction des changements de la structure familiale. A la IIIe Dynastie, la cohésion de la famille n'est pas encore bien assurée et chacun a son propre tombeau. Un certain Méten, enterré seul, rappelle, non sans satisfaction, tout au long des inscriptions qui ornent son caveau, les brillantes étapes de sa carrière; c'est à peine s'il parle de ses parents et de ses enfants ; quant au nom de son épouse, il ne figure nulle part. Son culte funéraire, entretenu par un prélèvement fait sur les bénéfices de ses domaines, est un culte individuel et ses propres enfants feront de même pour eux.

A partir de la Ve et, surtout, de la VIe Dynastie, les circonstances économiques et sociales renforcent les liens familiaux. Les bénéfices des charges civiles octroyés par la cour deviennent héréditaires ; dès lors, il n'est plus question d'en prélever une part pour son propre culte car ils appartiennent à la famille tout entière. La dévotion au père mort, assurée par le fils aîné, en sort grandie : celle de son épouse lui est associée. Le caveau de famille se généralise et durera ainsi pendant toute la période pharaonique. La femme est enterrée auprès de son époux, les enfants auprès de leurs parents, chacun ayant au moins sa propre stèle funéraire et sa table d'offrandes, parfois une chambre personnelle.

Les périodes plus récentes furent le témoin de complications inextricables. Tout Egyptien voulant accéder à une sépulture, les entrepreneurs étaient débordés : nous avons vu comment ils achetaient des terrains et bâtissaient des caveaux provisoires pour y conserver leurs momies. La place manquait dans beaucoup de nécropoles et particulièrement à Thèbes. D'autre part, la construction d'une sépulture était fort onéreuse et certaines familles qui avaient confié l'un des leurs à l'embaumeur ne pouvaient faire face aux frais qu'entraînait l'érection d'un tombeau, si modeste fût-il. Pour toutes ces raisons, on en vint, à l'époque gréco-romaine, à utiliser des tombes de l'époque pharaonique. Les preuves d'un tel réemploi abondent à Deir-el-Medineh. Dans des sépultures du Moyen et du Nouvel Empire, Bataille a vu des momies portant un bandeau couvert d'inscriptions grecques ou des cercueils en terre cuite ornés de feuilles de vignes, très caractéristiques de l'époque romaine.

On ajoutait parfois des chambres supplémentaires pour agrandir la sépulture et y loger de nouveaux arrivants. Les tombes étant proches l'une de l'autre, on pouvait les faire communiquer, gagnant ainsi de la place dans les couloirs. On creusait les parois d'alvéoles superposées et telle sépulture créée autrefois pour un seul personnage ou une famille parvenait à abriter des centaines de corps.

En fait, le procédé n'était pas nouveau. Quand la reine Hatchepsout choisit à Deir-el-Bahari un emplacement pour y construire son magnifique temple, son architecte dut bien expulser les propriétaires des tombes qui occupaient les lieux depuis plusieurs siècles et les reloger dans un caveau du Moyen Empire situé à l'écart du chantier. Par un juste retour des choses, ce temple, tombé en ruines, servit de cimetière à partir de la XXIIIe Dynastie : les morts qui y furent déposés n'y connurent pas un repos bien durable car les siècles suivants les virent déménager eux aussi ; des sarcophages d'époque pharaonique hébergèrent alors des momies grecques et romaines.

En général, les anciennes momies n'étaient pas détruites mais simplement repoussées pour faire de la place aux nouvelles. Dans le caveau 1407 de Deir-el-Medineh, cohabitent ainsi un prêtre d'Amon du Nouvel Empire, une momie de vieillard de l'époque pharaonique et les corps embaumés d'une famille du IIe ou IIIe siècle de notre ère. On imagine mal, d'ailleurs, les entrepreneurs de pompes funèbres et les prêtres chargés du culte des défunts, proposant à des parents de détruire un corps auquel l'immortalité avait été promise pour le remplacer par un autre avec le même engagement solennel. Qui les eût crus ? Il se peut même qu'à l'occasion de l'ouverture d'anciennes tombes, certaines momies détériorées aient été quelque peu restaurées.

Tout emplacement était bon à prendre. A Drah abou'l Neggah, au nord de la Nécropole thébaine, un ensemble de caveaux a changé plusieurs fois d'occupants. Creusés pour des particuliers à la XVIIIe Dynastie, ils avaient été transformés ensuite en une grande catacombe d'ibis et de faucons. Plus tard, à l'époque romaine, les momies animales cédèrent la place à une centaine de momies humaines. A Deir-el-Medineh, c'est dans la grande salle où les Saïtes entretenaient les béliers sacrés d'Amon qu'on déposa, à l'époque ptolémaïque, une vingtaine d'êtres humains. Ceux qui ne trouvaient pas de place dans les tombes ou qui ne pouvaient en payer la location étaient inhumés par centaines, à même le sable.

Il fallait bien, cependant, que chacun fût individualisé dans ces tombes communes où il n'y avait souvent ni cercueil inscrit au nom du défunt, ni stèle funéraire. A l'époque romaine, on attacha donc, au cou de la momie, une petite étiquette de bois sur laquelle on marquait son nom, parfois ses dates de naissance et de décès et la ville dont elle était originaire. Souvent, à l'instar de la stèle funéraire, quelques formules complétaient cette carte d'identité mortuaire et l'on trouve parfois, côte à côte, des défunts porteurs de textes variés révélateurs de leur époque ou de leur croyance. En démotique, on peut lire des invocations égyptiennes : « Ton âme vit », « Qu'Hathor te donne du pain », « Qu'Heset te donne du lait » ; en grec, des mots apaisants mais qui ne laissent guère d'espoir pour l'au-delà : « Ne t'afflige pas », « Personne n'est immortel », « En souvenir éternel » ; ailleurs, ce sont de timides manifestations de la religion chrétienne naissante qui ont fait inscrire, à côté du monogramme du Christ, ces paroles : « Il est entré dans le repos », « Il s'en est allé vers la lumière. »

A mi-chemin entre Thèbes et Memphis, la ville gréco-égyptienne d'Hermopolis possédait, sur la rive gauche du Nil, sa Nécropole au lieudit Touna el-Gebel. Là, de nombreuses petites chapelles en calcaire blanc et des tombes plus modestes escortent le temple funéraire de Petosiris, construit en 300 av. J.-C., très élégant, mais plus hellénistique qu'égyptien. Petosiris fut considéré comme un saint et les habitants de la région tenaient à honneur d'être ensevelis avec lui. Or Gabra, qui mena pendant longtemps des fouilles dans cette contrée, découvrit un jour des corps à peine momifiés, enterrés tout autour du temple, au contact même des fondations. Ces malheureux, à qui leurs parents n'avaient pu donner une sépulture décente, reposaient ici, auprès de Petosiris et profitaient, en quelque sorte, de son culte. Il n'y avait, jusque-là, que moindre mal lorsque, dès la fin de l'époque ptolémaïque, Touna el-Gebel cessa d'être un centre religieux. On y entassa alors, à la période romaine, les morts d'Hermopolis sans aucun respect et sans le moindre souci d'hygiène. G. Lefèvre, qui dégagea la chapelle de Petosiris, fut horrifié par l'aspect qu'elle offrait : remplie de cadavres sur une hauteur de deux mètres, elle n'était qu'un charnier. Il en allait de même de toutes les autres tombes-chapelles dont Gabra dit qu'elles avaient, extérieurement, l'apparence d'un bijou d'architecture mais qu'elles n'étaient, à l'intérieur, qu'un pourrissoir bourré de momies mal préparées, jetées en désordre et dégageant une odeur infecte. Le visiteur qui se promène actuellement dans les rues de cette agréable ville-cimetière, aux chapelles conçues comme des demeures, n'imagine pas l'horrible travail de déblaiement auquel durent se livrer les archéologues.

Erman montre bien que ce n'était pas une mince affaire que d'entretenir les tombes : outre les réparations matérielles, il fallait payer les prêtres chargés des offices. Il n'y avait pas de difficultés pour les enfants, guère, peut-être pour les petits-enfants mais, au bout de plusieurs siècles, qui, dans une famille élargie à l'excès, se souciait du lointain ancêtre et qui pouvait assumer les dépenses du culte de toutes les générations éteintes ? Quel prêtre, ne recevant plus d'offrandes, se serait-il chargé du soin d'une tombe abandonnée ? Il dut en coûter cher aux chefs de province de Beni-Hassan et d'el-Berschè lorsqu'ils furent obligés, par rescrit royal, de restaurer les sépultures de leurs ancêtres de sept siècles, de la VIe à la XIIe Dynastie. Le plus souvent, les monuments se détérioraient et l'on oubliait jusqu'à leur emplacement ; à Saqqarah, on connaît un groupe de tombes de la VIe Dynastie qui fut recouvert par d'autres tombes du Nouvel Empire. Celles-ci disparues, on rebâtit des tombeaux au même endroit, à l'époque grecque.

Certains, cependant, plus attentifs au souvenir des aïeux et soucieux aussi de gagner, de la sorte, la faveur des dieux, restauraient les sépultures ruinées, comme cet Antef, prince d'Hermonthis sous le Moyen Empire, qui pouvait écrire : « J'ai trouvé la chambre d'offrandes du prince Nekhti-Iker à l'état de ruine : il n'était plus personne qui y prêtât attention. Elle fut reconstruite à nouveau, son plan fut élargi, ses statues refaites à neuf et ses portes façonnées en pierre, afin que sa demeure surpassât celle d'autres princes. »

CHAPITRE VI

LES MOMIES ET LA SCIENCE

L aurait paru inconcevable aux archéologues d'il y a une centaine d'années qu'on pût appliquer à l'étude des momies une technologie aussi raffinée que celle dont nous disposons de nos jours. Et pourtant, dès la fin du siècle dernier, un pionnier avait entrevu toutes les possibilités dont la science était riche dans ce domaine et avait commencé à les exploiter avec les moyens de l'époque : il s'appelait Sir Max Armand Ruffer. Si Lyon fut le berceau de sa naissance en 1859, l'Angleterre, par un hasard de circonstances, fut celui de ses études médicales. Il revint ensuite à Paris, centre de la bactériologie naissante, pour se perfectionner dans cette discipline. Ses recherches lui valurent de contracter une grave diphtérie compliquée de paralysie dont il réchappa à grand-peine. L'Egypte, au climat réputé sain, l'accueillit pour sa convalescence. Le sérieux de ses travaux le hissa jusqu'à la chaire de bactériologie au Caire. C'est là qu'il eut la révélation de ce que sa culture médicale pourrait apporter à la connaissance des momies à laquelle il consacra, désormais, la majeure partie de sa vie. Ses publications, qui vont de la découverte d'œufs de parasites sur des corps vieux de deux millénaires jusqu'aux problèmes soulevés par les mariages consanguins des pharaons, restent d'actualité. Devenu directeur du *Croissant rouge*, il périt tragiquement au cours d'une mission, en 1917, au large de Salonique, dans le torpillage d'un navire. Son œuvre, prématurément interrompue, fut poursuivie par Elliot Smith et Wood Jones. Le premier rédigea le volume du *Catalogue général des Antiquités du Musée du Caire*, qui a trait aux momies.

Quelques exemples d'autopsies

La méthode la plus simple, qui ne demande que le secours des mains pour débandeletter la momie et des yeux pour observer, est l'examen macroscopique. L'autopsie d'une momie s'entourait, autrefois, d'une certaine solennité et l'activité scientifique se doublait d'un spectacle que l'on donnait à des personnalités tout à fait étrangères à l'affaire. Georges Daressy, conservateur adjoint du Musée du Caire, dresse ainsi un procès-verbal pris parmi tant d'autres : «Le 26 mars 1903, à deux heures de l'après-midi, dans une des salles du Musée des Antiquités égyptiennes au Caire, par les soins de M. Maspéro, directeur général des Musées égyptiens et du Service des Fouilles, de M. E. Brugsch bey, conservateur du Musée et M. Daressy, conservateur adjoint, il a été procédé à l'ouverture de la momie du roi Thoutmosis IV. Etaient présents à l'opération : le Comte et la Comtesse Cromer, MM. Ahmed bey Kamal, Bénédite, Spiegelberg, Newberry, Theodore Davis, Quibell, Carter, Lacau, les docteurs Lortet, Keatinge, Elliot Smith, Fouquet, Wildt, Campbell, Mesdames Andrews, Keatinge, Elliot Smith, Campbell, Dewey, Mademoiselle Jouhandeau.» L'initié aura reconnu, dans cette énumération, une pléiade de noms parmi les plus célèbres de l'égyptologie mais aura, sans doute, été surpris par la présence d'hôtes de passage. En d'autres circonstances, ce seront des personnalités célèbres ou des hommes politiques qui seront conviés à la représentation. En 1939, par contre, la momie de Sit Amon n'eut droit qu'à quatre observateurs. L'intérêt pour les anciens Egyptiens aurait-il décru si vite en une trentaine d'années ou la recherche scientifique exigeait-elle désormais moins de tapage ? Peut-être le rang social moins élevé du personnage attirait-il peu de curieux ? Et l'on savait, d'avance, que l'opération ne serait pas très captivante car «à travers le linge, on pouvait sentir le crâne et une collection d'os épars, et il était évident que l'on était en présence d'une momie réenveloppée après destruction de la momie originelle».

Autrefois, donc, l'égyptologue se contentait de décrire, aussi minutieusement que possible, ce qu'il voyait à l'œil nu. Il est intéressant d'apprendre comment la momie de Ramsès II est apparue pour la première fois, à Maspéro, le 1er juin 1886 :

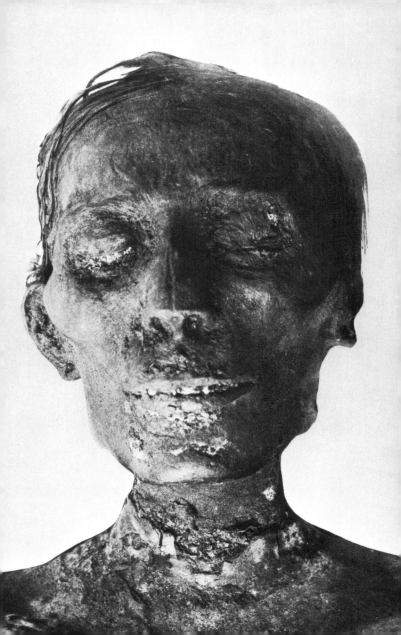

Thoutmôsis IV, pharaon de la XVIIIe Dynastie régna de − 1425 à − 1408. Sa momie, «plus émaciée que ne le voudrait la déshydratation, suggère qu'une maladie grave emporta le pharaon entre trente et quarante ans.» Musée du Caire. *Photo Hachette.*

« La première étoffe fut enlevée et l'on découvrit successivement une bande d'étoffe, large d'environ vingt centimètres, enroulée autour du corps, puis un second linceul cousu et maintenu d'espace en espace par des bandes étroites puis deux épaisseurs de bandelettes et une pièce de toile fine tendue de la tête aux pieds. Une image de la déesse Nouït, d'environ un mètre, y est dessinée en couleurs rouge et noire, ainsi que le prescrivait le rituel. Une bande nouvelle était placée sous cette amulette, puis une couche de pièces de toile pliées en carré, et maculées par la matière bitumeuse dont les embaumeurs s'étaient servis. Cette dernière enveloppe écartée, Ramsès II apparut. Il est grand (1,72 m après l'embaumement), bien conformé, parfaitement symétrique. La tête est allongée, petite par rapport au corps. Le sommet du crâne est entièrement dénudé. Les cheveux, rares sur les tempes, s'épaississent à la nuque et forment de véritables mèches lisses et droites d'environ cinq centimètres de longueur : blancs au moment de la mort, ils ont été teintés en jaune clair par les parfums. Le front est bas, étroit, l'arcade sourcilière saillante, le sourcil blanc et fourni, l'œil petit et rapproché du nez, le nez long, mince, busqué comme le nez des Bourbons, légèrement écrasé au bout par la pression du maillot, la tempe creuse, la pommette proéminente, l'oreille ronde, finement ourlée, écartée de la tête, percée d'un trou comme celle d'une femme pour y accrocher des pendants, la mâchoire forte et puissante, le menton très haut. La bouche, largement fendue, est bordée de lèvres épaisses et charnues ; elle était remplie d'une pâte noirâtre dont une partie, détachée au ciseau, a laissé entrevoir quelques dents très usées et très friables, mais blanches et bien entretenues. La moustache et la barbe, peu fournies et rasées avec soin pendant la vie, avaient crû au cours de la dernière maladie ou après la mort. Les poils, blancs comme ceux de la chevelure et des sourcils, mais rudes et hérissés, ont une longueur de deux à trois millimètres. La peau est d'un jaune terreux, plaquée de noir. En résumé, la masque de la momie donne très suffisamment l'idée de ce qu'était le masque du roi vivant : une expression peu intelligente, peut-être légèrement bestiale, mais de la fierté, de l'obstination et un air de majesté souveraine. Le reste du corps est aussi bien conservé que la tête, mais la réduction des chairs en a modifié plus profondément l'aspect extérieur. Le cou n'a plus que le diamètre de la colonne vertébrale. La poitrine est ample, les épaules sont hautes, les bras croisés sur la poitrine, les mains longues, fines et rougies de henné, les ongles très beaux, taillés à la hauteur de la chair et soignés comme ceux d'une petite-maîtresse ; la plaie par laquelle les embaumeurs avaient ôté les viscères, s'ouvrait, béante, au flanc gauche. Les parties génitales ont été enlevées à l'aide d'un instrument tranchant et probablement, selon un usage assez répandu, ensevelies à part dans le creux d'un Osiris en bois. Les cuisses et les jambes sont décharnées, les pieds longs, minces, un peu plats, frottés de henné comme les mains. Les os sont faibles et fragiles ; les muscles sont atrophiés par dégénérescence sénile ; on sait, en effet, que Ramsès II régna nombre d'années avec son père Séthi Ier, soixante-douze ans seul et dut mourir presque centenaire. »

Cette description, dont on pouvait se contenter au siècle dernier et qui restitue fidèlement l'apparence de Ramsès II, fait pâle figure, pour minutieuse qu'elle soit, auprès des procédés mis en œuvre de nos jours, même pour le simple examen macroscopique. Une équipe de chercheurs, sous la direction de Cockburn, réalisa à Detroit, le 1er février 1973, une autopsie exemplaire d'une momie sans nom baptisée Pum II, parce que prêtée par le Pennsylvania University Museum. Une approche multidisciplinaire, utilisant les dernières ressources de la science et de la technologie, permit d'obtenir des résultats en tout point remarquables que nous aurons l'occasion de détailler au long des chapitres suivants. Jamais une momie n'aura fait l'objet d'autant de recherches. Les linges, agglutinés par une résine durcie par le temps, avaient formé une véritable carapace et il fallut sept heures de travail à une équipe de neuf hommes pour en venir à bout, qui, avec le ciseau et le marteau, qui, avec la scie électrique, sans endommager le corps. Toute l'opération fut enregistrée au magnétoscope et plus d'un millier de photographies conserve le souvenir des différents temps de l'entreprise.

Les émissions médicales de la télévision ont révélé aux spectateurs ce que l'exploration du corps humain peut attendre de l'endoscopie dont le principe est d'introduire un tube rigide, porteur d'un éclairage, dans les conduits naturels tels que la trachée et les bronches, l'œsophage ou le rectum. Que l'on fasse une boutonnière dans la paroi abdominale et le tube permet d'explorer les viscères abdominaux. C'est cette technique que le Docteur Ducaille imagina récemment, avec l'aide de spécialistes du Caire, d'appliquer aux momies royales, en passant par toutes les voies qui pouvaient s'offrir : trou dans le thorax, orifices crâniens, plaies du flanc. Une telle méthode a le mérite considérable d'épargner la momie dont on veut sonder les cavités.

Les momies aux rayons X

En 1898, moins de trois ans après la découverte des rayons X par Roentgen, Sir Flinders Petrie réalisait la première rencontre d'une momie et d'un appareil de radiographie dont la faible puissance permit d'obtenir seulement des clichés des pieds et des jambes. Cette expérience devait être suivie par beaucoup d'autres.

Ce n'est pas tous les jours qu'un pharaon se déplace en taxi et c'est pourtant ce qui arriva, en 1903, à Thoutmosis IV en compagnie d'Elliot Smith et de Wood Jones. Le premier appareil de radiographie en Egypte fut installé cette année-là dans une clinique du Caire ; trop encombrant pour être transporté jusqu'au musée, c'est la momie qui vint à lui. Bertolotti, en 1913, cherchait, grâce aux rayons X, les bijoux et amulettes insérés entre les bandelettes et découvrit, par là même, sur un corps de la XIe Dynastie, une anomalie de la colonne lombaire : le chapitre de la pathologie radiologique des momies était ouvert. Moodie, en 1931, publiait un ouvrage illustré de nombreuses radiographies et Jonckheere, en 1942, étudiait celui que l'on supposait être le scribe royal Boutehamon.

C'est surtout à Gray que nous sommes redevables, dans ces dernières années, de nombreux travaux concernant les momies des musées européens : British Museum, Newcastle, Liverpool, Leyde... En 1967, il pouvait faire état de cent trente-trois observations et l'on peut dire qu'il a véritablement mis au point une technique assez délicate où varient, compte tenu de l'épaisseur des bandelettes ou du sarcophage, la nature du film, celle de l'écran et les facteurs d'exposition. Pour l'étude des corps du Rijksmuseum van Oudheden de Leyde, il eut recours, pour mieux localiser ses clichés, à l'amplificateur de brillance, appareil qui, tout en diminuant la quantité de rayons X délivrés, renforce l'éclat de l'image sur l'écran radioscopique.

Harris et Weeks, avec une équipe de collaborateurs de l'Université du Michigan, de l'Université d'Alexandrie et du Musée du Caire, entreprenaient en 1971, de radiographier les momies royales. Ils n'ont, jusqu'à présent, publié que des documents concernant le crâne et le massif facial car leur propos était surtout d'examiner la dentition et d'établir, autant que faire se pouvait, une filiation entre les différents pharaons fondée sur la forme des maxillaires et l'état des dents. Ils ont, pour le squelette entier, fait appel à la stéréoradiographie qui, comme son nom l'indique, donne, de la région examinée, une image en relief.

La tomoradiographie ou, plus simplement, tomographie, permet, grâce à un balayage par les faisceaux de rayons X et un déplacement en sens inverse de la plaque à impressionner, d'obtenir des images en coupe d'une zone déterminée à une profondeur donnée. Le polytome, variante raffinée de cette méthode, fournit des clichés encore plus précis et c'est grâce à lui que Cockburn et ses collaborateurs ont pu mettre en évidence, sur Pum II, l'orifice foré à la base du crâne pour l'excérébration ; on le connaissait déjà par l'autopsie, mais c'est le polytome qui en a donné les plus belles images. Enfin, l'équipe de Detroit fit encore appel à la xérographie, dernier cri de la technique radiologique qui offre, sur un papier sensible, une image aussi nette pour les parties molles que pour l'os, résultat impossible à obtenir en radiographie classique.

Les momies sous le microscope

Les momies, ou du moins, de minuscules parties d'entre elles ont subi l'épreuve du microscope. L'examen histologique des fragments prélevés par biopsie sur le vivant se heurte déjà à de nombreuses difficultés qui tiennent essentiellement à la fixation de la structure des tissus et à la conservation des cellules dans un état aussi proche que possible de l'état naturel. Après cette fixation, l'inclusion dans un bloc de paraffine permet de débiter la pièce au microtome en tranches d'environ vingt millièmes de millimètre d'épaisseur. Il faut enfin colorer les coupes avec des colorants appropriés à l'affinité tinctoriale de la cellule ou du tissu que l'on veut mettre en évidence. Une telle méthode appliquée directement aux morceaux de momies ne donne que des images ininterprétables.

L'histologie des corps embaumés doit d'abord passer par la réhydratation des fragments à étudier pour regonfler, en quelque sorte, les cellules. C'est pour cette raison que, déjà, en 1852, Czermack plongeait ses pièces dans une solution de soude caustique. Les résultats ne furent pas heureux, non plus que ceux de Wilder, en 1904, qui utilisait la potasse caustique. Ruffer, en 1910, obtint mieux avec le carbonate de soude. D'autres encore s'y essayèrent avec plus ou moins de bonheur jusqu'à ce que Sandison, en 1955, établit un protocole qui n'a que peu varié depuis. Un bref résumé en fera comprendre la complexité : la réhydratation comporte l'immersion, pendant un certain temps, dans une solution comprenant trente volumes d'alcool à 90°, cinquante volumes de formol à un pour cent, vingt volumes de carbonate de soude à cinq pour cent et de la glycérine. Ayant reconstitué un aspect proche de l'aspect normal, on en revient à un processus voisin de celui utilisé pour l'étude histologique ordinaire, c'est-à-dire une déshydratation réglée qui maintient l'organisation du tissu : des passages successifs dans des bains d'alcool à 80°, puis à 96°, puis absolu ; d'autres passages encore et la pièce est prête pour l'inclusion dans un mélange de paraffine, de stéarine et de cire d'abeilles.

Ce que l'observateur voit alors, sous l'objectif du microscope, est absolument stupéfiant. La peau a conservé une grande partie de son architecture, seul l'épiderme fait le plus souvent défaut. Les cartilages sont intacts, avec leurs petites cellules arrondies, groupées en colonnettes. Les muscles ont gardé leur striation caractéristique. La texture du poumon est tellement reconnaissable que l'on a pu faire des diagnostics rétrospectifs de pneumopathies. Les artères, avec leurs trois tuniques, renferment parfois, encore, des globules rouges : ceux-ci sont surtout retrouvés dans les vaisseaux superficiels et, particulièrement, sous le cuir chevelu. On sait, en effet, qu'après la mort, le sang tend à affluer vers la périphérie et c'est là que, sous le natron, la déshydratation, plus rapide près de la surface qu'en profondeur, a pu garder la forme de ces cellules particulièrement fragiles.

Les parcelles de matière fécale révélèrent, à un grossissement modéré, les habitudes alimentaires ou la nature du dernier repas du défunt : fibres végétales dans l'intestin d'Henenet, l'épouse de Mentouhotep, fibres musculaires dans celui de Pum II. L'os, souvent friable, est plus difficile à examiner et doit être ramolli dans des solutions acides avant d'être débité en coupes minces.

L'œil avait fait l'objet de peu de travaux car l'orbite des momies paraît vide et il faut penser à rechercher, tout au fond, la masse rétractée du globe oculaire. Sandison, après avoir fait une réhydratation convenable, eut la surprise de voir la cavité orbitaire se remplir progressivement d'un tissu qui venait presque la combler et la cornée apparaître entre les paupières entrouvertes, circulaire, grisâtre, recouvrant un peu de son caractère translucide. Ayant prélevé toute cette masse et l'ayant soumise aux préparatifs d'usage, il put retrouver la partie antérieure de l'œil, mais les structures fragiles de la choroïde et de la rétine avaient disparu.

La première momie qui ait confié une miette de sa dépouille au microscope électronique, c'est encore notre Pum II de Philadelphie. Là, sous un grossissement qui va de trois mille à vingt-quatre mille, ce n'est plus le tissu qui dévoile sa nature mais c'est l'intimité même de la cellule que l'on fouille dans les éléments les plus minuscules qui la constituent : vacuoles réservoirs d'enzymes, sacs aux parois plissées responsables des échanges énergétiques : tout cela a été retrouvé au prix de quels prodiges techniques, sur un corps de plus de deux mille ans.

Le groupe sanguin de Toutankhamon

Chacun de nous possède ou devrait posséder, dans son portefeuille, sa carte de groupe sanguin qui permet, en cas d'urgence, une transfusion immédiate d'un sang approprié. La méthode de groupage ayant été découverte en 1900, on ne s'étonnera pas que les étiquettes, attachées au cou des momies, ne fassent pas mention de leur groupe sanguin. Il est cependant possible de le déterminer en utilisant le muscle ou l'os pulvérisé par la technique dite d'inhibition de l'agglutination. Toutefois, ce procédé exige des fragments relativement importants, de l'ordre du gramme. Aussi, Connoly a-t-il mis au point une microméthode qui permet de caractériser le groupe sur de très petites quantités de poussière de tissu humain.

On imagine mal, à première vue, l'intérêt d'une telle recherche, et, pourtant, deux exemples vont mettre en lumière les conséquences pratiques que l'on peut en tirer. Ayant étudié des séries de momies, Boyd s'est aperçu que les fréquences des groupes A, B, O dans l'Egypte ancienne étaient à peu près comparables à celles que l'on retrouve actuellement dans le pays. Il a surtout prouvé la présence du groupe B sur des momies prédynastiques, remontant donc à plus de trois mille ans av. J.-C., alors que certains considéraient que ce groupe B n'était qu'une mutation du groupe O apparu à l'ère chrétienne.

Les restes humains, que l'on croyait être ceux d'Akhnaton, sont en réalité, on en a maintenant la certitude, ceux de Semenkharê, co-régent d'Akhnaton, à qui il succéda pour un très court règne. Or, la parenté de Semenkharê et de Toutankhamon était discutée ; Mme Desroches-Noblecourt, les considérait comme frères. On reprit alors l'étude anatomique de Toutankhamon en la comparant avec celle de Semenkharê et force fut de reconnaître qu'il y avait beaucoup de similitude entre les mesures anthropométriques de l'un et de l'autre. La détermination de leurs groupes sanguins n'apporta pas de preuve décisive mais fournit, cependant, un argument supplémentaire pour la probabilité de leur fraternité : ils étaient tous deux du groupe A 2 et tous deux, également, du groupe MN.

Nous sommes plus pollués que les momies

Les chimistes ont, eux aussi, apporté leur contribution à la connaissance des momies et à celle des procédés de momification. La chimie minérale a prouvé que la déshydratation était obtenue grâce au natron. Les quelques cristaux de sel ordinaire, le chlorure de sodium, que l'on a pu retrouver sur les corps ou sur les bandelettes proviennent, soit du natron lui-même, soit de l'eau employée pour laver le corps avant l'emmaillotage. Les rites voulaient que l'on utilisât l'eau du Nil puisée à Elephantine ; en fait, on prélevait bien souvent celle d'un lac sacré, ou de la rivière locale ou même d'un puits et cette dernière pouvait avoir contenu beaucoup de sel. L'analyse des déchets et du matériel de bourrage faite par Iskander a montré le pouvoir dégraissant du natron et, par là même, la raison de son emploi de préférence au sel ordinaire.

Les momies constituent un excellent matériel pour juger le degré de pollution de notre environnement. On sait, en effet, que les sels de métaux lourds contenus dans notre alimentation, dans l'eau de boisson et, surtout, dans l'air que nous respirons, se fixent définitivement sur l'os. Il suffit de comparer, par mesure au spectroscope d'absorption atomique, leurs taux respectifs dans le squelette de nos contemporains et dans celui des momies pour se faire une idée de l'évolution de cette pollution. C'est dans cet esprit que furent menées les recherches du département de chimie de l'Université du Michigan. Les résultats obtenus sont étonnants et inquiétants : si les quantités de mercure sont sensiblement identiques dans les deux séries, l'os d'un homme de notre époque contient trente fois plus de plomb que celui d'un ancien Egyptien.

La chimie biologique entre en action avec l'examen des résines que l'on versait dans le crâne ou l'abdomen, dont on recouvrait les bandelettes et qui servait à luter les couvercles des cercueils. Une équipe de savants, à Prague, sous la direction de Strouhal, procède actuellement à cette enquête sur des résines trouvées sur Pum II. Leur but est d'en déterminer la formule chimique exacte ; en même temps, ils prélèvent des échantillons tirés de tous les conifères du Moyen-Orient et se proposent d'en comparer la composition avec celle de la résine de leur momie. Ils pourront alors en préciser la provenance et ce détail, apparemment insignifiant, peut contribuer à éclaircir ou confirmer les relations extérieures et les routes commerciales de l'Egypte ancienne. Un petit morceau de coton enveloppé dans un linge, découvert sur ce même corps, a déjà soulevé une question d'importance : c'est la première fois que l'on rencontre la présence de coton dans le Moyen-Orient à cette époque ; l'Egypte le cultivait-elle ou provenait-il de l'Inde et quels étaient alors les rapports entre les deux pays ?

La chimie biologique a pour domaine les constituants de la matière vivante, c'est-à-dire les glucides ou sucres, les lipides ou corps gras et les protéines ou substances azotées, parfois associées entre eux en glyco-protéines ou lipoprotéines. Ce sont de très longues molécules dont l'analyse exige une technologie très poussée. Certaines d'entre elles, particulièrement fragiles, comme les gangliosides et phospholipides, éléments du tissu nerveux, se sont dégradées mais les graisses neutres, le cholestérol ont pu être mis en évidence chez les momies. C'est un domaine que l'on commence à peine à explorer.

La chimie au secours de l'histoire

La position des bras, les modalités de l'embaumement, celles de l'emmaillotage varient, nous l'avons vu, selon les époques et permettent, dans une certaine mesure, une datation approximative de la momie ; mais il y a des exceptions et certaines techniques ont pu être appliquées occasionnellement à des périodes où elles étaient généralement révolues. De même, l'aspect du sarcophage n'est pas un argument formel en raison de la fréquence des réemplois. Il n'y a donc que les méthodes directes qui soient suffisamment fiables.

Parmi celles-ci, la datation par le carbone 14 est actuellement bien maî-
trisée. On sait que tout tissu organique, qu'il soit végétal ou animal, contient
à côté du carbone ordinaire, une infime quantité de carbone faiblement
radioactif, dit carbone 14, dû au bombardement du carbone ordinaire par les
rayons cosmiques. Un corps radio-actif se désintègre en perdant progressivement sa radio-activité pour aboutir à un élément stable. La perte de la
moitié de cette radio-activité définit ce que l'on appelle la période ou demi-vie
de l'élément : elle est, pour le carbone 14 de 5 568 ans. Un tissu mort cesse
de renouveler son stock de carbone 14 : il suffit donc de mesurer la radio-
activité de ce carbone dans un tissu pour en connaître l'ancienneté à quelques dizaines d'années près. Pour cela, on brûle le fragment à examiner,
ce qui dégage du gaz carbonique dont on extrait le carbone pur : le compteur
de Geiger en mesure alors la radio-activité. L'inconvénient d'un tel procédé
est qu'il exige des morceaux de l'ordre de plusieurs dizaines de grammes, ce
qui n'est ni toujours possible, ni souvent justifié.

Barraco a donc tenté d'utiliser pour la datation des momies, la réaction
dite de racémisation des acides aminés qui ne nécessite qu'une petite
quantité de matériel. Ces termes, quelque peu ésotériques, méritent une
brève explication, tant la méthode est séduisante et riche de promesses. Les
protéines, énormes molécules qui constituent la majeure partie des tissus
vivants, sont formées de l'assemblage hétérogène d'une quantité de plus
petites particules, les acides aminés. Ceux-ci ont, pour caractéristique physique majeure, de dévier la lumière polarisée. Les acides aminés dextrogyres la dévient vers la droite : la nature les ignore. Les organismes vivants
ne sont constitués que d'acides aminés lévogyres qui dévient la lumière
polarisée vers la gauche. Mais dans un corps mort et sur de longues périodes
de temps, ces formes lévogyres vont se transformer progressivement en
formes dextrogyres : c'est ce qu'on appelle la racémisation. Il suffit donc de
déterminer, dans un tissu, la proportion de l'un à l'autre, pour savoir à quel
moment il a cessé de vivre. Le seul inconvénient, mais il est d'importance,
est que cette réaction de transformation varie avec la température : ainsi,
pour une momie, il faudrait connaître, au moins approximativement, les conditions thermiques du lieu où elle était inhumée.

Ainsi, débandelettés par l'archéologue, soumises au contrôle radiogra-
phique, fouillées par l'objectif du microscope, plongées dans les réactifs du
chimiste, brûlées par menus fragments, parlant coup par coup au compteur
de Geiger, les momies, petit à petit, nous livrent leurs secrets.

CHAPITRE VII

LES MOMIES TÉMOINS DE LEUR TEMPS

CHACUN des moyens d'approche que nous venons d'évoquer apporte sa contribution à notre connaissance de la civilisation égyptienne. L'examen des momies fournit, nous le savons, une mine de renseignements directs sur les rites funéraires. On a pu déterminer quelle était l'espérance de vie d'un individu à l'époque pharaonique. On sait comment se nourrissaient les anciens Egyptiens et quels dégâts dentaires pouvaient entraîner leurs habitudes alimentaires. Les maladies dont ils étaient affligés ont laissé des traces sur le squelette et sur les parties molles que nous pouvons déchiffrer aujourd'hui. Enfin, l'étude des corps des rois ou de simples particuliers confirme parfois l'histoire événementielle et contribuera, sans doute, dans l'avenir, à éclaircir des périodes encore obscures.

I. CIVILISATION ET PATHOLOGIE

Des kilos d'or sur la momie

Le défunt ne pouvait décemment se rendre dans l'au-delà sans une quantité d'amulettes suspendues autour du cou, de la taille et des membres et glissées entre les nombreux tours de bandelettes. C'eût été de la plus grande imprudence que de s'aventurer dans une région inconnue sans se prémunir contre tous les dangers qui surgissaient à chaque pas. Ces breloques allaient, en général, par sept, chiffre magique, mais à l'époque tardive, il en fallait cent quatre pour assurer une bonne protection du cadavre. Le nombre variait, d'ailleurs, avec la qualité de l'embaumement: Toutankhamon n'en possédait pas moins de cent quarante-trois. Certaines momies, par contre, et non des moins belles, n'avaient aucun talisman sur elles: il n'y faut pas voir lésinerie de la part de la famille mais plutôt fraude ou manque de conscience de l'embaumeur; personne n'allait vérifier entre les bandelettes. On a vu des papyrus funéraires, véritables laissez-passer pour le royaume des morts, commencés au nom d'un défunt et terminés au nom d'un autre.

La matière des amulettes différait selon la fortune des morts. Les plus riches étaient en or, d'autres en bronze, en pierre, en pâte de verre, en terre cuite émaillée ou en cire. Par crainte de n'avoir pas été suffisamment généreux en talismans, certains parents allaient jusqu'à déposer dans la tombe des moules en pierre qui permettaient, au besoin, la confection de fétiches supplémentaires. Toute la religion égyptienne est représentée matériellement dans ces petits objets, figurines des dieux et animaux sacrés, coiffures royales, signes hiéroglyphiques... Les plus fréquemment rencontrés sont l'œil oudjat, le pilier djed, le nœud d'Isis et le scarabée.

Nous avons déjà vu l'œil oudjat (fig. 24), œil du dieu faucon Horus gravé sur la plaque de flanc, symbole de clairvoyance et de prospérité physique. Le pilier djed, emblème d'Osiris, représentait peut-être un arbre ébranché ou un pieu entaillé. C'était, par excellence, le signe protecteur des morts. On lui associait souvent le nœud d'Isis (fig. 25), sorte de croix ansée dont les branches latérales retombent.

Le scarabée est figuré sur les plaques pectorales ou porté en bagues: poussant à reculons, avec ses pattes postérieures, sa boulette de bouse de vache, il évoque la course quotidienne du soleil. Un de ces scarabées, surtout, est indispensable à la momie: c'est le «scarabée de cœur». D'assez grosse taille, placé devant la poitrine, il est façonné dans une pierre verte dont la couleur, par analogie avec la végétation, évoque la renaissance; il est souvent serti d'une bande d'or ou incrusté de ce métal. Sur le méplat est gravé un

24.   Amulette de faïence en forme
       d'œil « Oudjat », l'œil de faucon.

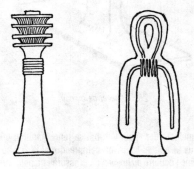

25.   Pilier djed et nœud d'Isis.

extrait du trentième paragraphe du «Livre des Morts» qui prémunit le trépassé contre toute fausse preuve apportée devant le tribunal lors de la pesée du cœur et qui, par contrainte magique, affirme déjà que ce cœur est celui d'un juste.

La signification de certaines autres amulettes est moins assurée. Les petits objets en faïence à l'image du bonnet ou de la couronne royale, de la déesse-vautour, protectrice du royaume du Sud, et du cobra dressé, dieu tutélaire du royaume du Nord, conféraient au défunt même modeste un peu de la puissance du pharaon et étaient peut-être destinés à impressionner les membres du tribunal des morts lors du jugement. Le signe ankh, en forme de croix ansée, rendait la vie; la botte de papyrus rendait la vigueur; on peut penser que le petit cœur avait la même signification que le scarabée, en restituant sa conscience au défunt. La tête de la momie reposait sur un chevet en bois fait d'une pièce en forme de croissant portée par une tige verticale encastrée dans un socle (fig. 26). L'usage s'établit, aux époques

26.   Chevet de momie.

tardives, de remplacer cet appui-tête par sa représentation minaturisée que l'on glissait sous la nuque. Mais, on comprend mal le symbolisme d'objets artisanaux comme l'équerre ou le niveau qui assuraient, peut-être, une stabilité éternelle.

On passait encore à l'annulaire gauche du défunt un anneau d'or, signe de pureté et, surtout, de survie divine, parfois surmonté d'un petit scarabée. Les gens riches avaient plusieurs bagues, les plus pauvres se contentaient d'une seule, faite en cire ou en plâtre doré.

La momie terminée, complètement emmaillotée, on déposait autour de son cou et sur ses épaules une paire de bandes de cuir rouge, sorte de scapulaire que les égyptologues appellent des bretelles de momie. Leurs extrémités s'élargissent et se terminent sur deux pièces de cuir blanc gaufré, portant l'image d'un dieu.

La petite quantité de bijoux et d'amulettes faits d'une matière simple chez les particuliers devenait, chez les pharaons, une accumulation de trésors. Madame Desroches-Noblecourt, qui nous fait assister au démaillotage de Toutankhamon, s'émerveille du nombre de diadèmes, colliers, bracelets, bagues, pendentifs, pectoraux que l'on découvrait à chaque nouveau tour de bandelettes. Deux coiffes de lin, brodées de perles et ornées de feuilles d'or découpées à l'image du vautour et du cobra, recouvraient le crâne du pharaon ; par-dessus, un cercle d'or maintenait encore quatre rubans d'or à l'arrière, deux cobras ondulés sur les côtés et, sur le front, le cobra dressé et la tête du vautour (fig. 27). Le cou du roi était protégé par plusieurs colliers de perles

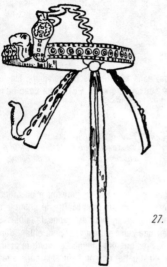

27. Diadème trouvé sur la momie de Toutankhamon. Sur le cercle d'or, le vautour de la déesse Nekhbet de Haute Egypte et le cobra de Basse Egypte.

et vingt amulettes d'or ainsi que par un grand gorgerin représentant le faucon sacré aux ailes déployées.

Sur la poitrine, cinq pectoraux faits de feuilles d'or ou d'or cloisonné incrusté de pâte de verre, de lapis-lazuli et de cornaline, représentaient encore l'œil oudjat, le serpent de Bouto, le vautour de Haute Egypte, le scarabée ailé et le faucon solaire. Ils étaient accompagnés de collerettes faites de rangées de perles d'or et de verre bleu et de pendeloques d'or. C'est encore dans ce métal précieux qu'avaient été façonnés les bagues, les doigtiers et les sandales qui terminaient la préparation de la momie. Sept lourds bracelets couvraient l'avant-bras droit, six l'avant-bras gauche. La taille était entourée d'une première ceinture de perles d'or et d'une autre découpée dans une feuille d'or repoussé. Il serait trop long d'énumérer et de détailler tous les bijoux qui ornaient et protégeaient le roi. Mais les parures les plus extraordinaires rencontrées sur Toutankhamon étaient en fer, métal d'une extrême rareté dans l'Egypte ancienne. Il servait à la confection d'une petite amulette en forme d'appui-tête et d'un œil sacré que portait un bracelet. De fer aussi était la lame d'une dague magnifique, à la poignée surmontée d'un bouchon de cristal de roche et au fourreau d'or: lorsqu'on la sortit des bandelettes, le métal était si net, sans la moindre trace de rouille, qu'il brillait comme de l'acier.

Le bel âge pour faire une momie

Le déterminatif de l'homme âgé, dans la liste des hiéroglyphes, est le dessin d'un homme courbé appuyé sur un bâton (fig. 28): c'est donc qu'il

28. Ecriture hiéroglyphique pour «être vieux», suivi du signe déterminatif de l'homme âgé, appuyé sur un bâton.

y avait des vieillards en Egypte. Le sage Ptah-Hotep, parvenu à un grand âge, n'avait pas lieu de s'en féliciter: «Souverain, mon Maître, le grand âge est là, la vieillesse est descendue en moi; la langueur est venue, la faiblesse (de l'enfance) se renouvelle, elle fait que celui qui est redevenu enfant dort sans cesse. Les bras sont faibles, les jambes ont renoncé à suivre le cœur qui est devenu fatigué. La bouche est muette, elle ne peut plus parler; les yeux sont faibles, les oreilles sont sourdes; le nez est bouché, il ne peut plus respirer. Le goût s'en est complètement allé. L'esprit est oublieux, il ne peut se souvenir d'hier. Les os font mal dans le vieil âge; se lever et s'asseoir sont difficiles l'un et l'autre. Ce qui était bon est devenu mauvais. Ce qui fait la vieillesse aux hommes est mal en toutes choses.»

La perspective de ces misères n'empêchait pas l'Egyptien de désirer vivre vieux et c'était un vœu de courtoisie de souhaiter à son prochain d'atteindre l'âge de cent dix ans. Le sage Aménémope reçut un jour, d'un de ses élèves respectueux, la lettre suivante: «Que l'Amente te soit accordé sans que tu aies ressenti la vieillesse, sans que tu aies été malade. Puisses-tu accomplir cent dix ans sur terre, tes membres restant vigoureux, ainsi qu'il doit être fait à un béni comme toi quand un dieu le récompense.»

On cite toujours l'exemple de Ramsès II qui vécut jusqu'à l'âge de quatre-vingt-seize ans après un règne de soixante-cinq ans, ayant épousé deux cents

femmes de son harem dont il eut quatre-vingt-seize fils et soixante filles.
Telle était sa vigueur qu'il connut même ses propres filles devenues nubiles
et en eut encore de nombreux enfants. Mais, pour un pharaon d'une santé
exceptionnelle, combien de particuliers mouraient en bas âge. Il est très
difficile de se faire une idée exacte du taux de mortalité dans l'Egypte
ancienne car les nourrissons, peu nombreux dans les cimetières, devaient être
ensevelis autrement que les adultes. Les radiographies de momies montrent
souvent la persistance de cartilages de conjugaison, signature d'un squelette
d'adolescent incomplètement ossifié. Dans le Musée de Turin, sept cent neuf
crânes adultes, provenant des sites dynastiques de Gebelen et Assiout, ont
permis à Chiarelli d'établir un âge moyen de trente-six ans. L'âge moyen
réel devait être plus faible encore si l'on tient compte de l'importance de la
mortalité infantile. Les complications obstétricales abaissaient aussi l'âge du
décès pour les femmes. On peut cependant tenter de comparer ce nombre
moyen avec l'espérance de vie d'un nouveau-né suédois qui est, de nos jours,
de soixante-seize ans pour un garçon et soixante-dix-huit ans pour une fille et
avec celle d'un nouveau-né hindou qui est de trente-quatre ans environ.
Pour l'Egypte, en 1969, l'âge moyen était de 51,6 ans pour l'homme et de
53,8 ans pour la femme. Que de chemin parcouru en trois mille ans avec
l'aide de l'hygiène et de la médecine!

Toutefois, le taux de mortalité a dû évoluer au cours de l'histoire de
l'Egypte, plus fort aux temps de famine, plus faible aux époques d'abondance.
Les classes sociales plus élevées avaient aussi une longévité plus grande;
ainsi, la moyenne d'âge des Ptolémées, au moment de leur décès, compte non
tenu de ceux qui périrent assassinés, est de soixante-quatre ans, très proche
de celle que nous connaissons en Europe à l'heure actuelle.

Ils mangeaient des briques

La dentition des Egyptiens était dans un état effroyable. L'examen paléo-
pathologique des mâchoires de momies et des restes squelettiques a montré
que les altérations dentaires relevaient de deux ordres de facteurs: l'attrition
et la carie.

L'attrition ou, plus simplement, l'usure des surfaces triturantes des dents
est quasi générale, frappant le pharaon comme le plus humble de ses sujets.
Tous les Egyptiens ne grinçaient pas des dents et c'est chez le boulanger qu'il
faut chercher la cause de cette usure inhabituelle. On a recueilli, dans les
tombes, des échantillons de pain de toutes les époques. Leur surface était
parsemée de grains de blé entiers si bien que l'on crut d'abord que la mastica-
tion de leurs téguments fibreux était seule responsable de l'attrition dentaire;

mais un examen plus attentif de pain rompu mettait en évidence, sur la surface de coupe, des points qui réfléchissaient la lumière. Une étude minéralogique révéla qu'il s'agissait, pour une part, de grains arrondis de sable et, pour une autre, de petits fragments anguleux de feldspath, de mica et de grès. On comprend dès lors parfaitement l'usure dentaire chez les anciens Egyptiens mais on discerne moins bien les raisons de la présence de telles particules dans le pain.

Un chercheur anglais, Prag, avait lu dans Pline, que les Carthaginois écrasaient d'abord le grain avec un pilon puis qu'ils ajoutaient une petite quantité de brique pilée, de craie et de sable avant de le moudre. Il essaya alors d'écraser du blé avec une ancienne meule à broyer et s'aperçut qu'au bout d'un quart d'heure de manipulation le grain restait presque intact. Par contre, en y associant 1 pour 100 de sable, il obtenait rapidement une farine assez fine. A partir de ces données, Leek, spécialiste des études dentaires sur les momies, arriva aux conclusions suivantes. La présence de fragments minéraux dans le pain tient:

1. Au sol dans lequel le blé a poussé.
2. Aux instruments utilisés pour la moisson (celle-ci se faisait avec une faucille de bois garnie de dents de silex).
3. Au saupoudrage de sable par le vent pendant le vannage.
4. Au stockage dans des greniers mal agencés, perméables aux vents de sable.
5. A l'usure des pilons, mortiers ou meules qui détachait de menus fragments.
6. Enfin, à l'addition d'une petite quantité de minéraux pour obtenir une farine plus fine.

Les caries sont plus rares et relèvent d'une autre cause. Elliot Smith en a trouvé peu aux périodes prédynastiques mais, dès la IVe Dynastie, elles frappent la classe aristocratique tout en épargnant le menu peuple. Petit à petit, elles deviennent plus fréquentes et, à la décadence, elles gagnent toutes les couches de la population. Elles étaient manifestement liées aux habitudes alimentaires: une nourriture plus riche, plus abondante, plus variée et la consommation d'aliments cuits finirent par les répandre dans les classes jusque-là épargnées. L'attrition et la carie aboutissent aux mêmes conséquences: l'ouverture de la chambre pulpaire puis son infection avec formation de kystes et d'abcès autour de la racine. On observe fréquemment chez les momies de grandes cavités dans les maxillaires dues à la résorption de l'os par infection du voisinage: celle-ci pouvait s'étendre jusqu'à réaliser une ostéite ou une ostéomyélite. Complication extrême, l'infection se généralisait et la septicémie se déclarait: c'est peut-être ainsi que mourut Aménophis III dont la dentition était dans un état pitoyable.

«Il y a un scribe comptable qui demeure avec moi. Tous les muscles de sa face tressaillent, l'ophtalmie s'est mise dans son œil, les vers rongent ses

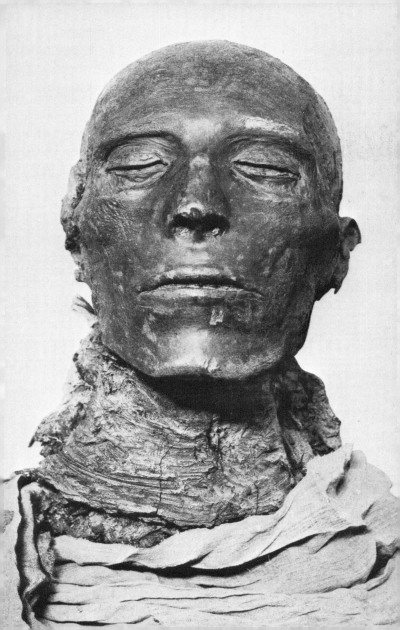

La XIXᵉ Dynastie régna sur l'Egypte de −1320 à −1200 et Séthi Iᵉʳ de −1312 à −1298. Sa momie fut découverte intacte par Maspéro en 1886. «Bien que le cou ait été brisé, le visage est presque celui d'un homme vivant, étonnant de grandeur et de sérénité.» Musée du Caire. *Photo Hachette*.

dents.» C'est ainsi que le papyrus Anastasi IV décrit le comportement d'un homme souffrant d'une névralgie dentaire: ce n'était pas un cas unique, aussi le besoin d'un corps de spécialistes s'était-il fait sentir. On les voit apparaître dans le récit d'Hérodote: «Tout le pays est plein de médecins, certains pour les yeux, d'autres pour les dents, d'autres pour le ventre, d'autres pour les maladies cachées.» Quelques-uns d'entre eux ont laissé leur nom à la postérité comme le Ni-ankh-Sekhmet qui était «chef des dentistes du palais royal» en même temps d'ailleurs que médecin, ou comme cet Hesi-Rê de la IIIe Dynastie dont on a retrouvé la tombe.

Leur titulature ronflante dissimulait, en fait, les pauvres moyens dont ils disposaient pour soulager la souffrance de leurs contemporains. Le papyrus Ebers, vaste encyclopédie médicale, recueil de recettes thérapeutiques à l'efficacité rarement éprouvée, fournit plusieurs méthodes pour guérir les maux de dents: «Autre remède pour faire disparaître un ulcère dans les dents et raffermir les gencives: lait de vache, I; dattes fraîches, I; caroubes séchées, I. Laisser exposé la nuit, à la rosée, puis mâcher pendant neuf jours.» Allez avec cela guérir une carie ou un kyste infecté du maxillaire!

Alors, les amoureux de l'Egypte ancienne, les inconditionnels, ceux pour qui tout avait été dit en ce temps, ont démesurément grossi l'importance d'une pièce à conviction: deux dents découvertes dans une nécropole de l'Ancien Empire à Gizeh, deux molaires réunies par un fil d'or torsadé qui les cerclait au-dessus des racines (fig. 29). Voilà le témoignage tant attendu de l'inter-

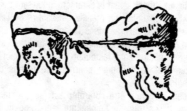

29.   Deux dents réunies par un fil d'or torsadé.

vention des dentistes. La conviction était encore renforcée par la présence de tartre, non seulement sur les dents mais encore sur le fil d'or prouvant que la prothèse avait été posée sur une personne vivante. En fait, ce tartre n'a pas été examiné au microscope et il est bien possible que des concrétions minérales du sol où était enfoui le cadavre aient abouti au même résultat; de plus, les deux dents ont un degré d'usure très différent; enfin, elles nous paraissent vraiment trop écartées l'une de l'autre pour avoir été fixées en bouche.

De rares momies possèdent une dent artificielle taillée dans l'ivoire et montée sur un pivot de bois. On imagine mal la solidité d'un tel ensemble et il faut y voir en réalité le souci, pour les embaumeurs, de reconstituer un corps aussi parfait que possible. Enfin, sur les momies royales dont la dentition est le plus souvent défectueuse, aucune trace d'intervention n'a jamais été retrouvée. Aurait-on laissé souffrir ainsi le pharaon? Non, décidément, les dentistes de l'ancienne Egypte, qu'ils fussent ou non de la maison royale, n'ont pas encore fait la preuve de leur efficacité.

De l'athérome à l'infarctus

Une des plaies de notre civilisation est, dit-on, la maladie artérielle, responsable d'infarctus, d'hémorragie cérébrale et d'artérite et l'on invoque, à son origine, la richesse de notre alimentation, le climat d'insécurité et les stress auxquels nous sommes soumis quotidiennement. Or les Egyptiens qui, malgré une nourriture riche en graisse, faisaient des repas plutôt frugaux, n'abusaient guère d'alcool, ignoraient le tabac et vivaient dans des conditions moins contraignantes que celles que nous connaissons, payaient déjà un lourd tribut à l'athérome et à l'artériosclérose. L'angine de poitrine, avec sa douleur irradiée dans le bras, et l'infarctus les affectaient tout comme nous et ils en connaissaient le caractère inquiétant car on enseignait aux médecins : «Si tu examines un malade qui souffre de l'estomac tandis qu'il a des douleurs dans le bras, dans la poitrine, dans un côté de son estomac et qu'on dit de lui: c'est la maladie ouadj, tu diras à son sujet: c'est quelque chose qui lui est entré par la bouche, c'est la mort qui le menace.» A quelques nuances près la définition pourrait être reprise dans un traité moderne de pathologie.

La véracité des faits peut être contrôlée sur les momies bien que les modifications des tissus, dues à l'embaumement, rendent l'interprétation difficile. Le cœur de Ramsès II, par exemple, qui parut indemne de lésions graves, était réduit à l'état d'une galette de huit centimètres sur quatre, tellement dur que l'on dut le débiter à la scie. Il était malaisé, dans ces conditions, de faire un diagnostic rétrospectif subtil. On peut affirmer, cependant, que Teye, dont la momie fut découverte à Deir-el-Bahari, souffrit d'une coronarite car la dissection permit de retrouver un épaississement des artères coronaires et des zones de fibrose dans la paroi du cœur, stigmates d'un infarctus cicatrisé.

Les radiographies des momies offrent souvent l'image de calcifications des artères des membres. Mineptah, en qui beaucoup s'accordent à reconnaître le pharaon de l'Exode, ne mourut sans doute pas noyé dans la mer Rouge. Il fut l'objet d'un des premiers examens anatomiques sérieux. Son aorte était parsemée de plaques calcaires : elle fut envoyée à Londres aux fins d'examen histologique ; là, sous le microscope, on put voir que les lésions étaient simplement le fait de l'âge et qu'elles n'étaient pas dues à des dépôts pathologiques de cholestérol. Ceux-ci affectaient cependant un grand nombre de sujets et on les observe non seulement sur les gros troncs artériels mais aussi sur les artérioles de petit calibre dont ils rétrécissent la lumière. C'est dans les paquets canopes du chanteur Har-Mosê, de la XVIIIᵉ Dynastie, que l'on trouva, chez lui, la preuve de sa maladie artérielle sous forme d'une atteinte des artères de l'intestin.

Enfin, Teye, outre sa coronarite, souffrait d'une hypertension artérielle. Evidemment, nul médecin de l'époque ne nous a transmis son diagnostic mais la maladie a laissé sur les reins des stigmates parfaitement reconnaissables.

Bronchite et tuberculose

Les Egyptiens toussaient sans doute beaucoup : en effet, le papyrus Ebers ne contient pas moins de vingt et une potions et une inhalation destinées à combattre ce symptôme. Le miel, aux propriétés adoucissantes, était la base essentielle de ces remèdes. Le climat chaud et sec de l'Egypte ne doit pas faire illusion car les nuits sont fraîches, source de refroidissements et une bronchite était vite attrapée. La fréquence des tuberculoses ostéo-articulaires dont les squelettes portent la trace donne à penser que la tuberculose pulmonaire devait également faire des ravages, bien qu'on n'ait pas pu en trouver la preuve directe ; les périodes de disette en multipliaient certainement les cas.

Les embaumeurs enlevaient les poumons des momies et les déposaient, après les avoir traités, dans un vase canope. Les médecins se sont penchés sur ces restes pour essayer d'y lire les affections pulmonaires dont souffraient les sujets du pharaon. Le chanteur Har-Mosê, dont les artères en mauvais état lui promettaient un infarctus de l'intestin, n'eut pas à attendre cette fin car sa vie fut abrégée par une bronchopneumonie ; son poumon droit, mis dans un baquet d'eau, s'enfonçait au lieu de flotter, signe évident de l'affection pour les médecins légistes.

Mais les lésions les plus fréquemment rencontrées sont celles de l'anthracose et de la silicose. Ces maladies sont, hélas, bien connues de nos

mineurs et des ouvriers des carrières chez qui elles occasionnent une insuffisance respiratoire et font le lit de la tuberculose. Elles sont dues à
l'inhalation de particules minérales en suspension dans l'air des galeries de
mines. Le taux de silice contenu dans les poumons de Pum II atteignait
0,22 % alors que le taux normal est inférieur à 0,05 % et la limite extrême
de tolérance ne peut dépasser 0,20 %. Ces petits cristaux anguleux, provenant
sans doute de l'inhalation du sable du désert pendant les tempêtes, sont
responsables d'une fibrose du tissu pulmonaire qui entraîne inévitablement
une diminution de la capacité respiratoire.

On a souvent trouvé, aussi, des dépôts de carbone dans les poumons,
ce qui ne provoquait pas de troubles pathologiques graves mais nous confirme
le mode d'habitat d'un bon nombre d'Egyptiens dans des pièces petites, peu
aérées, où chandelles et feux dégageaient beaucoup de fumée.

Les mêmes misères physiques que les nôtres

Ignorants de la terminologie scientifique des siècles suivants, les parant
d'autres noms ou les méconnaissant, les Egyptiens n'en souffraient pas moins
des mêmes maladies que l'homme du XX⁰ siècle et leurs momies sont élo-
quentes à cet égard.

Une appendicite chronique avait laissé, dans l'abdomen d'une jeune femme
de l'époque ptolémaïque, une épaisse bande d'adhérences blanchâtres qui
partait de la pointe de l'appendice et traversait tout le bassin. Le prolapsus
rectal, sorte d'extériorisation du rectum à travers l'anus, a été retrouvé chez
une jeune fille mais il ne faudrait pas considérer comme pathologiques les
nombreux prolapsus apparus sur les corps dans le grand cimetière de l'île
de Hesa : ils sont seulement dus à l'issue de l'intestin sous la poussée de gaz
intestinaux de décomposition sur des momies insuffisamment traitées.

La femme égyptienne ne devait pas souvent être en proie à des coliques
hépatiques car on n'en voit pas la description dans le papyrus Ebers et, sur
quelque trente mille corps examinés, Smith et Dawson n'ont rencontré de
calculs de la vésicule biliaire qu'une fois, chez une prêtresse d'Amon.

Les calculs rénaux semblent avoir été un peu plus fréquents mais on
se demande encore pourquoi les embaumeurs avaient inséré un de ces
calculs dans la narine de son propriétaire. Point n'est besoin, désormais,
d'autopsier les momies pour les mettre en évidence : une simple radiographie de face permet de les localiser dans le rein, l'uretère ou la vessie.
Une pauvre femme de la XXI⁰ Dynastie dut bien souffrir sa vie durant, de
cystite et de douleurs lombaires car ses deux reins apparurent criblés de
cavités d'abcès et fourmillant de colibacilles.

Sur la peau elle-même sont encore inscrites les traces de quelques affections dermatologiques bénignes ou graves. Des comédons parsemaient le front de Ramsès II. Le visage, le ventre et les cuisses de Ramsès V étaient grêlés de pustules de variole. Une prêtresse d'Amon, morte très âgée, après une maladie qui l'avait tenue longtemps alitée, portait, sur les fesses et dans le dos, de larges escarres que les embaumeurs avaient tenté de dissimuler avec des pièces de peau de gazelle.

La lèpre et la peste qui semaient la terreur au Moyen Age sévissaient déjà dans l'Antiquité: la première avait mutilé les mains et les pieds d'une femme copte; la seconde avait déterminé des lésions du poumon et du foie chez un Egyptien de la période grecque.

La bilharziose, nommée maladie âââ dans le papyrus Ebers, est une maladie parasitaire due à une sorte de ver qui sévit encore en Egypte où elle est une cause très importante de morbidité. Localisée dans les voies urinaires, elle est responsable d'émissions d'urines sanglantes mais on connaît aussi une variété intestinale dans laquelle la rate augmente considérablement de volume. Ruffer a mis en évidence des œufs calcifiés de ce parasite dans les voies urinaires d'une momie de la XXe Dynastie. L'ascaris infesta l'homme dès les temps les plus reculés puisqu'on a trouvé ses œufs dans une mine de sel préhistorique en Autriche; en Egypte, on en a découvert pour la première fois dans l'intestin de Pum II.

Rien n'épargnait les pharaons: Ramsès V, déjà affecté par la variole, était porteur d'une grosse hernie inguinale qui était descendue dans les bourses et avait doublé le volume du scrotum. La majesté de Siptah, qui succéda à Séthi II, était sûrement amoindrie par une boiterie qui l'affectait depuis l'enfance: toute sa jambe droite était atrophiée et se terminait sur un pied bot, séquelle évidente d'une poliomyélite (fig. 30). Son égal dans la maladie, un simple particulier découvert par Petrie à Deshasheh, avait conservé un raccourcissement de huit centimètres d'un fémur, infirmité considérable et difficilement compatible avec la marche sans prothèse.

La constatation d'une lésion permet parfois au médecin de reconstituer la vie de souffrance d'un individu. Sur un crâne de la Ire Dynastie, un épaississement localisé de la voûte signe la présence d'une curieuse tumeur bénigne des méninges: le méningiome. Son apparition sur le côté droit du crâne, un peu au-dessus de l'emplacement de l'oreille entraîna, sans aucun doute, des crises d'épilepsie à répétition et une hémiplégie gauche qui frappa plus le membre inférieur que le supérieur.

La nature n'avait pas attendu bien longtemps pour engendrer des monstres: parmi les momies de singes que l'on découvrit à Hermopolis, il y avait un petit être humain, évidemment mort-né, anencéphale, c'est-à-dire dépourvu de cerveau et de calotte crânienne. Les nains achondroplastes,

ceux que l'on voit maintenant dans les cirques, n'étaient pas rares en Egypte :
on en a retrouvé des squelettes dès la période prédynastique. Ils étaient fort
bien considérés et des sarcophages ou tombeaux aussi luxueux que ceux des
nains Seneb et Pouoinhetef témoignent de leur condition sociale élevée.
Peut-être jouaient-ils le rôle de bouffon à la cour car, dans les titres du palais,
on relève celui d'un «directeur des nains» et d'un «maître des nains préposé aux
vêtements».

En 1825, Granville rapportait la première description d'une affection gynéco-
cologique dans l'Egypte ancienne : c'était une tumeur maligne de l'ovaire droit
qui avait largement envahi le péritoine. Cette observation est, curieusement,
restée unique ; les chercheurs ne font jamais mention de fibrome ou de kyste
de l'ovaire. Les soi-disant prolapsus vaginaux, plus couramment appelés
descentes d'organes, relèvent de la même cause que les prolapsus rectaux
et sont dus à la distension de l'abdomen par les gaz de décomposition.
Engelbach et Derry ont été frappés par l'importance de l'élargissement du
vagin sur toutes les momies des femmes de la cour de Mentouhotep II :
rejetant toute explication égrillarde, ils ont préféré voir, dans cette anomalie,
la conséquence d'un procédé particulier d'embaumement. On le voit, la gynéco-
cologie contemporaine a bien peu d'enseignements à tirer de l'étude des
momies. Ce n'est pas que les femmes égyptiennes aient été à l'abri des
troubles génitaux car le papyrus Ebers fournit des remèdes pour traiter les
vulvovaginites et les métrites qu'il appelait «remèdes pour rafraîchir l'utérus
et en faire disparaître la chaleur».

L'accouchement n'était pas l'affaire des médecins mais de matrones que
l'on n'ose pas qualifier de sages-femmes quand on voit, sur certaines momies,
les délabrements que pouvait entraîner la mise au monde d'un enfant.
Henhenet, une des deux épouses royales de Mentouhotep, était peut-être
bien morte en couches : la vessie, tellement distendue que les anatomistes
l'avait longtemps prise pour un vagin dilaté, s'ouvrait par une large brèche
dans ce vagin. Le bassin, trop étroit, guère plus important que celui d'un
chimpanzé, nous dit-on, n'avait pas permis l'issue normale de l'enfant qui
avait dû être extrait en force, d'où la vaste déchirure de la vulve et de la
vessie. En règle générale, le bassin de l'Egyptienne était assez menu, cause
de parturitions laborieuses. Dans le cimetière de Hesa, Smith et Derry ont
reconnu les squelettes de trois femmes mortes pendant leur grossesse, l'une
d'elles au dernier mois : parmi les os épars de la mère, au milieu du bassin,
gisait le minuscule squelette du fœtus. Ailleurs, nous avons encore la preuve
d'un accouchement dramatique, terminé par le décès de la mère et de l'enfant :
les restes d'une négresse copte avaient été enterrés dans la position où la
mort l'avait surprise après d'affreuses souffrances, couchée sur le dos, les
cuisses écartées, la tête du fœtus écrasée et coincée dans un bassin rétréci.

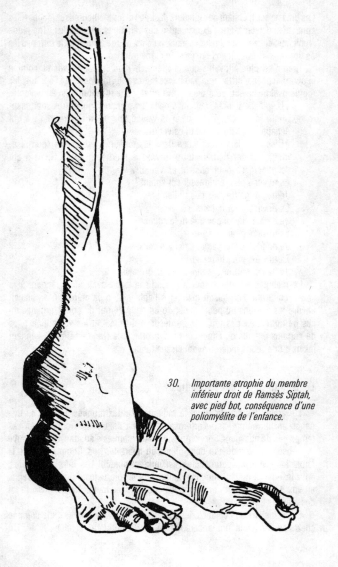

30. *Importante atrophie du membre*
     inférieur droit de Ramsès Siptah,
     avec pied bot, conséquence d'une
     poliomyélite de l'enfance.

Les grossesses n'étaient pas toujours désirées et les malheureuses jeunes filles coupables d'avoir fauté s'exposaient à des punitions redoutables. Une jeune Nubienne, enceinte de quelques mois, fut ainsi battue à mort : on la retrouva les os des mains et des pieds brisés et le crâne fracturé.

Rien n'est plus pitoyable que le spectacle d'un enfant malade et, comme la pharmacopée n'offrait que peu de ressources aux médecins de l'époque, les mères psalmodiaient, pour éloigner la mort, cette incantation si émouvante :

«Disparais, démon, qui viens dans les ténèbres, qui entres sournoisement, ton nez derrière toi et le visage tourné en arrière, mais à qui échappera ce pour quoi tu es venu !»

«Disparais, larve, qui viens dans les ténèbres, qui entres sournoisement, ton nez derrière toi et le visage tourné en arrière, mais à qui échappera ce pour quoi tu es venue !»

Es-tu venu pour embrasser cet enfant ?
Je ne permettrai pas que tu l'embrasses.
Es-tu venu pour le calmer ?
Je ne permettrai pas que tu le calmes.
Es-tu venu pour lui nuire ?
Je ne permettrai pas que tu lui nuises.
Es-tu venu pour le prendre ?
Je ne permettrai pas que tu me le prennes …»

La mélopée s'avérant souvent insuffisante, on avait alors recours à la souris cuite que l'on faisait manger à l'enfant ou à sa mère. On en plaçait encore les os dans un petit sachet de lin noué autour du cou. L'urgence du cas ne permettait pas toujours de désosser l'animal et les voies digestives de certains enfants du cimetière prédynastique de Naga-ed-Dêr contiennent les os d'une souris ingérée avant l'issue fatale.

Le déchiffrement des squelettes

L'examen des squelettes et la radiographie des momies ont mis en évidence un fait surprenant : l'arthrose vertébrale était aussi fréquente en ces temps que de nos jours. Sur quatre-vingt-huit momies d'adultes, Gray a trouvé des «becs de perroquets» dans plus d'un quart des cas. Compte tenu de la faible longévité, ce pourcentage est impressionnant. Les hernies discales, pour lesquelles nous invoquons maintenant le rôle néfaste des longs trajets en voiture et les efforts occasionnels chez le sédentaire, étaient aussi le lot des anciens Egyptiens.

Les scolioses de l'enfance, les rhumatismes inflammatoires de la colonne chez l'adulte jeune ont encore laissé leur empreinte reconnaissable. Un homme âgé, à la longue chevelure et à la barbe blanche, membre de la communauté locale des chrétiens étrangers établis près du temple de Philae est le plus ancien exemple et une des plus belles illustrations de la goutte chronique : ses pieds, surtout au niveau des gros orteils, mais aussi la cheville, étaient le siège d'énormes concrétions blanchâtres d'urate de chaux ; de nombreuses masses crayeuses déformaient encore les rotules et les mains. De tels cas, souvent monnaie courante dans un passé récent, se font de plus en plus rares depuis l'emploi de médicaments éliminateurs ou inhibiteurs de l'acide urique.

La brièveté de la vie, à cette époque, ne laisse guère aux arthroses des membres le temps de s'installer : on en a vu, cependant, sur la hanche et les genoux, favorisées d'ailleurs assez souvent par des malformations pré-existantes. Mais la fréquence des arthroses de l'épaule, comparée à leur relative rareté de nos jours, est étonnante.

La tuberculose vertébrale, chez plus d'un, a détruit des vertèbres, en a fusionné d'autres au prix d'importantes déviations mais sa signature est particulièrement nette sur la momie d'un jeune prêtre d'Amon de la XXIe Dynastie : non seulement les quatre dernières vertèbres dorsales et la première lombaire étaient affaissées en un seul bloc irrégulier mais il en partait un volumineux abcès dont la paroi était encore engainée dans le bassin. Ces abcès, que l'on ne voit presque plus avec l'antibiothérapie moderne, étaient l'apanage des tuberculoses osseuses d'autrefois. Celles-ci pouvaient atteindre toutes les articulations : on en a vu sur le coude, le genou, la hanche et leur pronostic était terrible.

La galerie des maladies du squelette ne serait pas complète sans les tumeurs bénignes ou malignes et les dysplasies encore plus rares comme cette fragilité osseuse constitutionnelle ou maladie des os de verre dont la conséquence est la répétition de fractures multiples à l'occasion du moindre traumatisme : un petit enfant de la XXIIe Dynastie était atteint de cette curieuse maladie et son squelette parut si étrange et si gracile à ceux qui le découvrirent qu'ils le considérèrent d'abord comme celui d'un singe.

Coups et blessures

Un grand nombre de momies porte des traces de fractures : certaines d'entre elles, surtout à l'époque tardive, sont le fait d'une manipulation intempestive par l'embaumeur ou même d'une réduction volontaire pour faire tenir un corps trop long ou trop large dans un sarcophage mal adapté : elles sont aisément reconnaissables. D'autres sont la conséquence d'accidents. Smith et

Dawson ont été surpris par le nombre considérable de cals osseux qu'ils ont vus dans les cimetières de toutes les dynasties.

On connaît ainsi des fractures du col du fémur dont les unes ont parfaitement consolidé et d'autres qui, au contraire, sans la moindre trace de réparation, ont certainement entraîné la mort. Des fractures comme celles du col de l'humérus, c'est-à-dire au niveau de l'épaule, dont on sait encore les difficultés de réduction, ont été retrouvées parfaitement soudées. Par contre, la remise en place des fractures de la clavicule, pourtant aisée, est souvent des plus médiocres, réalisée au prix d'un important chevauchement des fragments. Cependant, le papyrus Smith, véritable traité de traumatologie, indique le moyen de soigner de telles fractures en portant les épaules en arrière : « Tu le mettras sur son dos avec quelque chose de plié entre ses deux omoplates ; tu tireras sur ses deux épaules de façon à porter la clavicule en dehors jusqu'à ce que sa fracture soit réduite. Tu lui confectionneras deux bandes de lin et tu lui en appliqueras une de chaque côté du bras, puis tu le panseras avec « imerou » et tu le traiteras chaque jour avec du miel jusqu'à guérison. » Sauf le pansement à l'imerou et au miel, on ne ferait pas mieux de nos jours.

Les os fracturés étaient immobilisés au moyen d'attelles : ainsi le présumé scribe royal Boutehamon, décédé d'une fracture ouverte dans son avant-bras, avait ce segment de membre maintenu par trois gouttières d'écorce d'acacia. Ailleurs, ce sont des pièces de bois habillées de lin qui fixent le membre blessé en bonne position et rien n'interdit de penser que la toile était empesée avec du plâtre ou de la résine pour rendre l'ensemble plus rigide.

Qui aime bien châtie bien. Le proverbe n'était pas égyptien mais aurait mérité de l'être. La formation scolaire était rude et ce qui ne s'apprenait pas de bon gré était inculqué de force : « Scribe, ne sois pas oisif, on te fera vite plier... On apprend aux singes à danser et on dresse les chevaux. » L'instrument le plus propre à mener un tel enseignement était le bâton dont l'éducateur faisait un large usage. Le scribe Enna écrit à son maître : « Dès l'enfance, j'ai été avec toi, tu as frappé mon dos, tes instructions sont entrées dans mon oreille. » On disait bien, d'ailleurs : « Le jeune homme a un dos, il écoute celui qui le frappe. » Les larcins, les calomnies, les peccadilles en un mot, relevaient de la bastonnade dont la durée était proportionnelle à la gravité du délit. Dans les cas très graves, on allait jusqu'à « cent coups dont cinq entraînant des plaies béantes ». Un militaire puni pouvait être « battu comme papyrus ». Qu'un paysan ne s'acquittât pas de sa redevance en blé envers le fisc et les coups pleuvaient comme grêle. Cet emploi du bâton que l'on retrouve à tout propos explique sans doute la très grande proportion de fractures des os de l'avant-bras gauche que portent les squelettes, car, quoi de plus naturel pour un individu qui se sent ainsi menacé, que de lever le bras pour couvrir sa tête en un geste de défense.

La radiographie, dont nous avons signalé l'aide incomparable qu'elle apporte à la détection des lésions sur les momies bandelettées, trouve sa limite dans le diagnostic des fractures du crâne. Celles-ci ont été rapportées par erreur à maintes reprises: il suffit en effet qu'une éraflure du cuir chevelu ait été remplie de résine – matériel radio-opaque – pour donner, sur la voûte crânienne, l'apparence d'une fissure. Donc, sans débandelettage, on ne peut envisager qu'avec beaucoup de réserves la possibilité d'une telle fracture. Il est évidemment des cas où elle peut être affirmée sans restriction comme celui de ce garçonnet d'une dizaine d'années, le petit Panechates, que l'on découvrit à Thèbes, le crâne fracassé, l'œil gauche arraché de l'orbite et le genou luxé. On peut déduire, après reconstitution du crime, que l'enfant, saisi par les pieds, avait été projeté à la volée contre un mur ou un rocher. L'horreur du forfait parut telle aux observateurs qu'ils lui cherchèrent quelque motif politique comme l'élimination d'un prétendant au trône, mais c'est pure conjecture. On ne sait pas davantage pourquoi fut assassinée cette Nubienne découverte par Smith, la boîte crânienne défoncée, contenant encore du sang coagulé, de la matière cérébrale et des cheveux. La violence des combats faisait que les militaires étaient plus souvent que les civils victimes de telles fractures. La *Satire des Métiers* évoque la véritable condition du soldat et les dangers auxquels il était exposé: «Un coup cinglant est porté à son ventre, un coup brutal est porté à son œil, un coup qui ouvre une blessure est asséné sur ses sourcils. Sa tête porte une plaie béante… Il est comme un oiseau aux ailes entravées, il n'y a plus aucune force dans ses membres. Et, s'il parvient à rentrer en Egypte, il est comme un morceau de bois rongé par les vers, il est souffrant et doit garder le lit.» Nous verrons plus loin quelles affreuses blessures pouvaient résulter de l'utilisation des armes de l'époque.

L'Institut royal d'Anthropologie de Londres possède une curieuse pièce datée de la IXe Dynastie, un radius et un cubitus, c'est-à-dire les os de l'avant-bras, amputés à leur tiers inférieur: leurs tranches de section, réunies par un cal osseux, prouvent que le sujet a survécu à cette blessure. Plus étrange encore est cette momie d'un homme d'une cinquantaine d'années radiographiée par Gray. Longtemps avant sa mort, l'avant-bras gauche avait été tranché net au-dessus du poignet et sur le moignon, on avait fixé un avant-bras et une main artificiels. Ce n'était pas une prothèse raffinée comme les prothèses modernes qui permettent de saisir les objets. Elle n'aurait même pas été utilisable du vivant de l'individu. C'était une sorte de gantelet fait de pièces de linge enroulées, sans la moindre armature de bois ou de métal; les doigts étaient grossièrement imités par de petits rouleaux de toile; l'ensemble enserrait le tronçon d'avant-bras et s'était rétracté, formant un tout solide après l'application de résine. Il s'agissait, en fait, d'une restauration cons-

ciencieuse faite par l'embaumeur afin de restituer au défunt l'intégrité de
son membre pour la vie éternelle. Dans le Musée national hongrois de
Budapest, une autre momie, aussi surprenante, nous attend: l'homme avait
perdu son nez de son vivant. Lorsqu'on décida de l'embaumer, on reconstitua
ce nez à l'aide d'une petite pièce de bois sculptée qu'on maintint en place
avec des lanières de cuir.

Il est certain qu'on ne peut penser, dans aucun de ces trois cas, à la
manifestation d'une intervention chirurgicale. Deux hypothèses restent seules
possibles: une blessure au combat faite par un coup de sabre ou un
châtiment corporel. L'aspect de l'amputation de l'avant-bras, nette, avec une
section franche à angle droit, inclinerait plutôt vers la seconde éventualité.

Diodore de Sicile raconte que «la loi prescrivait de couper la langue
à ceux qui découvraient aux ennemis les secrets de l'Etat; elle condamnait
à avoir les deux mains coupées ceux qui faisaient de la fausse monnaie, qui
altéraient la gravure des cachets; elle frappait de la même peine les scribes
qui rédigeaient de faux écrits, qui mutilaient les actes ou produisaient de
faux contrats». Une peine relativement modérée était «l'ablation du nez et le
bannissement à Zel», ville frontière de garnison au nord-est de l'Egypte.
Sous Ramsès III, la grande conjuration du harem amena les criminels devant
une cour spéciale chargée d'instruire une affaire aussi grave. Parmi les juges
choisis par le pharaon, deux s'étaient laissé soudoyer par les femmes du
harem. D'accusateurs, ils devinrent à leur tour inculpés, «leur crime les saisit
et la peine fut exécutée sur eux par ablation de leurs nez et de leurs
oreilles». Il ne faisait pas bon, en ce temps-là, s'écarter du droit chemin.

On dit aussi, sans la moindre preuve, que les Egyptiens coupaient le
poignet de leurs prisonniers. Le pharaon est représenté parfois, saisissant
par les cheveux un groupe de captifs et leur assenant sur le crâne un coup
de son énorme massue: il ne faut voir là qu'une image symbolique que les
textes ne confirment pas. Les besoins de l'Egypte en main-d'œuvre étaient
trop importants pour qu'elle se privât d'un tel apport de travailleurs corvéables
en se faisant, au contraire, des infirmes dont elle aurait eu la charge. Les
longs convois de prisonniers que l'on ramenait en file indienne étaient
employés aux travaux des champs, à l'extraction des blocs dans les carrières,
au transport de charges colossales, à l'érection des monuments; en un mot,
les vaincus vivants étaient réduits en esclavage. Par contre, sur le champ de
bataille, la manie tatillonne des scribes de tout enregistrer leur faisait dénombrer les cadavres des vaincus: c'est là que, pour éviter toute erreur, on sectionnait une main à chaque ennemi mort et le compte des poignets mis en
tas témoignait de l'importance de la victoire. Sur les murs du temple de
Medinet Habou, on voit encore la relation d'une bataille que mena Ramsès III
et qui laissa sur le terrain un grand nombre de guerriers dont les Libyens:

pour reconnaître ceux-ci, on n'entassait pas leurs mains mais leur phallus car, de tous les peuples voisins, ils étaient les seuls à n'être pas circoncis.

Le signe de la débauche

Parmi les innombrables momies qui ont été sorties du sol égyptien, on en connaît, avec certitude, quatre qui portent des tatouages: Amounet, la prêtresse d'Hator, trouvée dans une tombe de la XIᵉ Dynastie, deux danseuses thébaines d'époque plus tardive et une femme nubienne. Elles ne s'étaient pas contentées d'un signe discret tel qu'un point bleu au coin de la lèvre mais étaient littéralement couvertes de marques indélébiles bleutées sous forme de points et de traits disposés en lignes parallèles ou en losanges (fig. 31). La prêtresse, par exemple, était tatouée sur l'épaule gauche, le bras droit, la cuisse et le pli de l'aine droits; son ventre était parsemé de pointillés en forme de rectangle au-dessus du nombril et d'une large ellipse au-dessus du pubis.

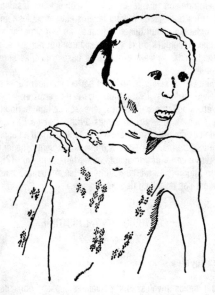

31.   Tatouages en losange sur le torse de la momie d'une danseuse thébaine.

A partir du Moyen Empire, on connaît un bon nombre de statuettes et figurines de femmes ainsi décorées et, dans les tombes du Nouvel Empire, des danseuses et musiciennes portent, sur le haut de la cuisse, un tatouage représentant Bès, leur divinité protectrice. On ne sait pas exactement quel procédé était utilisé à cette époque pour inscrire des dessins indélébiles dans la peau mais les nombreux témoignages de voyageurs occidentaux permettent de s'en faire une idée. Dapper, en 1686, a vu que «pour paraître plus belles, elles se font des marques au front, aux joues, aux pouces et dans les parties honteuses, avec la pointe d'une aiguille qu'elles parsèment d'une poudre noire faite d'un caillou noir broyé, afin que ces marques ne s'effacent pas». D'autres ont vu utiliser le jus d'une herbe ou «un mélange de noir de fumée et de fiel de mouton que la pointe de l'aiguille fait passer sous l'épiderme».

Que ce soit sur des représentations figurées ou sur des momies, ces tatouages, dans l'Egypte ancienne, n'ont jamais été retrouvés chez les dames de la bonne société. Il s'agit toujours de femmes de moralité douteuse et le titre d'Amounet, la prêtresse d'Hathor, ne doit pas nous abuser: la prostitution faisait partie de son service divin. Si les concubines, les danseuses, les musiciennes et les femmes de mœurs légères étaient seules tatouées, il n'y faut pas voir obligatoirement une signification de leur situation sociale. Des buts esthétiques, magiques ou la simple superstition qui est assez souvent le fait des prostituées, peuvent expliquer le besoin qu'elles éprouvaient de porter ces signes.

Le petit dieu Bès, qu'elles se faisaient parfois marquer sur la cuisse, était leur dieu tutélaire. Ailleurs, il est parfois figuré, dit Perdrizet, «en compagnie de femmes vêtues de leurs seuls bijoux, joueuses de tambourin et danseuses qui sont des filles de joie, des servantes d'Hathor et de Bès qui, dans les sanctuaires de ces divinités, se livrent à la prostitution». Il a l'apparence d'un nain grotesque, difforme, aux jambes arquées, au ventre bedonnant, poilu, hirsute, à la tête énorme et grimaçante, tirant la langue (fig. 32).

Signes non figuratifs ou marque d'un dieu, les tatouages, dans l'ancienne Egypte, n'étaient pas un indice de vertu.

II. CONTRIBUTION À L'HISTOIRE

Les momies royales

Quelques momies royales sont parvenues jusqu'à nous dans un état suffisamment convenable pour être exposées au Musée du Caire dans une

32.   Le dieu Bès.

salle spéciale. Là, protégées par des vitrines, elles poursuivent leur vie éternelle mais nul ne peut dire combien de temps durera cette éternité. Elles
avaient vécu plus de trois mille ans dans des conditions particulières, à l'abri
de leur bandelettes, dans des sépulcres à température constante. Leur issue
à l'air libre et le débandelettage ont gravement compromis l'équilibre dans
lequel elles se maintenaient et ces corps, qui avaient traversé les siècles, se
dégradent maintenant inéluctablement. Des réactions chimiques mal connues
se produisent au contact de l'air qui altèrent profondément la cohésion des
tissus ; des champignons microscopiques détruisent, au fil des jours, les
téguments et les muscles. Si des mesures efficaces ne sont pas rapidement
prises, il ne restera bientôt que poussière des plus puissants seigneurs que
le monde antique ait connus.

L'Ancien Empire ne nous a laissé que peu de momies royales. Le fameux
Imhotep, architecte de génie à qui l'on attribue le remplacement de la brique
par la pierre taillée et en qui l'on veut voir aussi le père de la médecine,
immortalisa le nom du fondateur de la IIIe Dynastie, le roi Djeser, son maître,
en bâtissant pour lui l'ensemble funéraire de Saqqarah. A la fin de 1932,
J.-P. Lauer, l'égyptologue français à qui l'on doit la restauration de cet ensemble
dans sa magnificence, décidait de pénétrer dans le caveau de la pyramide à
degrés pour y contrôler des mesures. Ce caveau, visité déjà à plusieurs reprises
par des explorateurs et des archéologues, ne contenait aucun sarcophage
et avait été considéré comme vide. Peut-être personne ne s'y était-il vraiment
aventuré ou bien les observateurs s'étaient-ils contentés d'un simple coup
d'œil circulaire car l'orifice d'accès était partiellement obstrué par un énorme
bouchon de granit de quatre tonnes que des voleurs avaient réussi à déplacer
un peu. Dans l'interstice ainsi ménagé, un homme mince, en levant les bras,
pouvait se laisser glisser jusqu'au sol, ce que fit Lauer. A l'intérieur de la
chambre, dans la poussière, il découvrit deux ou trois fragments de côtes et
de sternum et un pied gauche : les plus anciens témoignages de la momification en Egypte. Le pied était enveloppé dans un linge qui, imprégné de
matériel résineux, avait durci : lorsqu'on enleva les couches superficielles des
bandes, on découvrit, moulée dans la toile, la forme des tendons sur le dos
des orteils. C'est, en effet, le procédé qui était utilisé sous l'Ancien Empire :
l'embaumement étant imparfait, on modelait sur le cadavre un linge imbibé
de résine chaude et on réalisait en quelque sorte une empreinte du corps.
Ces linges étaient pressés sur les reliefs du visage dont ils épousaient si parfaitement les contours que, devant une momie de la VIe Dynastie, les observateurs crurent qu'il n'y avait pas de bandelettes et pensèrent se trouver
directement devant le corps. On soulignait aussi avec soin les seins et leurs
mamelons et les organes génitaux.

Ramsès II, fils de Séthi Ier, régna plus de soixante ans. Grand bâtisseur, «les monuments répètent son nom à profusion». Sa momie révéla un homme de 1,72 m, bien conformé, parfaitement symétrique. La tête est allongée, petite par rapport au corps…» Maspéro. Musée du Caire. *Photo Hachette.*

Avant Lauer, un homme avait cependant pénétré dans le caveau, en 1926, un nommé Battiscombe Gunn et il en avait retiré une partie de colonne vertébrale ainsi qu'un morceau de bassin qu'il déposa au Musée du Caire. Il avait hésité, alors, à les attribuer à Djeser mais leur confrontation avec la découverte récente permit d'affirmer que le tout provenait d'un seul corps, celui d'un homme de constitution robuste et mort à un âge assez avancé.

Où étaient donc passées les parties manquantes au puzzle de notre pharaon? En 1821, Von Minutoli et Ségato avaient trouvé, non pas dans la chambre funéraire mais dans un couloir d'accès, les restes d'une précieuse momie qu'ils emportèrent mais qui furent perdus à jamais dans un naufrage. Il est possible que ce morceau de momie découvert dans un couloir ait appartenu à Djeser que des voleurs avaient brisé et traîné là pour le dépouiller plus à leur aise. Il est rare qu'un cadavre ait ainsi, par fragments, trois destinées à la fois: perdu en mer, conservé dans un musée et laissé dans sa tombe.

Dedkarê-Isesi, avant-dernier pharaon de la Ve Dynastie, dont l'Histoire a seulement retenu qu'il mena une expédition en Nubie, fut retrouvé en bien mauvais état dans la chambre funéraire ménagée au cœur de sa pyramide à Saqqarah. Il n'en restait plus que la moitié gauche du visage et du corps, encore dans cette moitié manquait-il quelques os. Mais des lambeaux de peau et de muscles attachés au squelette prouvaient que l'on avait tenté d'embaumer le roi. D'ailleurs, des viscères enveloppés reposaient dans une petite fosse creusée dans la chambre: les vases canopes qui les contenaient avaient été brisés. La tombe paraissait inviolée, fermée par un bloc de granit de plusieurs tonnes, mais les pillards s'étaient frayé une voie d'accès jusqu'au caveau par un tunnel étroit et tortueux qui cheminait au sein même de la pyramide.

Ounas terminait la Ve Dynastie et se faisait enterrer lui aussi dans une petite pyramide à Saqqarah. Les voleurs ne l'épargnèrent pas plus que son prédécesseur et ne laissèrent de lui qu'un avant-bras gauche avec sa main, en excellent état d'ailleurs, et deux os du crâne recouverts de leurs cheveux.

Nous n'avons plus ensuite aucune trace de momie royale jusqu'à la XIe Dynastie où nous retrouvons les corps des deux grandes épouses de Mentouhotep II: Ashayt et Henhenet, embaumées par injection d'huile de cèdre dans le rectum.

Puis il faut attendre la fin de la XVIe Dynastie pour rencontrer la momie de Sekenenrê-Taâ, surnommé le brave. Le pays traversait alors une des périodes les plus critiques de son histoire. Les Egyptiens n'étaient pas près d'oublier la cruelle blessure d'amour-propre que leur avait infligée l'invasion des Hyksos un siècle et demi auparavant. Ces envahisseurs étrangers, pro-

bablement des Sémites, eux-mêmes refoulés vers l'ouest par l'invasion
aryenne du Moyen-Orient au deuxième millénaire, avaient pris pied solidement dans le Delta et y avaient installé leurs propres rois. En Haute Egypte
se maintenait une dynastie de rois Thébains qui réunifiaient les provinces du
Sud. Il semble bien que la reconquête de l'Egypte fut entreprise par ce
Sekenenrê-Taâ, poursuivie par son fils Kamès et achevée par le successeur
et frère de ce dernier, Ahmosis avec qui débutera la XVIIIᵉ Dynastie. Sekenenrê
mourut de mort violente, assassiné, pour certains, après une conjuration de
palais, ou, pour la plupart, tué dans un combat contre les Hyksos. Sa mort
sur le champ de bataille explique les négligences de sa momification qui fut
faite sur place, à la hâte, avec un matériel de fortune : le cerveau ne fut pas
enlevé ; il n'est même pas sûr que le corps ait été traité au natron et, s'il le
fut, le traitement fut insuffisant. La décomposition du cadavre était déjà largement entamée quand on l'embauma ; les côtes et les vertèbres, prises dans
un bandelettage trop serré, sont fracturées et disloquées, les membres désar-
ticulés. Tous les chercheurs qui ont étudié ce pharaon ont été frappés par
l'odeur nauséabonde qui s'en dégagea ; Sekenenrê-Taâ était un bel homme,
grand, élancé, doté d'une puissante musculature ; des cheveux noirs et frisés
encadraient une tête petite et allongée ; les dents sont en bon état. Il n'avait
pas plus de quarante ans. Le crâne et la face portent six blessures profondes.
Une première, en plein front, a enfoncé une esquille d'os jusqu'au contact
des méninges : le cuir chevelu rétracté autour de la plaie indique que le coup
a été porté alors que le roi était encore en vie. Une deuxième a fracturé le
rebord orbitaire droit et une troisième, l'os de la pommette droite. C'est une
hache de guerre qui a asséné ces trois premiers coups. La quatrième blessure,
une fracture des os du nez, peut être due à un coup de bâton ou de manche
de hache ; une cinquième a fait éclater la peau de la joue gauche et a endom-
magé la pommette. La sixième fut occasionnée par un instrument pointu,
pique, lance ou javelot qui pénétra sous l'oreille gauche, fit éclater la mastoïde
et vint se ficher dans la première vertèbre du cou. Sekenenrê-Taâ est donc
mort au combat. Deux agresseurs, au moins, se sont acharnés sur lui, l'un
porteur de l'arme pointue, l'autre d'un instrument contondant. L'absence de
lésion sur les bras ou sur le reste du corps prouve qu'il n'y a pas eu la
moindre résistance. Le roi aurait-il été massacré pendant son sommeil ? Il
est plus probable qu'une pointe de flèche ou un javelot l'a d'abord atteint sous
l'oreille gauche ; gravement blessé, il tombe à terre, les ennemis se ruent alors
sur lui et l'achèvent à coups de hache (pl. I). L'armée égyptienne remporta sans
doute la victoire puisque le corps du roi put être enlevé du terrain et même
embaumé.

   Les fils de Sekenenrê-Taâ poursuivirent la lutte contre l'envahisseur.
Ouadjkeperrê-Kamès, encore appelé Kamose, se plaignait un jour, devant

ses courtisans, de devoir partager son empire entre un roi nègre qui dirigeait la Nubie, dans le Sud, et un asiatique, maître du Delta. Memphis, l'ancienne cité royale et Hermopolis, la ville sainte, étaient aux mains des étrangers. Il entraîna alors son armée dans une guerre contre les Hyksos dont il sortit vainqueur après s'être avancé jusqu'à Neferousi, au nord d'Hermopolis. Peu de temps après, il disparut brusquement dans des circonstances que l'on n'a pas éclaircies car sa momie, encore moins soignée que celle de son père, tomba en poussière dès qu'on la sortit de sa cachette.

Son frère Ahmosis reprit le flambeau et chassa définitivement les Hyksos après s'être emparé de leur capitale, Avaris. Ce tournant majeur dans l'histoire de l'Egypte marque en même temps l'avènement de la XVIIIᵉ Dynastie et le début du Nouvel Empire. La reconquête de la Nubie suivit celle du Delta et les royaumes de Haute et de Basse Egypte furent à nouveau réunis après deux cents ans d'occupation. Les radiographies de la momie d'Ahmosis révélèrent un rhumatisme dégénératif de la colonne et une arthrose assez évoluée des genoux qui dut le faire souffrir vers la fin de sa vie et rend peu probable sa participation directe aux combats. Le procédé d'excérébration utilisé pour son embaumement est peu traditionnel : le nez est resté intact car l'opérateur, à travers une incision latérale du cou, a enlevé la première vertèbre et extirpé le cerveau par le trou occipital ainsi dégagé. Assez curieusement, ce pharaon n'avait pas été circoncis : de multiples explications ont été proposées telles qu'une origine étrangère des fondateurs de la XVIIIᵉ Dynastie ou une affection rendant le geste chirurgical dangereux, comme l'hémophilie : aucun fait ou document n'étaye l'une ou l'autre de ces hypothèses.

Ahmosis épousa sa sœur Nefertari, qui joua un rôle politique important et à qui l'on voua, après sa mort, un véritable culte. La radiographie de sa mâchoire montre le même type de dentition que celui de sa grand-mère Tetisheri, la mère de Sekenenrê-Taâ, celle dont est issue la lignée des pharaons de la XVIIIᵉ Dynastie : une forte protrusion du maxillaire supérieur avec des incisives projetées en avant et l'absence d'éruption des dents de sagesse inférieures sont communes aux deux femmes et seront retrouvées chez nombre de leurs descendants.

La momie de Sit-Amon, sa sœur, également ensevelie dans la cachette de Deir-el-Bahari, avait été malmenée par les pillards. Elle fut restaurée plus tardivement, mais il n'en restait que des os épars que l'on assembla tant bien que mal autour d'une botte de roseaux sur laquelle on jucha le crâne puis on bandeletta le tout.

De l'union d'Ahmosis et de Nefertari naquit un fils qui montera sur le trône sous le nom d'Aménophis Iᵉʳ. Il dut remettre de l'ordre en Nubie ; son père ayant repoussé les limites de l'Egypte jusqu'à la Palestine, il les recula encore jusqu'à l'Euphrate. Sa momie, restaurée à la XXIe Dynastie, avait été si bien bandelettée par les prêtres d'Amon que Smith n'osa pas la démailloter et que, de toutes les momies royales, elle est la seule à n'avoir pas été déroulée. Derry en avait tiré des radiographies en 1934 et avait conclu que l'homme avait de quarante à cinquante ans au moment de sa mort. La main droite, arrachée par les voleurs, avait été placée sur l'abdomen : les deux pieds avaient été également brusquement détachés. La Michigan Expedition réexamina le corps d'Aménophis Ier en 1974 : le petit bouquet de delphiniums que les prêtres avaient pieusement déposé sur la momie répandait encore une fine odeur lorsqu'on ouvrit la vitrine.

Ce roi avait épousé une de ses sœurs, Ahmosis-Meryet-Amon, non pour sa beauté car une scoliose sévère la rendait quelque peu difforme, mais pour ne pas rompre avec la tradition. Elle mourut jeune, vers la trentaine, et ne mit au monde que des filles qui ne pouvaient prétendre au pouvoir. C'est donc un bâtard qui monta ensuite sur le trône sous le nom de Thoutmosis Ier, grâce à son mariage avec sa demi-sœur Ahmose, fille légitime du roi. Il mata deux révoltes dans les régions récemment conquises, en Nubie et sur les bords de l'Euphrate ; on lui doit aussi l'agrandissement colossal du temple de Karnak. La chronologie assigne à Thoutmosis Ier un règne d'une dizaine d'années, de 1530 à 1520 et les textes permettent d'établir son décès vers l'âge de cinquante ans. Or, la momie découverte à Deir-el-Bahari, rebandelettée par les prêtres de la XXIe Dynastie et étiquetée au nom de Thoutmosis Ier est, en réalité, celle d'un jeune homme qui n'a pas dépassé dix-huit ans et dont la croissance n'est pas terminée : les radiographies prises par Harris et Weeks en apportent la preuve indiscutable. Dans le cas présent, l'anthropologie doit s'incliner devant l'histoire car la chronologie est suffisamment assurée. La momie que l'on croyait être celle de Thoutmosis Ier est celle d'un inconnu et nul ne sait ce qu'est devenu ce pharaon.

Comme il ne laissait que des filles légitimes, c'est encore un bâtard qui prit le pouvoir sous le nom de Thoutmosis II en épousant sa demi-sœur, Hatchepsout, fille légitime de Thoutmosis Ier. Les frontières de l'Egypte étaient encore fragiles, car pendant son règne qui se situe entre 1520 et 1505, il dut, lui aussi, mettre de l'ordre en Nubie et en Syrie. Sa momie, tailladée à coups de couteau et de hache par les voleurs en quête de bijoux, était en assez mauvais état quand on la découvrit. Thoutmosis II, comme Ahmosis, était incirconcis. Le visage émacié est celui d'un homme qui dut souffrir d'une longue maladie avant de mourir vers la trentaine (pl. II).

L'héritier du pouvoir paraissait être cette fois, sans discussion, un fils légitime, Thoutmosis III mais comme il était trop jeune pour régner efficacement à la mort de son père, Hatchepsout se fit nommer régente. Un écrit de l'époque ne laisse aucun doute à cet égard : « Thoutmosis II monta au ciel en triomphe et se confondit avec les dieux. Son fils prit sa place comme roi du Double Pays et devint le chef sur le trône de celui qui l'avait engendré. Sa sœur (en réalité sa tante), la divine épouse Hatchepsout, dirigeait les affaires du pays selon sa propre volonté. » Mais rapidement, au bout d'un an ou deux, le nom de Thoutmosis III disparut des actes officiels et on ne trouva plus que celui d'Hatchepsout qui n'hésita pas à se faire proclamer pharaon. Elle s'habilla en homme, se fit représenter affublée de la barbe postiche et adopta toutes les épithètes du protocole royal accolées à son nom à l'exception, toutefois, de celle de « taureau puissant ». Elle mit fin, provisoirement, à la politique de conquête de ses prédécesseurs et se contenta d'expéditions commerciales. Le touriste la connaît surtout par son magnifique temple funéraire qu'elle fit élever à Deir-el-Bahari. Elle gouverna ainsi l'Egypte pendant vingt-deux ans, jusqu'à sa mort en 1483. On n'a pas encore identifié formellement sa momie mais il est très probable que c'est celle d'une femme d'une quarantaine d'années trouvée dans la tombe d'Aménophis II parmi d'autres dépouilles de pharaons. La main gauche, repliée sur la poitrine, tenait sans doute le sceptre royal. Selon Harris et Weeks, le visage offre une forte ressemblance avec celui de Thoutmosis. Avec ses longs cheveux bruns, son front bombé et le nez effilé, celle que l'on avait cataloguée jusque-là comme « momie d'une vieille femme » ne manque pas, en effet, d'un certain air de majesté (pl. III).

Trop longtemps humilié par l'usurpatrice, Thoutmosis III s'empressa, dès son avènement, de faire marteler le nom d'Hatchepsout sur tous les monuments et de le remplacer par celui de son père, de son grand-père et par le sien propre. Son règne, qui prit fin en 1450, fut un des plus glorieux que l'Egypte ait connus. Grand bâtisseur à l'intérieur du pays, il mena à l'extérieur dix-sept campagnes, presque une par an : ses arrières assurés par la pacification de la Nubie, il combattit surtout en Asie Mineure contre le royaume du Mitanni. Jamais l'empire ne sera aussi étendu et aussi puissant qu'à sa mort en 1450. Pour grand qu'il fut, Thoutmosis III n'échappa pas plus aux pillards que ses prédécesseurs et sa momie, dépouillée dès l'Antiquité, brisée en trois fragments, dut être restaurée. Comme les morceaux ballottaient, les prêtres qui le rebandelettèrent mirent, en guise d'éclisses, quatre petites rames de navire en bois, peintes en blanc, trois à l'intérieur du maillot et une à l'extérieur. Thoutmosis III était d'assez petite taille et de corpulence moyenne. C'est pour lui que les embaumeurs avaient inauguré une nouvelle technique d'éviscération : l'incision de flanc, au lieu d'être verticale, suivait parallèlement le pli de l'aine.

Pour lui éviter les déboires qu'il avait lui-même connus au début de son règne, il avait élevé son fils légitime à la corégence, deux ans avant sa mort, de sorte que celui-ci put monter sur le trône sans encombre: il y demeura de 1450 à 1425 sous le nom d'Aménophis II. Doué d'une force peu commune, il était expert dans le maniement des armes, archer puissant, fin cavalier et ne craignait pas, sur son propre bateau, de manier la rame. Assez vantard, il faisait proclamer ses prouesses athlétiques à qui voulait l'entendre. C'est encore en Syrie que le pharaon mena la plupart de ses entreprises mais, contrairement à son père, son naturel cruel ne le portait pas à la clémence. On le vit s'enorgueillir d'avoir tué à coups de massue, de sa main, et traîné derrière son char sept chefs syriens rebelles qu'il avait fait prisonniers. A sa mort, il n'était guère âgé de plus de quarante-cinq ans. Son crâne et sa dentition sont tout à fait semblables à ceux de son père; il avait été circoncis. On a retrouvé sur le cou, les épaules, le thorax et l'abdomen de sa momie, de petits nodules dont, faute d'un examen sous le microscope, on n'a pu faire encore un diagnostic précis.

Thoutmosis IV lui succéda sans difficulté; cependant, il n'est pas certain qu'il fut son fils et, en tout cas, pas son fils aîné. Comment expliquer autrement le songe par lequel il chercha à se faire valoir et à asseoir ses droits à la couronne: un jour après avoir chassé le lion dans le désert, alors qu'il se reposait à l'ombre du grand Sphinx, déjà très ensablé, le dieu solaire lui apparut en rêve et lui promit la royauté s'il s'engageait à désensabler sa statue, ce qu'il fit dès son avènement. Une stèle gravée entre les pattes du dieu l'atteste encore. Les expéditions punitives n'étaient plus alors de mise. Le monde oriental était pacifié et le royaume du Mitanni, à l'est de l'Euphrate, loin de s'opposer à l'Egypte, cherchait à contracter avec elle une alliance contre les Hittites du plateau anatolien qui commençaient à se faire menaçants. Une entente fut conclue et renforcée par le mariage de Thoutmosis IV avec une princesse mitannienne qui fut peut-être la mère d'Aménophis III. Est-ce son sang aryen qui aurait été responsable de l'indolence de ce dernier? La momie de Thoutmosis IV, plus émaciée que ne le voudrait la déshydratation, suggère qu'une maladie grave emporta le pharaon entre trente et quarante ans. Les bras croisés sur la poitrine, les doigts repliés ayant enserré les spectres royaux, les ongles soignés pourraient indiquer un embaumement méticuleux mais l'incision de flanc, très longue et très grossière, témoigne plutôt d'un travail fait à la hâte, à peine digne d'un professionnel (pl. IV).

En 1408, c'est donc son fils Aménophis III qui prit le pouvoir. Souverain fastueux, il se fit connaître surtout par ses chasses au lion et son goût pour les princesses étrangères dont il sollicitait la main au Mitanni et jusqu'à

Babylone. Il serait injuste de méconnaître ce que les arts doivent à son règne, tant dans le raffinement des reliefs que dans le gigantisme de la construction : les colosses de Memnon sont là pour le rappeler. C'est aussi l'époque où l'on voit poindre l'hérésie religieuse qui éclatera sous son fils. C'est surtout le moment où les alliances, qui auraient dû être solidement maintenues aux confins orientaux, commencent à se relâcher et où les Hittites, avides de conquêtes et désireux d'annexer le Mitanni, forment une coalition en Syrie. L'empire que les fondateurs de la XVIIIe Dynastie avaient créé à grand-peine fait entendre ses premiers craquements.

Aménophis III ne laissa pas le souvenir d'un souverain glorieux mais plutôt celui d'un être faible, entièrement dominé par sa femme Tiyi. Il ne fit preuve de caractère qu'en une seule circonstance, lorsqu'il imposa son mariage avec cette roturière. La tradition voulait, en effet, que la grande épouse royale fût toujours fille de pharaon d'où la règle bien établie qui voulait que le roi épousât sa sœur. Lors des relations entre époux, c'était le dieu Amon qui fécondait l'épouse par la personne du pharaon interposée, marquant ainsi la descendance de son empreinte divine. Pouvait-on imaginer Amon s'accouplant à une fille de petite noblesse ? Quelle serait alors la légitimité des enfants issus d'une telle union ? Le clergé gronda mais se soumit et l'empire de Tiyi sur son époux alla grandissant. Après la découverte de la cachette de Deir-el-Bahari, on crut tenir la momie d'Aménophis III. Toutefois, un autre nom inscrit sur le coffre à côté du sien, laissait planer quelque doute quant à son identité. Ce doute disparut quand on comprit comment le corps avait été embaumé : les membres avaient été modelés grâce à des paquets de boue insérés sous la peau. Cette méthode n'étant en aucun cas apparue avant la XXIe Dynastie, la momie ne pouvait être celle d'Aménophis III sur le sort duquel nous resterons toujours dans l'ignorance. On n'a pas davantage retrouvé la momie de la reine Tiyi mais les dépouilles de ses parents, Youya et Thouya, sont parmi les mieux conservées que l'on connaisse. Thouya, la mère, semble un peu décharnée et le nez a été aplati par les bandelettes ; mais le père, Youya, les paupières closes, paraît dormir : le nez fort et busqué, la lèvre un peu dédaigneuse, les longs cheveux blonds et bouclés ne sont pas ceux d'un homme de basse extraction. En même temps que haut fonctionnaire d'Amon, il était « prophète de Min » et « préposé aux bœufs de Min » ainsi que « lieutenant général de la charrerie ». Le mariage de sa fille lui conféra encore le titre de « Divin père ». Thouya et Youya étaient d'origine nubienne.

De l'union d'Aménophis III et de Tiyi naquirent plusieurs enfants dont Aménophis IV, Semenkhkarê et Toutankhamon. Nous ne parlerons guère ici d'Aménophis IV puisque sa momie ne fut pas retrouvée. Un livre ne suffirait pas à appréhender tous les aspects de ce personnage hors du commun qui, moitié par mysticisme, moitié pour des raisons politiques, remplaça le culte d'Amon et celui des dieux locaux par l'adoration de l'unique dieu solaire Aton et adopta, ce faisant, le nom d'Akhnaton. L'art égyptien reçut sous son règne une impulsion remarquable mais, tout occupé par sa réforme religieuse, Akhnaton laissa s'effondrer l'empire égyptien d'Asie : la perte des ports phéniciens ne semble pas l'avoir préoccupé outre mesure non plus que les révoltes des Bédouins en Palestine ; les Hittites écrasèrent le royaume du Mitanni et conquirent une place prépondérante au Moyen-Orient. Pendant ce temps, Akhnaton bâtissait sa nouvelle capitale, Akhet-Aton, et la révolte du clergé d'Amon évincé se préparait en sous-main. C'en était fini de la grandeur de l'Egypte.

Akhnaton épousa Néfertiti et rien n'est plus charmant, dans les représentations de l'art égyptien, que ce couple royal faisant sauter sur les genoux les jeunes princesses. Et cependant, Akhnaton avait un frère ou demi-frère, Semenkhkarê à qui il accorda la corégence vers la fin de sa vie ; l'amitié très étroite qui liait les deux hommes paraît singulièrement trouble. Semenkhkarê ne régna qu'un an après la mort d'Akhnaton. Sa momie, déposée dans un sarcophage au nom de Tiyi, fut d'abord prise pour celle de cette reine, d'autant plus que les os du bassin, fort larges, renforçaient cette interprétation ; bien plus, le bras gauche replié sur la poitrine et le bras droit étendu le long du corps simulaient l'attitude dans laquelle on bandelettait les épouses royales. Ce dernier trait ne manque pas d'ailleurs d'intriguer. Puis un nouvel examen attribua les restes au pharaon hérétique lui-même, mais l'âge osseux de vingt à vingt-cinq ans était incompatible avec la durée du règne d'Akhnaton. C'est finalement Semenkhkarê que chacun s'accorde à reconnaître aujourd'hui dans cette momie. Une reconstitution plastique du visage fut tentée à partir des os de la face : elle aboutit à un portrait très semblable à celui du masque d'or de Toutankhamon dont Semenkhkarê était le frère. Enfin, l'implantation des dents est bien celle de Thoutmosis.

Qu'est donc devenu le corps d'Akhnaton ? Il est fort probable que quelques années après sa mort, au moment où fut rétabli le culte d'Amon, les prêtres de ce dieu se vengèrent cruellement en réduisant à néant celui qui leur avait infligé une si lourde humiliation. Cette hypothèse est d'autant plus vraisemblable que, partout où ils le purent, ils martelèrent le nom du pharaon, le pourchassant de leur haine dans le moindre monument et ne laissèrent pas pierre sur pierre de la cité nouvelle qu'il avait créée en plein désert.

Après la disparition prématurée de Semenkhkarê, le pouvoir revint à Toutankhamon qui s'appelait encore, à cette époque, Toutankhaton. Il était gendre d'Akhnaton par son mariage avec une de ses filles, la princesse Ankhesenpaaton. Ce pharaon, qui ne doit sa notoriété posthume qu'à la splendeur de son mobilier funéraire inviolé, ne régna que neuf ans, si l'on peut appeler régner la conduite des affaires par un enfant qui mourut entre dix-huit et vingt ans. C'est vers l'âge de treize ans, trois ans après son accession au trône, qu'il regagna Thèbes, l'ancienne capitale et que le culte d'Amon redevint officiellement religion d'Etat: il prit alors le nom de Toutankhamon. Bien que troublée par les archéologues et les milliers de visiteurs, sa momie repose toujours dans sa sépulture de la Vallée des Rois. C'est une des plus desséchées que l'on connaisse: il n'y a pas trois millimètres d'épaisseur entre la peau et l'os de la cuisse. On ne comprend pas encore pourquoi son crâne fut rasé après la mort comme celui des grands prêtres alors que les pharaons étaient toujours embaumés avec leur chevelure intacte. Bien que sa joue gauche porte une blessure, il n'est pas possible de dire si Toutankhamon est mort de maladie ou s'il périt assassiné. Cependant, sa constitution frêle fait penser à quelque prédisposition morbide que l'on doit rapprocher de la mort prématurée de ses deux frères, Akhnaton et, surtout, Semenkhkarê. 1343 fut vraisemblablement l'année de son décès mais il est beaucoup plus facile d'en préciser le mois. Des bleuets et des mandragores avaient été déposés dans sa tombe et l'on sait qu'en Egypte les premiers fleurissent et les seconds arrivent à maturité aux mois de mars et avril; compte tenu des soixante-dix jours rituels de l'embaumement, c'est en janvier 1343 av. J.-C. que Toutankhamon rendit l'âme.

A peine avait-elle clos les yeux de son mari que sa veuve Ankhesenamon dépêcha une ambassade au pays des Hittites avec mission de lui ramener un nouvel époux en la personne d'un prince de ce royaume. Après avoir hésité, le roi Souppilouliouma lui envoya un de ses fils pour monter sur le trône d'Egypte. Mais le général en chef, Horemheb, convoitant pour lui le pouvoir, fit assassiner l'étranger en chemin, ce qui ne manqua pas de réveiller la querelle entre les Hittites et l'Egypte.

Pendant quatre ans, c'est le grand-père d'Ankhesenamon, Ay, le père de Néfertiti, qui fut régent, peut-être après avoir épousé sa petite-fille.

A la mort de Ay, Horemheb prit en main la direction du royaume et se fit proclamer pharaon. Il effaça toute trace de l'hérésie atonienne, rendit aux prêtres d'Amon les prérogatives dont ils avaient été dépouillés et réorganisa le pays où chaque fonctionnaire, petit ou grand, s'était approprié une part d'autorité. La dégénérescence de la lignée des Thoutmosis avait permis à cet usurpateur de prendre le contrôle de l'Egypte et d'amorcer la restauration de sa grandeur. Ainsi va pouvoir commencer la XIXe Dynastie qui, plus encore que la précédente, débutera de façon brillante et finira lamentablement. On n'a jamais trouvé trace des momies d'Ankhesenamon, d'Ay ni de Horemheb.

Un certain Paramsès, plus connu sous le nom de Ramsès Ier, associé au pouvoir par Horemheb dans les dernières années de sa vie, ceignit à son tour la couronne. Il était, lui aussi, avant son avènement, un militaire «chef des archers, chef de la charrerie, chef de la forteresse, chef des bouches du Nil, écuyer du roi, messager du roi dans tous les pays étrangers, scribe royal chargé de recruter les archers, chef de l'infanterie du maître du Double Pays, chef des prophètes de tous les dieux, lieutenant de Haute et Basse Egypte, chef des juges, vizir et chef des grandes maisons» ; il pouvait, s'il n'était pas de lignée royale, gouverner le pays à plus d'un titre avec un tel palmarès. Son règne dura un an et quatre mois et ne laissa pas grand souvenir. Ramsès Ier mourut assez âgé. C'était un homme de grande taille, aux cheveux courts, aux muscles développés. Les traits du visage étaient endommagés mais le corps avait été bien momifié.

Sa meilleure contribution à la gloire de l'Egypte, ce fut son fils, Séthi Ier, qui monta sur le trône en 1312. Les changements de règne s'accompagnaient habituellement de révoltes aux frontières et l'avènement du nouveau roi fut salué par un soulèvement des Bédouins d'Asie. Séthi Ier, souverain efficace, dut entreprendre à son tour de nombreuses campagnes pour pacifier les provinces d'Orient mais la Syrie resta sous la domination hittite. Maspéro, qui découvrit la momie du roi et la débandeletta en 1886, déclare qu'elle était intacte. Le corps, admirablement conservé, est d'une taille moyenne (1,66 m) ; seule la région ombilicale a été enfoncée pendant l'embaument. Les parties génitales tranchées ont été momifiées à part. Bien que le cou ait été brisé, le visage est presque celui d'un homme vivant, étonnant de grandeur et de sérénité. Les cheveux et la barbe ont été rasés de près. Le lobe de l'oreille, percé, portait un pendentif qui a été arraché par des voleurs. Les bras sont croisés sur la poitrine, dans l'attitude classique, mais les mains, curieusement restées ouvertes et appliquées sur les épaules, n'avaient pu tenir les sceptres, emblèmes de la royauté (pl. V).

Sans la moindre difficulté, après quelques années de gouvernement commun, Ramsès II succéda à son père en 1298 pour un règne de soixante-sept ans. Les monuments répètent son nom à profusion, car, non content d'être un grand bâtisseur, il s'appropria l'œuvre de ses prédécesseurs en faisant marteler leurs cartouches pour les remplacer par les siens propres. Après des expéditions au Soudan et en Libye, il porta la guerre en Palestine. Pendant ce temps, Mouwattali, le nouveau roi des Hittites, avait rompu le traité d'alliance conclu avec l'Egypte quelques années plus tôt et réuni une coalition de vingt peuples. En l'an cinq de son règne, Ramsès II résolut de briser ce bloc mais il rencontra une armée forte et unie. Le gros de la bataille se situa aux alentours de Kadesh, ville de Syrie sise sur l'Oronte où les troupes égyptiennes évitèrent de peu un désastre. Ramsès II, grâce surtout à son courage personnel et un peu avec l'aide bienveillante du dieu Amon, parvint à regrouper son armée et à remporter une victoire relative. Afin que nul n'en ignore, le récit en sera gravé et illustré sur un pylône du temple de Louxor. Le poème épique, dont on mettra en doute la vérité historique, raconte que, seul au milieu des ennemis, le pharaon réussit à mettre en fuite vingt-cinq mille chars. Ainsi va le destin des peuples, que l'ennemi d'hier devient l'ami d'aujourd'hui : les Hittites, menacés à leur tour par les Assyriens, signèrent la paix avec l'Egypte et conclurent à nouveau avec elle, en 1278, un pacte d'assistance mutuelle. Pour sceller la nouvelle entente, une princesse hittite vint se perdre dans le harem fourni de Ramsès II.

Nous ne reviendrons pas sur l'aspect extérieur de l'impressionnante momie du plus âgé des pharaons, abondamment décrite au chapitre précédent (pl. VI). Les radiographies de sa dentition montrent une grande ressemblance avec celle de son père; par ailleurs, comme on peut s'y attendre chez un homme de quatre-vingt-dix ans et, surtout, à cette époque, l'usure est considérable et des abcès ont creusé le maxillaire autour des racines. La fin de sa vie fut aussi affectée par une boiterie douloureuse occasionnée par une arthrose de la hanche droite.

Sur les cent fils qu'il eut de ses nombreuses épouses, vingt seulement lui survécurent et c'est le trentième dans l'ordre des naissances, Mineptah, qui lui succéda sur le trône en 1235. La situation intérieure dont celui-ci avait hérité était assez précaire. Les finances n'étaient pas florissantes. Le peu de monuments construits sous son règne en est une preuve, encore furent-ils érigés, pour la plupart, avec des blocs prélevés sur des constructions d'Aménophis III. A l'extérieur, la position de l'Egypte n'était guère plus favorable. Mineptah dut faire face à une invasion des Libyens que la pauvreté de leur pays poussait à convoiter les riches terres du Delta. Il parvint à les repousser à la bataille de Per-ir où il fit neuf mille prisonniers. La légende veut surtout que Mineptah fut le pharaon de l'Exode qui chassa d'Egypte les Israélites conduits par Moïse. Elle s'appuie sur un seul document, la stèle dite d'Israël: «Canaan est dévastée, Askalon est dépouillé, Gézer est ruiné, Yénoam est réduit à rien. Israël est désolé et sa race n'existe plus, la région de Kharou est devenue une veuve pour l'Egypte; tous les pays sont unifiés et pacifiés.» Il n'est nullement question, dans ce texte, d'une poursuite des Hébreux; on a plutôt l'impression qu'ils étaient déjà revenus dans leur pays et que les Egyptiens auraient entrepris une expédition punitive pour y mater leur révolte. Ainsi, le peuple juif aurait fait son Exode avant le règne de Mineptah, sous Ramsès II et peut-être même sous Séthi Ier. Monté sur le trône à l'âge de cinquante ans, Mineptah le quitta à l'âge de soixante-dix ans. On ne sait s'il mourut de mort naturelle ou s'il fut assassiné, car les chercheurs épiloguent encore sur le sens à donner à une brèche osseuse de la région de la nuque: fracture *post mortem* ou blessure ayant entraîné la mort. C'était un homme assez corpulent, chauve, atteint d'une grave arthrose des vertèbres cervicales; l'aorte et les artères de la cuisse sont le siège de larges plaques d'artériosclérose. Comme Séthi Ier, il avait été castré par les embaumeurs. Les importantes plaques blanchâtres qui parsèment son visage ont été hâtivement interprétées par certains comme des dépôts de sel. A la lumière de ce fait, il devenait facile de reconstituer l'histoire : le pharaon, à la poursuite des Hébreux, fut englouti dans la mer Rouge, comme le voulait la Bible. Hélas! Nous avons vu que les documents historiques n'étayent pas cette hypothèse non plus que l'analyse chimique qui ne retrouva pas de sel sur la peau de Mineptah : les plaques blanchâtres n'étaient qu'un artefact d'embaumement (pl. VII).

Après un interrègne de quelques années pendant lesquelles se succédèrent deux usurpateurs : Amenmès puis Mineptah-Siptah, un roi légitime reconquit enfin le pouvoir, Séthi II. Le principal souvenir qu'il ait laissé d'un règne de six ans est sa momie dont la tête et les bras furent brisés par des voleurs. Il ne souffrit pas des dents mais sa hanche droite était le siège d'une arthrose.

On n'en sait pas davantage sur son successeur, sans doute son fils légitime, Ramsès-Siptah, qui monta sur le trône vers 1205 et mourut au bout de quelques années, probablement assez jeune, entre 20 et 30 ans. Sa momie, dont un avant-bras avait été brisé par des pillards est affectée d'une curieuse déformation du membre inférieur droit qui est raccourci dans son ensemble, atrophié et se termine par un pied bot : Siptah avait été atteint dans son enfance par la poliomyélite.

Il laissa le pays dans un désordre tel qu'un Syrien, Iarsou, parvint à s'emparer du pouvoir pour quelques années. Un sursaut national remit sur le trône un Egyptien, Setnakht, qui rétablit l'ordre et rendit aux prêtres d'Amon les bénéfices dont ils avaient été frustrés. Avec lui commença la XXe Dynastie. Au bout de deux ans, en 1198, c'est à son fils Ramsès III que revint la tâche de poursuivre son œuvre de réorganisation. Il s'en acquitta brillamment et l'Egypte connut à nouveau la prospérité. Celle-ci fut toute relative car les monuments qu'il érigea n'égalent ni en nombre, ni en qualité, ni en dimensions ceux construits par Ramsès II. La vantardise semble être devenue un défaut royal depuis Aménophis II. Ramsès III ne cessait de se décerner des éloges : « J'ai planté le pays d'arbres et de verdure et fait en sorte que le peuple puisse s'asseoir à leur ombre ; j'ai fait que les femmes égyptiennes puissent voyager librement où elles voulaient et aucun étranger ou qui que ce fut ne les dérangeât sur leur chemin. J'ai permis à l'infanterie et aux chars de se reposer pendant mon règne... » La dernière affirmation ne peut s'appliquer qu'aux ultimes années de son pouvoir car les onze premières furent occupées par des campagnes contre les Indo-Européens qui menaçaient l'Egypte par l'est et par la Libye. Il dut même repousser la flotte d'invasion des « Peuples de la Mer » devant les côtes du Delta. Que signifient aussi les multiples grèves qui éclatèrent de son temps sinon que le peuple, mécontent, réclamait autre chose que les témoignages de satisfaction que s'attribuait le roi ? L'examen de son corps ne permet pas de décider s'il mourut assassiné mais la lecture du procès qui suivit la «conjuration du harem» destinée à le faire périr laisse peu de doute à ce sujet : «Et maintenant, je vous dis, en toute vérité, à propos de ceux qui ont commis le crime : que le crime dont ils se sont rendus coupables retombe sur leurs propres têtes. Pour moi, je suis protégé et défendu à tout jamais car je suis parmi les rois justifiés qui se tiennent devant Amon-Rè, roi des dieux, et devant Osiris, maître de l'éternité.» Ces paroles ne purent être prononcées devant le tribunal qu'au nom du roi défunt.

La momie de Ramsès III est celle d'un homme de soixante à soixante-cinq ans. Lui aussi avait été émasculé et les parties génitales, embaumées à part, avaient probablement été conservées dans une petite boîte de bois en forme d'Osiris. Le visage, débarrassé de ses bandelettes et de la carapace de résine qui l'encroûtait apparaît comme un masque de cauchemar. Les cheveux, en mèches lisses et droites, ne sont conservés que sur la nuque. Le front est bas, les pommettes peu saillantes. Les paupières ont été arrachées et les yeux bourrés de linges. La bouche, largement fendue et tombante, laisse apercevoir des dents blanches, un peu saillantes, sur lesquelles se retroussent les lèvres minces. Si l'on s'en tient à la description de Maspéro, le visage de la momie donne une idée de l'aspect du roi vivant «une expression peu intelligente, peut-être légèrement bestiale, de la fierté, de l'obstination et un air de majesté souveraine» (pl. VIII).

Au cours des quatre-vingt-trois ans qui suivirent sa mort, sept pharaons se succédèrent qui, sans faire preuve d'originalité, prirent tous le nom de Ramsès en se numérotant de IV à XI. Les troubles intérieurs s'aggravèrent avec, comme à chaque fois que le pouvoir central s'affaiblissait, la rançon de la famine. L'éclat de la royauté terni et la foi religieuse affaiblie, les exactions se multiplièrent et, avec elles, les violations de sépultures dont celles des pharaons. Le pouvoir temporel du clergé d'Amon s'accrut jusqu'à ce que Ramsès XI en destituât le grand prêtre et le remplaçât au bout de quelques mois par un militaire, Heri-Hor. Parmi ces Ramsès qui n'ont pas écrit les plus belles pages de l'histoire de l'Egypte, un certain nombre ont été retrouvés que Harris et Weeks ont pu radiographier.

Ramsès IV, dont l'incision de flanc avait été grossièrement recousue avec une bande de toile torsadée, avait eu l'abdomen bourré de lichen. Ses dents sont en bon état et son nez proéminent pourrait suggérer une parenté avec ses prédécesseurs. La variole, nous l'avons vu, avait profondément marqué le visage de Ramsès V et une hernie inguinale de taille volumineuse avait déformé son scrotum. Pour lui, les embaumeurs avaient abandonné le lichen et utilisé la sciure de bois comme élément de bourrage des cavités. La momie de Ramsès VI avait été tellement endommagée par les pillards que les prêtres de la XXᵉ Dynastie chargés de le remailloter avaient fixé çà et là sur une planche, quelques morceaux de cadavres dont l'assemblage pouvait évoquer une momie: une main de femme figurait même dans ce puzzle macabre. La dentition, modérément usée, permit de fixer l'âge du décès entre quarante et cinquante ans mais le visage avait été si écrasé et taillardé à coups de couteau qu'il est méconnaissable (pl. VIII). Quant à Ramsès IX, sa momie était dans un tel état de décomposition qu'on ne put le débandeletter jusqu'au bout. Avec ces pauvres restes se termina la XXᵉ Dynastie.

Dès lors, l'Egypte se scinda à nouveau en deux royaumes. Au Sud, Heri-Hor, pontife d'Amon, fut rapidement élevé au rang de vice-roi de Nubie et de vizir. Comme il était de surcroît général en chef, il tenait dans sa main toutes les clefs du pouvoir. Le nom de Ramsès XI se fit plus rare et plus petit sur les monuments en même temps que grandissait celui de Heri-Hor, jusqu'au jour où il disparut totalement. Pendant ce temps, au Nord, un roi légitime, Smendès, dont Heri-Hor se reconnaissait d'ailleurs le vassal, tenait le Delta. Heri-Hor avait épousé Ndjmet, la sœur de Ramsès XI, assurant ainsi la légitimité de son pouvoir. On ne sait rien d'elle sinon que son visage, dont l'ovale est enca-dré par des cheveux tressés, ressemble à celui d'une curieuse poupée avec ses yeux artificiels, insérés sous les paupières, à l'iris fendu verticalement comme celui des chats, et ses lèvres charnues. Heri-Hor mourut bientôt, laissant le contrôle de la Haute Egypte, c'est-à-dire le Pontificat d'Amon, à son fils Piankhi. Quant à Smendès, il légua à son fils Psousennès Iᵉʳ, le pouvoir légitime sur toute l'Egypte, au moins dans la titulature car il n'eut jamais, en réalité, que la seule direction de la Basse Egypte. Smendès avait eu, d'un premier mariage avec Tentamon, une fille, la princesse Henattaoui, puis d'un second mariage avec Moutnedjem, son fils Psousennès. Celui-ci épousa sa demi-sœur et en eut une fille, Mâkarê. Piankhi, de son côté, eut un fils, Pinedjem et, comme dans les contes de fées, les enfants se rencontrèrent, se marièrent et firent le bonheur de l'Egypte en la réunifiant. C'était, du moins, le récit que l'on racontait il y a peu d'années encore. Mais les faits historiques de cette époque forment un écheveau singulièrement difficile à démêler et des études récentes ont montré, comme nous le verrons plus loin, que les rapports familiaux de Pinedjem et de Mâkarê étaient d'une tout autre nature.

La momie d'Henattaoui n'est pas une des plus réussies en dépit de l'intro-duction de la nouvelle méthode qui consistait à infiltrer de la boue sous la peau pour remodeler les traits. La bouche avait été bourrée de tampons de natron qui, mélangés à la graisse, avaient gonflé. La boue avait de plus été injectée en trop grande quantité et le visage avait littéralement éclaté: outre de profondes fissures de chaque côté des commissures des lèvres, des déchirures, partant des yeux, font le tour des joues et détachent comme un masque de cartonnage boursouflé. Une perruque de ficelle noire torsadée qui descend s'enrouler jusqu'autour du cou achève de donner à l'ensemble une impression d'irréalité.

De Psousennès Ier, il ne reste qu'un squelette que le docteur Derry a examiné en 1940 : les dents étaient très usées et avaient été le siège d'abcès dont un s'était ouvert dans le palais. De véritable ponts osseux unissant les vertèbres dorsales et lombaires évoquent les lésions que peut entraîner la spondylarthrite ankylosante, rhumatisme inflammatoire fort douloureux, de même que les lésions ankylosantes au niveau du pied. Nous n'avons pas vu ce squelette mais si la description de Derry est exacte, la vie de Psousennès se passa dans des souffrances quotidiennes.

Nous sautons à présent quelques dizaines d'années et quelques règnes pour retrouver dans sa tombe, à Tanis, le roi Sheshonq-Heqa-Kheperrê dont on ne sait rien sinon qu'il ne resta que peu de temps sur le trône. Nous voyons bien ici que tous les procédés d'embaumement ne pouvaient rien si le corps n'était pas enseveli dans un caveau à l'abri de l'humidité : toutes les belles momies proviennent de Haute Egypte et celles qui ont été inhumées dans la région du Delta se sont détériorées. L'eau avait pénétré dans la tombe et même dans le cercueil. L'exiguïté du sépulcre, la faiblesse de l'éclairage et la toufeur de l'air rendirent pénible la tâche des chercheurs. Le bois du cercueil, pourri, était réduit à une poudre brunâtre ; du cadavre momifié du roi, seul restait le squelette que des moisissures et de fines racines végétales avaient envahi et rendu friable ; il n'y avait plus trace de bandelettes mais, par endroits, un morceau de linge moisi indiquait que le corps avait été bandeletté ; un orifice à la base du nez prouvait que le cerveau avait été enlevé par cette voie. De bonne taille, près de 1,70 m, Sheshonq-Heqa-Kheperrê était mort aux alentours de la cinquantaine d'une maladie osseuse du crâne, probablement suivie d'infection septique et de méningite.

L'histoire de l'Egypte va se poursuivre pendant des siècles et des siècles mais, après ce pharaon, nous ne pourrons plus la suivre à travers les momies royales, soit que leurs restes en soient ininterprétables, soit que les corps aient disparu ou n'aient pas encore été découverts.

Les soixante soldats inconnus

Nous allons maintenant emboîter le pas au célèbre archéologue américain Wilkinson dans une curieuse découverte qu'il fit en 1923. Au mois de mars de cette année-là, au cours de fouilles qu'il dirigeait sur le site de Deir-el-Bahari, il fut intrigué par l'aspect qu'offrait le flanc de la colline surplombant le tombeau d'Hatchepsout. Parmi l'alignement régulier des entrées de tombes gigantesques, un manque attirait l'attention : le regard devait se porter plus bas pour deviner l'ouverture d'un tombeau masquée par un éboulement de rochers tombés de la falaise.

C'était l'époque où Howard Carter commençait à vider l'hypogée de Toutankhamon des incroyables richesses accumulées dans ses chambres et tous les chercheurs s'étaient rendus sur les lieux proches pour admirer chaque nouvelle pièce dès sa sortie. Pourquoi Wilkinson, peut-être un peu jaloux de son collègue, n'aurait-il pas fait lui aussi, une trouvaille qui aurait stimulé l'intérêt de son équipe ? Le mystère de la tombe de la colline encore méconnue des archéologues méritait, en tout cas, d'être dévoilé. Un après-midi, il entreprit donc de l'explorer, accompagné seulement de quelques travailleurs arabes ; le chemin était rude pour y parvenir, par une pente raide, au milieu des éboulis. Après avoir déblayé l'entrée des blocs qui l'obstruaient, une déception l'attendait. Au lieu du trésor espéré ou tout au moins d'une tombe inviolée, il n'avait dégagé qu'un charnier où s'empilaient, pêle-mêle, dans une odeur déplaisante, des cadavres disloqués et manifestement pillés. Après un coup d'œil circulaire, il décida que l'on avait inhumé là, en des temps reculés, quelques moines d'un monastère de l'ère chrétienne et referma la tombe, cherchant plus loin le sensationnel qui lui avait échappé.

Cette attitude n'était pas digne d'un archéologue et un homme tel que Wilkinson ne pouvait se satisfaire d'un examen aussi superficiel. Ayant surmonté son désappointement, il revint donc trois ans plus tard à ce tombeau avec l'intention de l'explorer plus complètement. Son idée était que, parmi les bandages déchirés, l'un d'eux serait peut-être marqué d'une inscription propre à fixer au moins l'époque de l'ensevelissement. Il partit donc de bon matin avec un petit groupe d'ouvriers, ayant promis cinq piastres pour chaque marque découverte mais l'espoir d'en trouver était si mince qu'il ne craignait pas de courir à la ruine avec un tel engagement. Soit conscience professionnelle, soit appât du gain, la mission fut fructueuse au-delà de toute espérance. Soixante linges étaient marqués dont vingt-neuf portaient un signe déjà rencontré sur les bandelettes de la reine Aashayt et sur celles des concubines de Nebhepetrê Mentouhotep : l'image schématisée du palais de Mentouhotep accompagnée de l'hiéroglyphe des étoffes répété deux fois (fig. 33). Bien loin

33. *Marques de linges de la tombe des soixante soldats. Le signe du haut représente la façade du palais de Mentouhotep ; les deux signes du bas, les rouleaux de linges.*

d'être un cimetière copte la tombe renfermait une soixantaine de cadavres de la XIe Dynastie.

Cette tombe était composée d'un corridor central coupé de deux couloirs latéraux ; chaque couloir se terminait par une petite chambre haute de un mètre, où les corps n'avaient pu qu'être empilés par rangées de trois. Tous ensevelis en même temps, ils s'étaient en quelque sorte modelés les uns sur les autres : ceux que l'on avait déposés dans la couche inférieure avaient été disloqués par le poids de ceux des couches supérieures. La conservation relative des cadavres tient sans doute à la grande sécheresse des lieux et à l'absence de moisissure car on n'a pas relevé de trace d'incision de flanc : le cerveau et les viscères avaient été laissés en place. Le visage, dont la peau ne s'était pas décomposée, était habituellement intact. Les tendons des membres étaient en bon état et les muscles, épais et solides, avaient conservé leur relief, mais les bras et les jambes gonflés avaient sûrement subi un début de putréfaction. Beaucoup de cadavres avaient du sable sur la peau, dans les cheveux, les yeux et la bouche. Ce n'était pas le sable fin que fait voler le vent des déserts mais un sable grossier, irrégulier, aux grains inégaux, tel qu'on le trouve à l'entrée des vallées. On peut supposer que les hommes avaient été momentanément enfouis dans le sol dont la chaleur sèche avait pu prévenir en partie la décomposition. On peut aussi penser, avec Wilkinson, que le sable avait été utilisé, faute de natron, pour nettoyer les cadavres.

La plupart des momies n'avaient reçu qu'une vingtaine de couches de linges, réalisant une épaisseur d'un centimètre, ainsi réparties : six à sept couches de drap à l'intérieur, puis trois couches de bandelettes, trois à quatre couches de drap, trois nouvelles couches de bandelettes et, enfin, trois à quatre de drap. Deux personnages, plus importants, avaient eu droit à quatre-vingts couches de linges en une épaisseur de cinq centimètres. Comme il n'y avait que deux cercueils dans la tombe, il est vraisemblable qu'ils avaient été destinés à ces deux hommes. Bien entendu, les pillards les en avaient délogés. Ils avaient traîné toutes les momies dans le couloir central et les avaient fendues de la face aux genoux pour y découvrir quelques bijoux. Ils avaient mis un tel acharnement dans cette recherche que dix corps seulement purent être reconstitués avec certitude. Ce pillage prit place vers la XVe Dynastie, pendant la période troublée de la domination des Hyksos ; puis vers 1600, l'éboulement vint cacher l'entrée de la tombe, soustrayant ses occupants aux regards et à la mémoire des générations suivantes. D'ailleurs, un escalier qui adoucissait la raideur de la pente avait initialement été creusé dans la falaise ; il fut détruit par la suite, lors de la construction d'autres tombes car on n'en voyait plus l'utilité.

Quels étaient donc ces inconnus qui avaient le privilège d'être emmaillotés dans des bandelettes royales ? C'étaient soixante soldats de l'armée de

Nebhepetrê Mentouhotep : cinquante-huit hommes et deux officiers, les deux qui avaient eu droit à un traitement de faveur. Tous, solidement bâtis, mesuraient près de 1,70 m et avaient entre trente et quarante ans : leurs caractéristiques morphologiques sont bien celles d'Egyptiens. Quatre d'entre eux avaient déjà pris part à des combats dont ils étaient sortis miraculeusement vivants avant de périr dans cette ultime bataille : il suffit de regarder leurs crânes pour y voir des traces de fractures consolidées, enfoncements du front ou de l'os de la pommette par des coups reçus de face qui parlent en faveur de leur bravoure. Quatre soldats appartenaient au corps des archers : on les reconnaît à une petite pièce de cuir de cinq centimètres de haut qui protégeait le poignet au moment de la détente de la corde (fig. 34).

L'examen attentif des restes va dès lors permettre de reconstituer, avec beaucoup de vraisemblance, un combat qui s'est déroulé voici près de quatre mille ans. Dans une dizaine de corps on a retrouvé des pointes de flèches en ébène telles qu'on les utilisait à la XIᵉ Dynastie. Ces pointes étaient fichées en des endroits variés : membre, tronc ou crâne. Les flèches entières étant récupérées après les combats, et, par conséquent, absentes de la tombe, il est probable que le nombre de soldats tués ou blessés de cette façon dépassait largement la dizaine.

D'autres lésions, portant uniquement sur le crâne et la face, ont été faites par des javelots. Quatorze soldats ont des enfoncements de la boîte crânienne qui peuvent avoir été occasionnés par des pierres tombant d'une grande hauteur. Il n'est pas difficile de concevoir alors des hommes grimpant à l'assaut des murs d'une forteresse, écrasés par des blocs lancés du haut de la muraille. L'hypothèse est encore renforcée par la présence de pointes de

34.   Sur un bras momifié, cette pièce de cuir que portait l'archer pour la protection du poignet.

flèches dans la nuque qui implique une chute verticale de ces flèches et par la très grande fréquence de la localisation des blessures sur le crâne et sur les épaules.

Les traumatismes les plus horribles ont été infligés à quinze soldats dont le crâne et la face ont été véritablement écrasés. Les broiements osseux qui avaient entraîné une mort instantanée peuvent avoir été assenés par une hache au cours de corps à corps violents. Mais on imagine aussi volontiers l'explication suivante : dans le désordre de l'engagement, les assaillants, momentanément en état d'infériorité, doivent reculer précipitamment, abandonnant leurs blessés sur le terrain ; les assiégés tentent une sortie et massacrent sauvagement ceux qui se traînent sans possibilité de défense. Le coup de grâce, assené à la volée le plus souvent sur la joue gauche ou sur le côté gauche du crâne, donc par des tueurs droitiers, évoque fâcheusement certaines représentations où l'on voit le pharaon, saisissant un prisonnier par les cheveux, le menacer de sa masse d'armes (fig. 35).

Six soldats sont restés un certain temps sur le champ de bataille, peut-être, précisément, entre deux assauts car, dans le calme provisoirement revenu, les vautours ont plongé sur leurs proies et y ont laissé les traces caractéristiques de leur passage : ils ont extrait les entrailles par un petit trou percé dans le ventre à coups de bec ; ils ont déchiqueté la peau, se sont repus de la chair de leurs victimes, dénudant certains membres jusqu'à l'os tout en laissant les tendons parfaitement intacts.

L'attitude des cadavres fournit aussi des renseignements sur le déroulement de l'attaque. Certains ont été trouvés emmaillotés en rectitude, bras et jambes étendus : ce sont des corps qui ont été bandelettés aussitôt après la mort alors que les membres étaient encore souples ou, beaucoup plus tard, après cessation de la rigidité cadavérique. D'autres, plus rares, sont recroquevillés, les avant-bras très fléchis et les mains aux épaules, probablement traités alors au cours de la période de rigidité, ce qui semblerait confirmer les deux phases évoquées dans l'évolution de la bataille.

Bien que Drioton et Vandier regrettent qu'aucun récit circonstancié ne vienne appuyer la thèse de Wilkinson, on est bien obligé d'admettre qu'il a mis au jour une tombe militaire remplie de soldats tués au combat. Deux assauts auraient été nécessaires pour emporter la citadelle et la victoire serait revenue finalement aux troupes de Mentouhotep. Les corps des combattants morts glorieusement n'ont pu recevoir qu'un traitement hâtif du fait des circonstances mais ils ont été au moins bandelettés et ont eu l'honneur d'être inhumés dans une tombe située juste au-dessus de celle de leur pharaon. C'était l'époque où l'Egypte était scindée en un royaume du Nord ayant pour capitale Herakleopolis et un royaume du Sud où Mentouhotep régnait à Thèbes. Il est très probable que ces soixante soldats furent tués

35.   Palette de Narmer représentant le pharaon victorieux saisissant un prisonnier
        par les cheveux et le menaçant de sa masse d'armes.

dans la guerre qui opposa les deux royaumes et vit, avec la victoire de Mentouhotep à la citadelle d'Herakleopolis, la réunification de l'Egypte.

La tranchée des exécutés

En Haute Nubie, vers l'année 1908, Reisner faisait des fouilles à Shellal dans les vestiges d'un ancien camp romain. En creusant à l'intérieur de l'angle nord-est des remparts, près des restes d'une tour, il mit au jour une première tranchée profonde de 1,20 m qui contenait soixante-deux corps, rangés assez régulièrement en trois couches superposées. Un peu plus loin, une seconde tranchée fut ouverte à vingt centimètres seulement du sol. Elle renfermait une quarantaine de cadavres et on l'avait recouverte de briques et de pierres.

Les squelettes, car aucune tentative de momification n'avait été faite, appartenaient tous à des hommes originaires de Nubie. On les avait grossièrement enveloppés dans des étoffes de mauvaise qualité. Un corps avait encore, passée autour du cou, une cordelette serrée en nœud coulant. On remarquait, sur la plupart des crânes, une fracture de la base que le docteur Wood Jones considéra comme la conséquence d'une pendaison : il faut dire que le supplice aurait été d'un type bien différent de celui que nous connaissions, il y a peu d'années encore, en Angleterre par exemple, et qui ne détermine pas du tout ce genre de lésions.

Ici, un instrument tranchant, probablement un sabre, avait brisé la tempe en une longue fissure osseuse rectiligne et sans éclats. Là, c'était la base du crâne qui avait été décapitée net d'un coup de hache ou de sabre. Ailleurs, l'instrument avait glissé sur le tronc et fendu en deux le sternum.

Aucun doute n'était possible : les hommes enfouis dans la tranchée de Shellal étaient des condamnés à mort et la présence d'une monnaie et d'une pointe de flèche en cuivre permit de dater le crime de la période romaine sans que l'on ait pu pousser plus avant la précision chronologique. Le châtiment cruel et que l'on avait voulu exemplaire, sous forme d'une exécution massive, ne pouvait être que la conséquence d'une de ces révoltes qui troublaient, en cette région, la paix de l'occupation romaine.

La vierge et l'enfant

Si nous n'avons pas parlé plus tôt de la momie de la princesse Mâkarê, c'est que son histoire a longtemps soulevé des controverses qui viennent à peine d'être résolues. On l'avait considérée comme l'épouse du premier prophète Pinedjem Ier. Elle était surtout Divine épouse et Adoratrice d'Amon et, en tant que telle, elle remplissait à Thèbes un rôle véritablement souverain. Cette fonction d'adoratrice avait été compatible avec celle d'épouse royale, au moins jusqu'à la XVIIIe Dynastie; mais, vers la XXIe Dynastie, il semble bien que les adoratrices n'étaient plus que des prêtresses d'Amon, vierges vouées au seul dieu.

Sur le cercueil de Mâkarê se lisait l'inscription suivante: «Fille de Roi et Grande Epouse de Roi», statut incompatible avec la virginité exigée de l'adoratrice. Mais Daressy avait proposé une autre lecture: «Fille de Roi et fille de la Grande Epouse Royale» qui ne s'opposait alors en rien à la fonction d'adoratrice. L'obstacle, et il était de taille, était la présence dans le cercueil, à côté du corps de la princesse, d'une petite momie enveloppée comme un baluchon, celle d'un bébé, auquel on attribuait même un nom inscrit sur le sarcophage, Mouthemat, en réalité le prénom de Mâkarê. Quel était donc ce nouveau-né anonyme? La princesse avait-elle été vraiment mariée à Pinedjem et était-elle morte en couches, ce qui expliquerait qu'on ait voulu inhumer son enfant avec elle? Ou bien, vouée au célibat en temps qu'adoratrice d'Amon, aurait-elle fauté et la mort, pour elle et son enfant, aurait-elle sanctionné le sacrilège? Les partisans de l'une et l'autre thèse s'affrontaient lorsqu'en 1968 éclata la nouvelle: la radiographie de la petite momie était celle d'un singe, un babouin hamadryas. L'honneur de Mâkarê était sauf: on avait enseveli, tout contre elle, son petit animal préféré, comme on avait enterré dans la même tombe, pour sa demi-sœur Esemkheb, une gazelle momifiée. Et J. Yoyotte put conclure: «Dotée d'un cartouche-prénom et d'une titulature de célibataire comparable à celle des adoratrices ultérieures, Mâkarê n'a jamais été mariée qu'au seul dieu de Thèbes.»

CHAPITRE VIII

MOMIES ANIMALES

Des animaux momifiés par millions

C E fut un grand sujet d'étonnement et une source de railleries sans fin pour les envahisseurs perses, puis grecs et romains, que le culte rendu aux animaux par les Egyptiens. En raison de cette vénération, il leur était devenu aussi naturel de faire momifier un chien ou un oiseau que de confier à l'embaumeur leurs plus proches parents. Il n'y a pas d'autres civilisations qui aient fait autant pour la gent animale en tant qu'incarnation de dieux.

Les momies de la gazelle et du singe qui accompagnèrent les deux princesses thébaines dans la tombe, et dont nous avons vu plus haut à quelle équivoque elles avaient donné lieu, n'ont rien de commun avec la gigantesque entreprise religieuse et funéraire qui va se développer à l'époque gréco-romaine. Ces animaux favoris des jeunes défuntes avaient été inhumés avec elles pour leur tenir compagnie dans leur vie d'outre-tombe. On ne sait pas très bien non plus quelle signification attribuer aux ossements de bœuf et de porc trouvés dans des petites pièces avoisinant la chambre funéraire de Djed-Ka-Rê où le pharaon reposait au cœur de sa pyramide. Etait-ce un rite?

Le taureau était-il sacré? Ou s'agissait-il tout simplement de provisions de bouche pour l'éternel séjour dans le tombeau?

Ne nous y méprenons pas: tous ces faits sont entièrement différents du culte rendu aux animaux dans lequel il faut encore distinguer le culte vrai voué à un seul animal et l'hommage funéraire qui s'appliquait à toute l'espèce. Seuls étaient considérés comme sacrés certains individus que des marques particulières distinguaient de leurs congénères: ces privilégiés avaient droit, de leur vivant, à des manifestations particulières de respect, voire de curiosité et leur dépouille était inhumée dans une sépulture de qualité. Les autres animaux de même catégorie recevaient, à leur mort, les soins des embaumeurs, mais leur enterrement ne faisait pas l'objet de cérémonies grandioses et on les ensevelissait, par milliers, dans de vastes nécropoles communes à la race.

Dès les temps les plus reculés, l'animal se trouva mêlé aux pratiques religieuses. Dans les cimetières thinites, l'inhumation d'un chien près de son maître n'est qu'une marque d'affection mais, à la préhistoire, à la période dite badarienne, on a retrouvé des bœufs et des moutons enterrés comme les humains, dans des fosses ovales, enroulés dans des nattes. Debono, fouillant en 1950, près du champ de course du Caire, à Héliopolis, mit au jour quelques tombes de la période gerzéenne où, enveloppées de nattes et même d'étoffes, on avait déposé des gazelles. Cette application aux animaux de coutumes funéraires en usage chez l'homme évoque une raison d'ordre religieux.

Ce qui parut une mascarade aux yeux des étrangers ne peut se comprendre qu'en remontant jusqu'à l'aube de la civilisation égyptienne et en suivant le cours de son évolution. Au début était le totem, emblème ou animal auquel se ralliaient les tribus nomades. Une fois sédentarisées, ces tribus, réorganisées, ont délimité leurs territoires et adopté comme force protectrice de leur domaine, un animal choisi pour ses qualités: le taureau pour sa puissance, le singe pour son habileté, etc. Cet être animé, accessible aux regards, était l'incarnation sur terre d'une puissance supérieure.

Puis, peut-être en fonction des progrès de la statuaire, l'effigie se substitua à l'animal lui-même. Enfin, une dernière conquête métaphysique aboutit à la représentation du dieu sous forme d'un homme à tête d'animal. Cependant, la bête restait vénérée en tant que réceptacle d'une divinité, elle-même apparentée ou assimilée à Rê ou Osiris. A la XXIIe Dynastie, le philosophe Ani écrit que «le dieu Nouter de ce pays est en réalité le Soleil à l'horizon, mais que ses images sont sur la terre», ce que l'on peut traduire par la présence de la puissance divine dans un grand nombre d'êtres terrestres. Saint François d'Assise, plus proche de nous par la pensée que le sage Egyptien, ne disait-il pas avec le même élan: «Loué sois-tu, mon Seigneur, avec toutes tes créatures, spécialement Messire Frère Soleil qui donne le jour et par qui tu nous éclaires ; il est beau et rayonnant avec une grande splendeur : de toi, Très-Haut, il est le symbole.» Les deux conceptions se rejoignent et «symbole» en est le maître mot.

La variété des animaux sacrés était très grande puisqu'on ne compte pas moins de quarante espèces différentes auxquelles était voué un culte. En exemplaire unique, parfois en petit nombre, chaque représentant de l'espèce avait son temple dans sa ville d'élection ainsi que sa tombe. Le plus célèbre de tous, le taureau Apis, était l'incarnation du dieu Ptah à Memphis ; nous verrons que d'autres taureaux étaient les symboles vivants d'autres divinités en d'autres localités. Le bélier d'Amon était honoré à Thèbes, celui de Khnoum à Eléphantine et ceui d'Harsaphès à Héracléopolis. Le bouc d'Osiris siégeait à Busiris et à Mendès, le crocodile de Soukhos au Fayoum, la chatte de la déesse Bastet à Bubaste. Certaines villes adoraient divers dieux et donc différents animaux. Un mélange, issu des traditions populaires ou médité par les théologiens, associait parfois plusieurs dieux dans le même animal mais ceci fut plutôt le fait des époques très tardives. Un seul dieu pouvait aussi patronner, en quelque sorte, deux espèces différentes : ainsi Thot, auquel on attribuait à la fois l'ibis et le babouin. Quelques divinités avaient leurs sanctuaires et donc leurs animaux sacrés dans plusieurs localités : le dieu faucon Horus était adoré dans toute l'Egypte, de même qu'Hathor sous forme d'une vache ou Anubis le chacal, pour ne prendre que quelques exemples. On entrevoit les dédales de ce système dans lequel les Egyptiens ne se retrouvaient pas toujours très clairement et qui évolua, au cours des siècles, suivant la prédominance de tel ou tel clergé.

Le culte ancestral des animaux connut son éclipse. L'exemple le plus frappant de ce déclin est le sanctuaire du taureau sacré du dieu Montou à Medamoud, au nord-est de Karnak. Initialement consacré tout entier à une bête divine, il fut rebâti à l'époque ptolémaïque. Bien que ne formant extérieurement qu'un seul bâtiment, l'intérieur était divisé en deux parties sans communication entre elles : le temple proprement dit où officiait le clergé et le pavillon du taureau, entouré d'un petit jardin où les fidèles pouvaient venir consulter ses oracles. Mais, en contrepartie, alors que les prêtres s'isolaient de plus en plus de la masse des fidèles, ceux-ci, ne pouvant approcher les dieux du temple, reportaient leur dévotion sur les animaux.

Le phénomène s'accéléra au moment de l'invasion perse. On ne comptait plus les exactions dont les soldats se rendaient coupables à l'égard des temples dont ils emportaient tout le mobilier précieux et les statues ; le clergé, pusillanime, ne faisait rien pour s'opposer à ce pillage et laissait injurier ses dieux. Les animaux sacrés ne furent pas davantage épargnés mais les outrages dont les accablaient les envahisseurs ne faisaient que renforcer la piété du petit peuple envers ces divinités vivantes auprès de qui il retrouvait le culte de ses ancêtres. Drioton disait très justement que «ces animaux devinrent, en quelque sorte, les dieux de la résistance».

Dès lors, la vénération des fidèles dépassa l'exemplaire unique et s'étendit à toute l'espèce qui fut considérée comme divine. L'animal, élu en raison de certaines caractéristiques, conservait ses privilèges mais le respect fut conféré à ses congénères en une incroyable zoolâtrie qui prit sa plus grande expression aux époques grecque et romaine. Née d'une réaction naturelle contre l'envahisseur, l'adoration muée en idolâtrie, franchit les limites concevables. Les Grecs en avaient été tellement frappés qu'ils avaient rebaptisé certaines cités du nom de l'animal qui y était adoré : Assiout devint Lycopolis, la ville du loup, Shedit, où régnait le dieu Sobek, se transforma en Crocodilopolis, etc.

L'application de ces étranges croyances, dont nous venons de voir les raisons profondes, ne facilitait pas l'existence quotidienne. Lorsqu'un défunt, soucieux de faire bonne figure devant le tribunal des ombres, évoquait ses bonnes actions, il pouvait dire : «J'ai donné le pain à l'homme affamé, de l'eau à l'assoiffé, des habits à celui qui était nu. J'ai pris soin des ibis, des faucons et des chats divins et je les ai rituellement inhumés, oints d'huile et emmaillotés d'étoffes.» L'animal était intouchable dans sa ville d'adoption. Malheur à qui lui aurait fait la moindre offense! Diodore fut témoin des excès auxquels les croyants pouvaient se porter en pareil cas : un Romain, qui avait tué un chat par mégarde, fut assailli dans sa maison par la populace bien qu'il se fût défendu de toute mauvaise intention et, malgré l'intervention précipitée de magistrats envoyés par le Roi pour arranger l'affaire, il fut lynché. Si bien que, lorsqu'un animal mourait quelque part de sa belle mort, pour peu qu'il fût considéré comme vénérable, le passant qui l'avait vu périr s'écartait précipitamment, poussait des lamentations et protestait de son innocence.

La situation se compliquait lorsqu'un animal était sacré dans une province et non dans l'autre; tel poisson comestible que l'on mangeait ici à tous les repas, était, à quelques lieues, l'incarnation d'un dieu, d'où d'inévitables conflits entre localités ou provinces d'obédiences opposées.

Enfin, dernier témoignage de la démesure, l'immensité des cimetières où, par millions, les représentants les plus variés du règne animal furent inhumés après avoir été dûment embaumés. De même que la momification, au début réservée uniquement au pharaon, s'étendit par la suite au plus simple de ses sujets, de même les tentatives de conservation de l'animal unique furent appliquées, à la Basse Epoque, à tous les représentants de l'espèce.

Les taureaux sacrés

Le taureau Apis

Parmi les animaux auxquels a été vouée une particulière vénération, le plus célèbre et celui sur lequel nous possédons le plus de renseignements est le taureau Apis, ce grand animal sacré dont nous suivons la trace tout au long de l'histoire de l'Egypte. Il était divinisé dès la Ire Dynastie et, sous l'Ancien Empire, il vivait déjà dans sa ville de Memphis. A la Ve Dynastie, le roi Niouserrê se rendit dans son sanctuaire à l'occasion d'une fête jubilaire. Enfin, dans les couloirs des pyramides, quelques lignes signalent l'existence d'un cimetière memphite réservé aux Apis morts. L'emplacement n'en a jamais été retrouvé; la plus ancienne tombe que l'on connaisse date seulement d'Aménophis III, c'est-à-dire de la XVIIIe Dynastie. Chaque Apis avait sa tombe privée surmontée d'une chapelle jusqu'à ce que Ramsès II entreprît la construction d'un ensemble funéraire destiné aux taureaux sacrés de Memphis: le Serapeum.

Nous allons voir comment la chance et l'intuition jointes à une vaste culture et une solide mémoire sont parfois à l'origine de découvertes de première importance. En 1850, un jeune égyptologue de vingt-neuf ans, Auguste Mariette, débarquait au Caire pour y rechercher des manuscrits coptes. Comme il se promenait, un jour, dans les sables de Saqqarah, il vit une tête de sphinx qui émergeait du sol, ce qui déclencha aussitôt chez lui une association d'idées: la vision d'une quinzaine de lions à tête humaine exactement semblables, que des particuliers avaient achetés comme venant de Saqqarah et le souvenir d'un passage de Strabon où celui-ci décrit le Serapeum entouré de sphinx aux trois quarts ensablés. Le cimetière des taureaux n'était donc pas loin. Abandonnant sa chasse aux manuscrits, Mariette entreprit, avec une petite équipe d'indigènes, de désensabler l'allée des sphinx qui, pensait-il, devait le conduire au Serapeum. Les statues étaient espacées de six mètres mais beaucoup étaient profondément ensevelies et les siècles avaient parfois accumulé, au-dessus d'elles, jusqu'à douze mètres de sable. Ce travail long, fastidieux, dangereux par les risques d'éboulements, lui permit, de sphinx en sphinx, d'arriver jusqu'au cent trente-quatrième. Chemin faisant, il avait eu l'émotion d'extraire des déblais ce joyau de la statuaire égyptienne, le fameux «Scribe accroupi». L'inquiétude le saisit un moment quand l'allée bordée de statues parut se perdre dans le désert jusqu'à ce qu'il eût enfin trouvé un autre sphinx, perpendiculaire aux premiers, lui indiquant que la voie s'infléchissait. A six mètres de là une déception l'attendait: au lieu de l'entrée tant espérée de la tombe, il se trouvait face à face avec une statue de Pindare, bientôt suivie de celles de Platon, de Protagoras, d'Homère et de sept autres poètes et philosophes grecs, disposées en hémicycle. Malgré ces deux mois d'efforts, inutiles à ses yeux, Mariette reprit courageusement le déblaiement vers l'est et tomba sur deux grands sphinx, puis sur un petit temple construit par Nekhthorheb-Nectanébo II en l'honneur de l'Apis. L'espoir renaissait devant ce sanctuaire qui ne pouvait qu'être proche du Serapeum. Mais les fonds que lui avait confiés le gouvernement pour l'achat des manuscrits coptes étaient épuisés et il fallut attendre de longs mois avant de recommencer les recherches au début de 1851. Il découvrit alors une allée longue de quatre-vingt-dix mètres, encore bordée de statues grecques. Pensant que l'entrée de la tombe des Apis pouvait se trouver sous cette allée, il souleva méthodiquement toutes les dalles, ce qui lui permit de recueillir plusieurs centaines de statuettes de bronze dont beaucoup à l'effigie du taureau sacré. De pareilles trouvailles commencèrent à exciter la jalousie des marchands qui voyaient ces richesses leur échapper à jamais au profit des musées ; ils suscitèrent alors les pires difficultés à Mariette qui avait commis l'imprudence d'entreprendre ses fouilles sans l'autorisation du gouvernement général. Après bien des péripéties, le travail reprit. Ayant dégagé l'enceinte qui entourait tout le complexe funéraire, il parvint enfin, le 12 novembre 1851, devant la porte d'entrée du Sérapeum et put pénétrer dans le grand souterrain creusé aux époques saïte, perse et ptolémaïque.

Le plan de la sépulture était simple : de chaque côté de l'allée centrale que l'on prolongeait si nécessaire, on creusait, au fur et à mesure des besoins, des chambres latérales où, dans un énorme sarcophage, on déposait l'Apis qui venait de mourir. Mariette découvrit ainsi vingt-huit chambres dont vingt-quatre contenaient encore leur sarcophage de pierre, mais toutes les pièces avaient été violées et dépouillées de leurs momies. En février 1852, ce fut l'exploration d'autres galeries plus petites et plus anciennes où les chambres, plus grossièrement creusées, livrèrent les sarcophages de bois des taureaux sacrés inhumés entre l'an 30 du règne de Ramsès II et l'an 21 du règne de Psammétique Ier. Ici, les momies avaient échappé aux pillards. Enfin, de mars à septembre 1852, Mariette mit au jour une troisième série de tombes isolées, créées entre Aménophis III et Ramsès II, sans le souci d'organisation qui présidera aux époques ultérieures. Dans l'une de ces pièces encore murée, les fouilleurs purent apercevoir sur le sable l'empreinte intacte du pied du dernier Egyptien qui avait quitté la tombe trois mille ans auparavant. Tandis qu'il explorait ces caveaux isolés, Mariette se heurta, une fois de plus, à l'hostilité des chercheurs clandestins. Le maire de Saqqarah, qui voulait fouiller pour son propre compte, essaya même d'empêcher les ouvriers appointés par Mariette d'aller travailler et le 30 avril, celui-ci, monté sur un cheval, une carabine à la main, repoussa une véritable attaque de Bédouins armés de fusils. L'archéologie n'était pas de tout repos au siècle dernier mais elle avait aussi ses sommets de gloire. Mariette dépensait sans compter quand il s'agissait de ses recherches mais se contentait, sur le champ de fouilles, d'une maison de terre sans meubles, ni portes, ni fenêtres. Par contre, quand il accueillait un visiteur étranger, la réception tournait au spectacle. Théodule Devéria, qui allait devenir égyptologue et était le fils d'Achille Devéria, peintre très célèbre à l'époque, fut admis à visiter le Serapeum. Quand il pénétra dans la tombe, l'obscurité régnait : il resta ainsi quelques instants avec son hôte puis tous deux pénétrèrent dans le grand souterrain tout le long duquel Mariette avait installé deux cents enfants «assis à l'égyptienne, immobiles comme des statues» et tenant chacun une bougie allumée. Dans les renfoncements des chambres aux immenses sarcophages, d'autres enfants se tenaient, postés au sommet des tombes, porteurs du même éclairage. Il y avait sûrement quelque chose de fantastique dans cette mise en scène qui impressionna le visiteur ; de nos jours, le Serapeum est éclairé à l'électricité.

Le taureau Apis fut, à l'origine, un dieu de la fécondité et de la force physique. Il était l'incarnation de Ptah, dieu de Memphis, que l'iconographie représente comme un homme au crâne rasé, étroitement serré dans une gaine de momie, et tenant dans sa main, un long sceptre. Mais très tôt, Apis, symbole de la fécondité, fut assimilé à Osiris, le dieu de la végétation renaissante. Puis, par une sorte de glissement, l'Apis, mortel comme tous les hommes et enterré comme eux, fut rapproché de l'Osiris, dieu funéraire. Pour cette double raison, l'amalgame d'Apis et d'Osiris devint rapidement très étroit. Dès longtemps d'ailleurs, entre ces deux dieux, une relation s'était établie dans ce qu'on appelle la «course de l'Apis» : c'est la représentation d'un taureau sacré qui court de ville en ville, de province en province, portant sur son dos un sac où sont rassemblés les membres d'Osiris mis à mort par son frère Seth.

A partir de l'époque saïte, l'Apis est souvent figuré portant d'autres momies à qui s'était étendu le principe d'Osiris. Au début, on distinguait l'Apis-Osiris qui était le taureau vivant, de l'Osiris-Apis, le taureau mort. Les Grecs avaient repris cette dualité lorsqu'ils différenciaient l'Apis ordinaire vivant, du Sérapis mort (d'où le nom de Sérapéion ou Serapeum donné à la sépulture) ; ils allaient plus loin encore en reconnaissant un Sérapis, symbole de tous les taureaux sacrés défunts et un Osorapis qui représentait chaque individu. Apis fut encore rapproché du dieu Horus, que l'on connaît sous forme d'un faucon ou d'un homme à tête de faucon, protecteur de la monarchie ; puisque le roi mort était assimilé à Osiris et vivant, à Horus, il était naturel qu'Apis fut lui aussi assimilé à ce dernier. C'est la raison pour laquelle le taureau sacré

fut rattaché aux cérémonies royales et participait à la fête-sed, fête jubilaire
du roi que l'on célébrait précisément à Memphis. Enfin, à partir de la
XVIIIe Dynastie, des liens s'établiront encore entre l'Apis de Memphis et le
dieu Atoum d'Héliopolis. Celui-ci, dieu du soleil du soir, présentait un peu,
de ce fait, un caractère funéraire. La proximité de Memphis et d'Héliopolis
fut pour quelque chose dans cette assimilation : plutôt que de se combattre,
les prêtres de l'un et de l'autre dieu eurent la bonne idée d'additionner leurs
pratiques. Ainsi par modifications et additions successives, on a vu s'enrichir
la complexité religieuse du taureau sacré de Memphis, à la fois Horus,
protecteur du pharaon, Osiris, dieu des morts et de la fécondité et Atoum dieu
du soleil couchant.

    Apis est mort, vive l'Apis ! Il n'était pas question que la ville de Memphis
restât longtemps sans une nouvelle réincarnation de son dieu, après la mort
d'un taureau sacré. Les prêtres couraient donc aussitôt les pâtures en quête
d'un successeur qu'ils devaient reconnaître à des marques caractéristiques.
La bête ne venait pas obligatoirement de Memphis mais pouvait être née en
n'importe quelle localité de l'Egypte ; il lui était seulement demandé de
satisfaire à certains critères morphologiques. Le taureau Apis était un animal
noir, portant un triangle blanc sur le front, un croissant lunaire sur le poitrail
et un autre sur le flanc ; les poils de la queue devaient être doubles, c'est-à-dire
alternativement blancs et noirs. On reconnaît, à la forme du croissant,
l'allusion à Osiris, dieu lunaire. Pour bien montrer qu'il avait aussi un caractère
solaire, l'Apis est représenté portant entre les cornes un disque : celui-ci est
surmonté du cobra en colère – l'uraeus – symbole de la royauté. Une stèle du
Serapeum dit de l'Apis : «Toi qui n'as pas de père.» C'est que la conception
de l'animal sacré était tenue pour miraculeuse : c'était le dieu Ptah qui,
descendu du ciel sous la forme d'une flamme, était venu féconder la vache
mère choisie. Plutarque parle d'un «rayon de lune touchant une vache en
chaleur». La vache mère de l'Apis était honorée à Memphis et demeurait près
de son fils. A sa mort, elle était ensevelie à peu de distance du Serapeum,
dans le cimetière des vaches sacrées où Mariette a trouvé la tombe inviolée
d'un curieux personnage nommé Ounnofrê, fils de Petosiris, le prophète des
mères d'Apis.

    Donc, au milieu de grandes réjouissances, les prêtres ramenaient à
Memphis l'animal élu qui dès lors commençait sa carrière de dieu vivant sur
la terre. Les fêtes d'intronisation étaient célébrées dans la bonne ville, prési-
dées par un prêtre de Ptah. Elles avaient lieu à la pleine lune, inaugurant, avec
le règne du nouvel Apis, une ère nouvelle. Après la cérémonie dans le temple
de Ptah (l'Hephaïstos des grecs, le dieu des forgerons) le taureau sortait de la
porte Est, du côté du soleil levant et le peuple était admis à venir faire ses

dévotions. De là, il gagnait son propre sanctuaire, l'Apieion, d'où il ne sortirait plus que pour participer à certaines manifestations religieuses, fêtes royales ou processions. Diodore affirme que, pendant les quarante jours qui suivent son installation, seules les femmes sont admises en sa présence et qu'elles se placent alors face à lui, relèvent leur jupe et lui découvrent leurs parties génitales. Pour la première cérémonie officielle, l'Apis était embarqué en grande pompe et descendait le Nil sur près de deux cents kilomètres pour rendre visite au Génie de l'inondation, Hâpy, dans son sanctuaire de la petite île de Rôda. On attendait que la lune recommençât à croître pour ramener l'animal à Memphis. Le peuple pouvait l'observer par les fenêtres de son temple, mais, à une certaine heure, les prêtres le lâchaient dans la cour. Celle-ci, somptueuse, était entourée d'un portique dont, en guise de colonnes, des statues de six mètres de haut supportaient la toiture. Tout à côté, un autre sanctuaire était consacré à sa mère. C'était donc dans la cour que les fidèles venaient adorer l'incarnation du dieu et c'était là qu'il rendait ses oracles. Un personnel nombreux était chargé de son entretien, de sa nourriture et de la tenue des locaux. Tous les ans, on lui présentait une vache choisie pour certaines marques sacrées qu'elle portait mais, sitôt l'accouplement terminé, on la mettait à mort. Elle n'avait servi qu'à la distraction du taureau ou à quelque fin religieuse dont on ignore encore la signification.

Ayant bien accompli son devoir, l'Apis finissait par mourir. C'était alors une grande tristesse qui s'emparait de la ville de Memphis où les habitants prenaient le deuil national : certains se rasaient le crâne et il était sacrilège d'absorber, pour nourriture solide, d'autres aliments que des légumes. On a prétendu que l'âge de vingt-huit ans, celui auquel était mort Osiris, était fatidique pour le taureau sacré. S'il l'atteignait, il était condamné à être noyé. Aucun argument sérieux ne vient étayer cette légende d'autant plus que, parmi tous les Apis dont nous connaissons la durée de vie, aucun n'est parvenu à cet âge. On sait par contre qu'à l'avènement de Ptolémée Ier, un taureau est mort de vieillesse à Memphis. La destinée de l'Apis, après sa mort, a beaucoup changé entre la période classique de l'Egypte et la décadence. Jusqu'à la XIXe Dynastie et peut-être même plus tard, il était mangé. En effet, les sarcophages anciens, qui sont d'ailleurs en bois, les seuls que les pillards n'ont pas découverts, ne contiennent qu'une masse bitumineuse, très odorante, enveloppant une quantité de petits fragments d'os brisés. Au milieu de ces ossements, on a pu recueillir des statuettes funéraires à tête de bœuf au nom de l'Apis mort, des bijoux et des amulettes en pierres semi-précieuses. Les quatre vases canopes, présents dans les plus anciennes sépultures, sont la preuve qu'il y a eu éviscération mais les restes, réduits à des os écrasés, montrent assez qu'il n'y a pas eu la moindre tentative de momification. Les fragments osseux reposaient à même le sol, dans une faible excavation, recouverts par un sarcophage sans fond. On peut rapprocher cette découverte d'un passage des textes des pyramides connu sous le nom de l'«Hymne cannibale» où l'on voit le pharaon mort se nourrir de la chair des dieux et devenir ainsi leur égal : «...Il a écrasé les vertèbres et la moelle vertébrale, il a pris les cœurs des dieux... Ouenis se nourrit des poumons des Sages... Son surplus de nourriture est plus que celui des dieux, étant cuit par les Sages avec leurs os.» C'était un phénomène de magie sympathique par lequel le défunt roi prenait la force et le pouvoir des dieux. On peut très bien, de même, imaginer le pharaon captant la puissance et la virilité de l'Apis mort au cours d'un repas funéraire où il mangeait sa chair et la moelle des os. Les restes incomestibles étaient aussitôt inhumés et recouverts du cercueil de bois.

Parmi ces tombes anciennes, remontant toutes à une catégorie antérieure à la XIXe Dynastie, Mariette fit encore une étrange rencontre. Un sarcophage de bois, en partie écrasé par les décombres de la voûte, contenait une momie de forme humaine : le visage était couvert d'un épais masque d'or ; une chaînette d'or, passée autour du cou, retenait deux amulettes au nom de Kha-em-Ouas, un des fils de Ramsès II, prince de Memphis ; un épervier d'or recouvert d'un cloisonnement de mosaïque s'étalait sur sa poitrine ; enfin, tout autour du corps, dix-huit statuettes de faïence à tête humaine portaient une légende : «Osiris-Apis, dieu grand, Seigneur de l'Eternité.» On a long-temps cru qu'on était en présence de la momie du prince qui, ayant voué un culte fervent à Apis, avait désiré être enterré dans la même sépulture. Mond et Myers se sont intéressés à la momie elle-même ou, du moins, à la description qu'en avait faite Mariette. Or, au lieu d'un corps humain bien embaumé, comme on savait le faire à cette époque où la momification avait atteint son plus haut degré de perfection – il n'est qu'à voir la momie de Ramsès II lui-même – les suaires et bandelettes ne contenaient qu'une masse de bitume mélangé à des os réduits en minuscules fragments. Une momie princière n'aurait pas été traitée de la sorte et il faut plutôt voir, dans ce magma informe, les restes d'un taureau sacré. Peut-être le prince, souffrant de quelque maladie, s'était-il nourri de sa chair et, arrangeant ses os en une forme humaine, le parant de ses propres bijoux, espérait-il transférer sa maladie sur les restes du dieu disparu ?

C'est sans doute au développement considérable du culte des animaux que l'on doit le changement radical d'attitude apparu au cours de la XXVIe Dynastie, à partir d'Apriès et d'Amasis. L'Apis est alors traité comme les hommes et embaumé selon les méthodes traditionnelles, accompa-gnées de rites particuliers. Il fallait tout d'abord équiper deux chapelles : une entièrement tendue de linges rouges où allaient officier des prêtres revêtus de linges «seshed» et une autre, tendue de linges «seshed» où ne pouvaient pénétrer que des prêtres habillés de vêtements rouges. Dès le premier jour, on montait, en bordure du Nil, la «place pure», le kiosque d'embaumement où, après des cérémonies fort complexes, les prêtres faisaient entrer, en le tirant par une corde, le cercueil contenant l'Apis qu'ils avaient ainsi traîné depuis la chapelle. Le peuple, à ce moment, faisait retentir l'air d'une grande lamentation et les gémissements sur le dieu mort se prolongeaient longtemps. Les officiants ressortaient du kiosque et se rendaient sur la barque de papyrus qui flottait sur le Nil où ils devaient lire un rituel inscrit sur neuf rouleaux de papyrus. Cette tâche accomplie, ils réintégraient le kiosque et procédaient, une première fois, à la cérémonie de l'ouverture de la bouche. Enfin, les «Prêtres du Lac et du chemin et le Ritualiste collectaient toutes les choses dont ils auraient besoin dans la chambre de dissection».

Nous avons essayé, en quelques lignes, de donner un aperçu de la quantité et de la diversité des actes rituels dont nous avons omis, cependant, beaucoup de phases pour en arriver au temps de l'embaumement proprement dit. L'honneur de procéder à la momification du dieu était réservé à un technicien attaché au temple : il n'était pas seul pour ce travail délicat et pénible. Car c'était une masse imposante qui reposait sur la grande table d'albâtre ou de calcaire. Huit exemplaires de ce mobilier ont été découverts à Memphis : ils mesurent de trois mètres à cinq mètres de long. L'animal était installé sur une planche, en position allongée, non pas dans l'attitude de repos d'un ruminant, c'est-à-dire les quatre pattes repliées, mais comme un chien, les deux pattes de devant étendues, ce qui ne pouvait être obtenu qu'au prix de sections tendineuses. La queue était glissée sous la cuisse droite. Le mufle était dressé, en position surélevée, par un oreiller de bois, sorte d'appui-tête passé sous la mâchoire. Sur la planche, des pattes d'attaches permettaient de nouer solidement les liens qui maintenaient le taureau dans sa position définitive. On appliquait, pour l'embaumement, la deuxième technique décrite par Hérodote, c'est-à-dire la dissolution des viscères par des injections anales d'huile de cèdre.

Le papyrus Apis donne des détails sur les rites qui accompagnaient ce temps de la momification et sur la méthode employée où il était recommandé de pousser le bourrage aussi loin que possible : «Un lecteur se tient devant le dieu. Il doit prendre le linge et toutes les choses qu'il trouve là, aussi loin que sa main peut aller. Il doit le laver avec de l'eau et doit bourrer convenablement avec de l'étoffe. Il doit nettoyer le bourrage et le bandelettage avec ce que les cinq prêtres qui sont dans le bateau ont apporté et qui contient les choses de l'anus. Il doit les oindre avec des huiles et les envelopper dans un linge. Un autre lecteur se tient devant les bandelettes...» A l'appui de ce texte, on possède des preuves directes de l'absence d'éviscération par le flanc : la première est le manque de vases canopes dans les tombes de ce genre de momies ; la seconde est la présence, sous certains Apis, d'un peu de matière brune évacuée par l'anus, où l'on a retrouvé des débris végétaux. Cette opération terminée, on recouvrait l'animal d'une couche de natron sec que l'on laissait agir jusqu'à déshydratation complète. Il ne restait plus qu'à l'emmailloter : des milliers de mètres de bandelettes étaient nécessaires pour le recouvrir suivant les règles. Du plâtre, sur lequel on appliquait des feuilles d'or, était étendu sur la tête. Un disque de bois doré était assujetti entre les cornes, symbole du caractère solaire de l'Apis et l'on terminait par l'incrustation des yeux artificiels faits de verre blanc agrémenté d'un rond noir pour la pupille ou, plus minutieusement travaillés, en verres de différentes couleurs ou en pierres précieuses serties dans le bronze. Le coût de l'inhumation d'un Apis dépassait l'entendement. Diodore, lui-même, s'étonnait de la somme qu'avait pu dépenser le gardien du taureau qui mourut à Memphis à l'avènement de Ptolémée Ier : il y laissa toute sa fortune et dut même emprunter cinquante talents d'argent au pharaon. A une période plus tardive où l'on faisait moins de frais, les gardiens dépensaient encore cent talents pour chaque taureau. Rappelons que le talent d'argent représentait la valeur de vingt à vingt-sept kilos de ce métal.

C'était en grande pompe que la momie de l'Apis était transportée tout au long de l'allée bordée de sphinx et gagnait l'entrée du Serapeum. De là, elle parcourait encore le grand couloir souterrain avant d'être déposée dans le sarcophage qui l'attendait à l'intérieur de la chambre fraîchement creusée. A partir de la XXVIe Dynastie, la simple caisse de bois fit place à une énorme cuve monolithique de granit dont la plus lourde pèse soixante-dix tonnes ; quarante personnes pourraient s'y tenir debout ; la hauteur en est telle qu'il faut une échelle au curieux pour en découvrir l'intérieur. A voir de pareils monuments, on se demande comment les Egyptiens ont pu les tailler, les creuser, sans le matériel en acier que nous possédons, les polir aussi soigneusement et les faire parvenir des carrières de Haute-Egypte situées à des centaines de kilomètres jusqu'à cette cité proche du Delta. Une fois le taureau en place, on murait l'ouverture de la chambre par une cloison qui rejoignait la voûte. Le pèlerin n'avait plus accès à la tombe et ne pouvait que parcourir le couloir central dont la paroi unie portait, de place en place, encastrée dans le mur à l'emplacement de chaque tombe, une stèle. Sur celle-ci, les années de naissance et de mort de l'Apis fournissent à présent aux égyptologues des données précieuses pour fixer la chronologie des derniers pharaons. La plus récente des tombes date de l'époque de Ptolémée VII mais on a continué à ensevelir les Apis très tard, jusqu'en 362, sous le règne de Julien l'Apostat ; la nécropole romaine des taureaux sacrés reste à découvrir.

Le Serapeum devint vite un des plus grands centres religieux de l'Egypte. Beaucoup de dieux avaient leur propre sanctuaire à l'intérieur de l'enceinte. Les malades venaient quêter une guérison miraculeuse dans les centres d'incubation qu'on appelle des *sanatoria*. Il ne faut pas donner, à ce terme, son sens moderne : le *sanatorium* était un édifice où, autour d'un corridor central, des chambres, enduites de plâtre blanc, accueillaient ceux qui venaient chercher un réconfort physique ou moral. Une niche surélevée devait contenir la statue du dieu, ici Sérapis et, pendant le sommeil, au cours du rêve thérapeutique, la divinité se manifestait au patient, la foi faisant le reste. On a retrouvé un tel *sanatorium* à Dendérah.

Le taureau Mnevis

Il est moins connu que l'Apis et, cependant, son culte est certainement assez ancien. Les Grecs transformèrent son nom égyptien Merour en celui de Mnevis. Sa ville était Héliopolis, la cité du dieu soleil Rê-Atoum. Il était dénommé «héraut de Rê, celui qui fait monter la vérité jusqu'à Atoum». C'est précisément en tant qu'incarnation du dieu solaire qu'Akhnaton, le pharaon monothéiste, avait importé le culte de ce taureau à Amarna, la cité nouvelle.

On n'a pas retrouvé de cimetière complet de Mnevis mais seulement deux tombes qui prouvent que son rituel funéraire s'apparentait à celui de l'Apis, c'est-à-dire qu'il était étroitement lié à Osiris. Il était momifié de la même façon et bandeletté ; une lettre des prêtres du temple de Rê et d'Atoum-Mnevis à Héliopolis accuse réception, aux prêtres du temple de Tebtunis, d'une vingtaine de coudées de linge fin envoyées pour l'ensevelissement d'un Mnevis.

C'était un taureau noir, sans tache, mais qui devait avoir des épis sur tout le corps et sur la queue ; tels étaient les signes auxquels les prêtres reconnaissaient sa divinité. Dans son sanctuaire, il était entouré d'un troupeau de vaches sacrées et de veaux que l'on n'adorait pas au même titre que lui mais qui avaient droit, eux aussi, à une inhumation décente.

Le taureau Buchis

En 1926, un égyptologue anglais, Sir Robert Mond, travaillait à Thèbes au dégagement de la tombe du vizir Ramose, dont les bas-reliefs sont parmi les plus fins qu'ait produits la statuaire égyptienne. Il aurait pu se contenter de la mise en valeur de cette merveille lorsqu'on vint le prévenir de la découverte d'un petit bœuf de bronze à quelques kilomètres d'Armant. Les touristes ne visitent guère cette localité : en effet, de la ville et du grand temple de Montou, il ne reste que les fondations ; quant au petit temple de Montou, édifié par Cléopâtre, ses pierres furent utilisées au XIXe siècle par le Khedive Saïd pour la construction d'une sucrerie. Mais, pour un égyptologue, Armant c'est l'ancienne Hermonthis que les Egyptiens appelaient l'Oun du Sud par opposition à Héliopolis, l'Oun du Nord. Comme cette dernière hébergeait le culte de Mnevis, il était probable qu'Hermonthis-Armant abritait aussi un taureau, ce que confirmaient les textes grecs. Cet animal sacré s'appelait le Buchis, et Mond se mit en devoir de découvrir le Bucheum, c'est-à-dire la nécropole des taureaux d'Hermonthis. Ses premières fouilles le menèrent d'abord sur le cimetière des vaches mères des Buchis, à six kilomètres à l'ouest d'Armant. C'était une rude tâche que de déplacer les couvercles de quinze tonnes qui fermaient les sarcophages et sa peine ne fut pas récompensée car les momies étaient presque entièrement détruites par les moisissures. Peu après, il parvint sur la rampe d'accès du Bucheum dont le chemin descendant s'enfonçait rapidement dans le sol et se prolongeait par une galerie souterraine : à quelque distance, perpendiculairement à celle-ci, un couloir s'ouvrait de chaque côté, dans les parois duquel étaient creusées, comme au Serapeum, les tombes des taureaux sacrés. Il en retrouva trente-cinq. Est-il besoin de préciser qu'ici, comme ailleurs, les pillards avaient fait main basse sur les objets précieux ? Mais Mond put mettre au jour des momies bandelettées et surtout les stèles dont les inscriptions sont souvent plus chères aux archéologues que l'or et les pierres rares.

Le culte du Buchis est certainement ancien, mais c'est, sans aucun doute, Nectanébo II qui lui donna sa véritable impulsion car la création du Bucheum date de cette période ; le culte se perpétua à l'époque romaine sous Dioclétien.

La pensée occidentale appréhende difficilement le caractère théologique des taureaux sacrés et peut-être plus encore celui du Buchis. Quelques jalons permettent cependant de mieux comprendre l'assimilation de l'animal à certaines déités. Quand Hermonthis était la capitale du nome, c'est-à-dire de la province du Sceptre, le dieu de cette ville et de la province elle-même était Montou, symbole de la guerre, représenté sous forme d'un homme à tête de faucon, armé d'un arc et d'une flèche. Le taureau était alors facilement et uniquement assimilé à Montou dont il était la représentation sur terre. Quand Thèbes, située à quelques kilomètres d'Hermonthis, devint la capitale de l'Empire, son dieu, Amon, supplanta bien vite Montou et le taureau Buchis s'amalgama à Amon. Celui-ci étant très lié à Rê, le dieu solaire, le Buchis en prit aussi les caractères et fut rapidement «solarisé», d'où sa figuration avec le disque entre les cornes ; les deux longues plumes qui surmontent ce disque ne sont autres que la parure du dieu Amon (fig. 36). Nous nous en tiendrons à ce début d'explication car, à la Basse Epoque, par des jeux

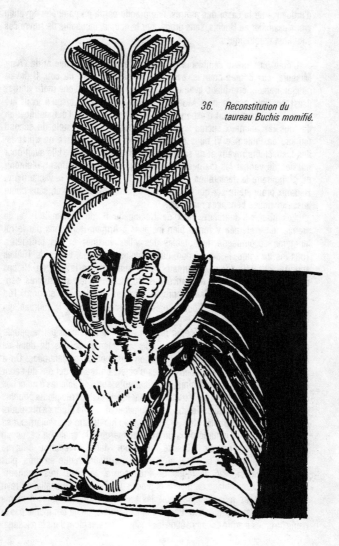

36. *Reconstitution du taureau Buchis momifié.*

d'influence de la caste des prêtres, une grande partie du panthéon égyptien vint s'assimiler au Buchis, sans profit pour le peuple, incapable de suivre ces subtilités théologiques.

C'était un taureau semblable aux bœufs de la Mésopotamie et de l'Asie Mineure, aux cornes courtes, avec une bosse à la base du cou. Il devait obligatoirement être blanc avec une tête noire et être né d'une mère vierge ; il est possible que le dieu Montou en ait été le père. Lorsqu'il avait été choisi, une commission d'experts, peut-être désignée pour l'authentification de tous les animaux sacrés, venait à sa rencontre. Une stèle du second taureau de Ptolémée VI nous apprend qu'elle était composée de « prêtres, des Inspecteurs royaux et de soldats des Grandes Maisons ». Elle avait pour mission de vérifier les marques caractéristiques et, probablement, d'obtenir du propriétaire la déclaration sur l'honneur de la virginité de la vache mère. Heureux propriétaire sur qui retombait une partie de la gloire et, sans doute aussi, quelques bénéfices matériels.

Les premiers taureaux, ceux de Nectanébo II, de Ptolémée IV et le premier de Ptolémée V furent bien installés à Armant-Hermontis par le roi lui-même accompagné de notables des villes voisines et des prophètes. Tous les dix jours, le dieu Amon, ou du moins sa statue, venait de Thèbes apporter des offrandes au taureau. Par la suite, ce fut la ville de Thèbes elle-même qui devint la résidence des Buchis, mais les sanctuaires périphériques étaient situés dans la proche banlieue : Medamoud au nord, Tôd au sud et Armant au sud-ouest, recevaient régulièrement le taureau qui venait y rendre ses oracles.

La mort de l'animal sacré était ressentie douloureusement par le peuple et, comme pour la disparition d'un Apis, les mêmes scènes de deuil se déroulaient. L'animal était embaumé selon des méthodes identiques. On a retrouvé, dans le Bucheum, deux sortes d'objets en bronze qui ont dû servir lors de la momification de l'animal : des écarteurs, sorte de palettes à manches courts, destinés à permettre le traitement par l'anus et deux récipients pourvus d'une canule avec lesquels l'embaumeur injectait le liquide propre à dissoudre ou à nettoyer les entrailles (fig. 37). Le taureau bandeletté et assujetti sur sa planche était enfin inhumé dans un sarcophage dont la qualité a beaucoup évolué selon les époques. Creusé, au début, dans un énorme bloc de granit, il fit place, par la suite, au sarcophage monolithique en grès, plus facile à travailler. Vers le règne de Ptolémée V, la cuve, très ordinaire, résultait de l'assemblage de plusieurs pièces. De Tibère à Caracalla, on revit des sarcophages monolithiques puis les taureaux furent inhumés à même leur chambre, sans protection. Pour les deux derniers, on ne prit même pas la peine de creuser cette chambre et on les ensevelit directement dans le passage.

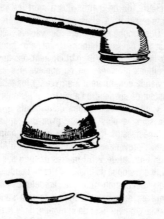

37.   *Instruments trouvés dans le Bucheum, ayant servi à la momification du taureau Buchis. Ecarteurs et récipients à canule pour le traitement des entrailles.*

Des momies de tous les ruminants

Le taureau sacré, personnification d'une divinité, était un animal unique auquel était réservé un culte particulier. La déesse Hathor, déesse de la joie et de la musique, qui agitait son sistre avec allégresse, s'incarnait, pour sa part, dans une vache. Elle était représentée sous la forme de l'animal entier ou d'une femme à tête de vache, ou encore, plus simplement, avec un visage humain à oreilles de vache; deux longues cornes sur sa tête enserraient le disque solaire. Elle était particulièrement honorée à Denderah, mais aussi dans de nombreux santuaires répartis dans toute l'Egypte. Dans ses temples, une vache sacrée faisait l'objet d'un culte personnel.

Sur les bas-reliefs égyptiens, on constate la présence de deux espèces de bovins: l'une à cornes courtes, probablement importée du Soudan, et l'autre, à longues cornes, la plus ancienne, celle dont étaient issus les taureaux sacrés. De nos jours, le bœuf africain, décimé par les épizooties, a été largement supplanté par le buffle (la gamouse), importé d'Asie au Moyen Age.

Beaucoup de bœufs étaient immolés au cours de cérémonies sacrificielles mais leur chair, dédiée au dieu, servait à l'alimentation des officiants et du public. Par contre, on ne mettait pas à mort les vaches laitières. Un respect particulier s'attachait à elles en tant que mères nourricières du soleil et du roi. Des troupeaux entiers de vaches accompagnaient les taureaux sacrés et la déesse Hathor. Quant aux bœufs, devait-on les conduire encore à la boucherie s'ils participaient, en quelque sorte, de la divinité ? Dans quelques provinces on ne souleva pas ce problème et les bons quartiers de viande continuèrent à arriver sur les tables ; dans d'autres, au contraire, on résolut de suspendre l'abattage et les animaux purent mourir tranquillement de vieillesse. On momifia donc bœufs et vaches en grande série, parfois avec soin, le plus souvent avec une apparente négligence. Lortet et Gaillard, spécialistes français des momies animales de l'Egypte, ont étudié des bovins provenant du grand cimetière d'Abousir. L'un d'eux, qui semblait être un taureau de 2,50 mètres de long sur un mètre de large était magnifiquement enveloppé de linges fins et de bandelettes croisées avec un sens poussé de la décoration. Quelques cordelettes en fibres de palmier maintenaient le tout et, du paquet, sortait une tête surmontée de cornes impressionnantes. Mais, à l'intérieur de la momie, il n'y avait que quelques os dépareillés, ficelés sans ordre : on put y reconnaître les restes de sept mâles, dont quatre crânes aux mâchoires édentées et atrophiées qui prouvaient que les bêtes étaient mortes très âgées, probablement de vieillesse. Dans un deuxième simulacre de taureau, l'embaumeur avait réuni des ossements de cinq individus parmi lesquels un veau de deux ans et un vieux mâle gigantesque. Dans une troisième momie, on retrouva deux crânes.

On se demande pourquoi les prêtres avaient réalisé de tels assemblages de déchets hétéroclites en leur donnant une forme extérieure très convenable alors qu'il eût été peut-être plus simple de momifier l'animal aussitôt après sa mort. C'est probablement que les propriétaires des bovins n'avaient pas les moyens financiers de les faire parvenir un à un jusqu'à l'atelier d'embaumement. A leur mort, ils les enterraient aux alentours du village, en prenant soin de laisser sortir les cornes hors du sol pour conserver la mémoire de l'emplacement. D'année en année, le charnier s'enrichissait d'individus apportés par les propriétaires de la région. Au bout d'un certain temps, des préposés chargés de la collecte faisaient le tour de plusieurs villages, déterraient les corps plus ou moins décharnés et les ramenaient par bateaux entiers dans la région de Memphis où ils les remettaient à l'embaumeur. Celui-ci, dont la besogne paraît peu enviable, triait ces cadavres pourris, disloqués, démembrés et, à partir des fragments, recomposait tant bien que mal la forme d'un taureau, mettant bien en évidence, pour parfaire son œuvre, le crâne le mieux encorné. La récolte des charognes devait s'étendre assez loin de la région memphite et l'atelier de momification ne chômait certainement pas si l'on en juge par l'importance de la nécropole de bovins située entre Abousir et Saqqarah. Les industriels contemporains tirèrent de ce cimetière une large source de profits : par dizaines de milliers les momies prirent le chemin de l'Europe où leur caractère sacré ne les empêcha pas de servir comme engrais à la fertilisation de nos sols.

Les anciens Egyptiens avaient poussé très loin la domestication des animaux puisqu'ils avaient réussi à apprivoiser des antilopes, gazelles, bubales, onyx, des mouflons, des bouquetins. Ils étaient friands de leur chair ; sur les tables d'offrandes funéraires, un cuissot occupe toujours une bonne place. Cependant, nous le voyons sur les peintures murales, il faut toujours un homme pour accompagner un individu de cette espèce alors que le même homme peut mener seul un troupeau de plusieurs dizaines de vaches ou de moutons. Aussi, dès le Moyen Empire, l'élevage des antilopes cessa. Comme bien d'autres animaux, certains d'entre eux eurent droit à des honneurs posthumes. Les gazelles, inhumées dans des tombes privées de la préhistoire, furent momifiées, à la Basse Epoque, mais en nombre moins important que les grands bovidés. Le British Museum conserve une momie de cette sorte.

De tout temps, le bélier fut considéré comme un animal sacré et ses temples se multiplièrent à la Basse Epoque. Deux races s'implantèrent sur les bords du Nil : la plus ancienne, l'*ovis longipes,* de haute taille, reconnaissable surtout aux deux longues cornes spiralées qui partaient perpendiculairement de chaque côté du sommet du crâne, disparut vers le deuxième millénaire pour faire place à une race plus petite, l'*ovis platyra* dont les cornes épaisses, appliquées contre le crâne, s'enroulent autour des oreilles. L'Egyptien lâchait ses troupeaux de moutons sur la terre meuble, après les semailles, pour y enfoncer la graine et les employait encore sur les aires de battage du blé. Leur toison était peu utilisée : le lin était préféré à la laine qui était, de toute façon, formellement proscrite de l'habillement des prêtres et des linges de momie. Leur chair était exclue des banquets rituels des dieux et des morts et, sans doute aussi, de l'alimentation des prêtres ; le menu peuple s'en nourrissait.

Mais le bélier a été aussi momifié. De la ville de Mendès, capitale de la province du «Dauphin» dans le Delta, une des plus grandes cités de l'Egypte finissante, il ne reste qu'un monticule surplombé par la grande chapelle du bélier sacré. On raconte que les âmes d'Osiris et de Rê s'étant rencontrées à Mendès, elles se joignirent étroitement au point de n'en faire qu'une seule qui s'incarna dans cet animal, symbole de la fertilité. Un tel syncrétisme unissant les deux principales divinités de l'Egypte, avait sûrement été imaginé par les prêtres de la ville qui ne pouvaient qu'en tirer un grand bénéfice ; mais déjà, à la période prédynastique, les rois de Bouto, dans leur pèlerinage aux villes saintes du Delta, n'omettaient jamais de faire une longue halte auprès du bélier de Mendès. C'était évidemment un animal à longues cornes qui était primitivement vénéré. Quand la race en eut disparu, on se contenta d'un bouc, ce qui permit aux Grecs de l'assimiler au dieu Pan.

Un autre bélier *longipes,* Harsaphès, était adoré à Hérakléopolis où tout un clergé était à sa dévotion : c'était un grand honneur que d'en être membre et un proche descendant de Sheshonq Ier n'avait pas dédaigné d'en accepter la direction en tant que « père divin ».

Toutefois, le plus vénéré était peut-être encore le bélier Khnoum, qui résidait dans son sanctuaire d'Eléphantine. Il était l'incarnation de ce dieu créateur qui avait modelé le monde et qui pétrissait dans l'argile, sur son tour de potier, chaque être humain qui devait naître.

Enfin, plus tard, quand la race aux longues cornes se fut éteinte, c'est dans le bélier *platyra,* aux grosses cornes enroulées, qu'on reconnut, à Thèbes, le dieu Amon : celui-ci adopta bientôt, pour ses statues, la forme d'un homme à tête de mouton et, à Karnak, une allée de sphinx portant la tête du bélier, guide encore le visiteur du Nil jusqu'au grand temple d'Amon (fig. 38).

Comme les taureaux et les vaches, béliers et moutons reçurent, par milliers, les soins de l'embaumeur.

Des chats, des chiens et des mangoustes

Petrie a exhumé, à Gizeh, près de deux cents crânes de chats momifiés parmi lesquels on peut distinguer deux variétés. Le plus ancien était un chat sauvage, de grande taille, qui a été peu momifié. Le plus récent, apparu vers 2100 avant J.-C., était un animal domestique, le chat libyen, souvent représenté en compagnie de ses maîtres ; il était roux, avait des oreilles importantes, de longues pattes et la queue recourbée ; c'est lui, surtout que l'on trouve embaumé en un grand nombre d'exemplaires ; importé par les Grecs, il est l'ancêtre de nos chats de gouttière. Sans forcer leur imagination, les Egyptiens l'avaient appelé « myeou ». Comme tous les chats du monde, il pourchassait les rongeurs ; le papyrus Ebers donne même, à sa dépouille, une vertu magique : « Autre remède pour empêcher une souris d'approcher des choses : graisse de chat. A mettre sur toute chose. » Le chasseur l'utilisait aussi pour débusquer les oiseaux d'eau cachés dans les forêts de papyrus.

Les hommes s'étant révoltés contre le dieu solaire Rê, Ptah leur envoya la lionne sanguinaire Sekhmet, déesse de la guerre et des fléaux, mère des épidémies, que ses prêtres, guérisseurs à l'occasion, avaient grand-peine à apaiser. Sous un aspect plus souriant, ce monstre assoiffé de sang, était devenu Bastet, l'autre face de sa personnalité, la bonne déesse qui finit, d'ailleurs, par la supplanter. Les Osorkon, à la XXIIe Dynastie, renforcèrent son

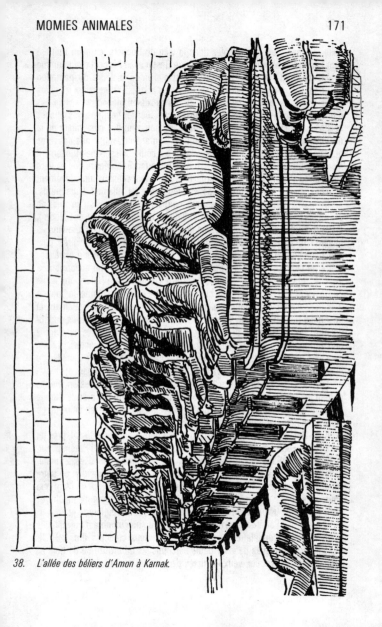

38.   L'allée des béliers d'Amon à Karnak.

culte et agrandirent ses temples dans la ville de Bubaste, en plein Delta, à cent kilomètres au nord-est du Caire. Cette Bastet avait l'aspect d'une femme à tête de chatte et elle était devenue une divinité majeure du panthéon égyptien. Le grand sanctuaire et l'enclos où les prêtres entretenaient les chats sacrés étaient situés au milieu d'un lac. Au deuxième mois de la saison des crues, on y organisait de grandes réjouissances : tous les habitants des villages voisins y venaient en barques, s'interpellant, poussant des cris, jouant de la musique et, par-dessus tout, buvant du vin en grande quantité, une des rares occasions où le fellah pouvait s'enivrer de cette boisson habituellement réservée aux privilégiés. C'est alors qu'on apportait à la déesse des ex-voto sous forme d'adorables chats de bronze, assis sur leur séant, voluptueusement couchés ou de chattes installées sur leur flanc et allaitant leurs petits.

De la ville de Bubaste et de ses sanctuaires, il ne reste plus qu'un amas de décombres, Tell Basta. Entre cette colline et la ville moderne de Zagazig, distante de deux kilomètres, s'étend une plaine criblée de trous, témoins de fouilles de toutes les générations de voleurs, d'amateurs éclairés puis d'archéologues. Des dizaines de milliers de statuettes en ont été extraites ; l'offre ne suffisant pas à la demande, autant de faux circulent encore sur le marché. On y a trouvé aussi des petits bronzes représentant Nefertoum, le fils de Bastet et de Ptah, associé au culte de sa mère et figuré comme un homme à la tête surmontée d'une feuille de lotus. Ce champ était également la nécropole des chats qu'on venait inhumer, de toute l'Egypte, auprès de leur divinité. On les déposait dans des fosses aux parois de briques ou d'argile durcie, innombrables excavations dont certaines sont très grandes. Naville en a vidé une d'une capacité de vingt mètres cubes, ce qui donne une idée de la quantité de chats qu'elle pouvait contenir. Phénomène surprenant et unique en Egypte, ces corps n'étaient pas momifiés mais incinérés : les squelettes portent tous des traces de carbonisation et on a même retrouvé, près de chaque fosse, le fourneau dans lequel on brûlait les animaux, où il restait un mélange d'os, de cendres et de charbon de bois.

A mi-chemin entre Le Caire et Louxor, sur la rive orientale du Nil, près de Beni-Hasan, une petite chapelle rupestre creusée sur l'ordre d'Hatchepsout, le Speos Artemidos des Grecs, était consacrée à une autre déesse-lionne, devenue déesse-chatte, Pakhet. Au pied de ce sanctuaire s'étendait un autre cimetière de chats. C'est un fellah qui le découvrit en 1859, en fouillant à la limite des terres cultivées. Encore une bonne aubaine pour l'agriculture ! Trois cent mille bêtes furent exhumées, transportées en Angleterre et converties en engrais. Par chance, il nous en est resté un bon nombre d'exemplaires admirablement bandelettés avec du linge de deux couleurs (fig. 39). Ils étaient souvent placés dans de petits sarcophages de bronze ou de bois en forme de chat, avec les yeux incrustés de pâte colorée, d'obsidienne ou de

39.   *Momie de chat emmaillotée.*

cristal de roche. Certains avaient seulement la tête recouverte d'un masque de chat en bronze, aux oreilles ornées d'un anneau d'or. Les fœtus et les chatons étaient déposés directement dans le ventre d'une statue représentant leur mère ou dans une boîte de bois ou de bronze surmontée d'une figure de l'animal.

On pourrait croire, à voir la dévotion dont on l'entourait, que ce petit compagnon domestique tenait une grande place dans la vie de l'Egyptien. Quand il mourait, nous dit-on, la famille prenait le deuil, se rasait les sourcils, le veillait puis l'emportait chez l'embaumeur. Mais un papyrus grec jette une lueur étrange sur l'ensevelissement des chats et sur le sort qu'on leur faisait subir à des fins magiques. Nous allons suivre, avec Capart, le déroulement d'un bien curieux sortilège. Il suffit de se procurer un chat et de le noyer : on sait que la mise à mort d'un chat était considérée comme un acte impie mais il y avait un moyen de tourner ce crime à son profit. Pendant que l'animal se débat sous l'eau, on récite la prière suivante :

« Viens à moi, ô toi qui disposes de l'aspect d'Hélios, dieu à figure de chat, regarde ton apparence maltraitée par tes adversaires X et Y; venge-toi sur

eux et accomplis telle ou telle chose car je fais appel à toi, ô démon
sacré ; réunis tes forces contre tes ennemis, car je te conjure par ton
nom... Lève-toi pour moi, ô dieu à figure de chat et fais telle ou telle
chose.»

En somme, on rejette, par une formule magique, la responsabilité du
meurtre sur ses ennemis afin que la divinité protectrice de l'animal et l'animal
déifié lui-même, se vengent sur eux. Une fois la bête morte, on lui glisse dans
le corps de petits morceaux de papyrus sur lesquels on a inscrit à l'encre rouge,
la requête auprès de la déesse Bastet. On enroule le petit cadavre dans une
feuille de papyrus où l'on aura dessiné, au préalable, des images rituelles.
Puis on enterre le chat. Avec l'eau de la noyade, on procède à des aspersions
de la tombe en disant : «Je te conjure, démon évoqué en cet endroit et toi, le
démon de ce chat devenu un esprit, viens à moi aujourd'hui, à l'instant et
exécute pour moi telle ou telle chose.» Enfin, on brandit les moustaches du
chat en marchant en direction du soleil et en affirmant bien haut que ce sont
les ennemis qui ont mis à mort la pauvre bête. Le papyrus confirme l'excellence de la recette en ces termes : «Telle est l'opération magique avec le chat,
appropriée à toute fin, bonne pour faire du tort à un conducteur de char lors de
la course, pour donner des rêves, pour se procurer l'amour d'une femme, pour
exciter la division ou la haine.» Ainsi s'expliquent les inscriptions qu'on lit
souvent sur le socle des statuettes de chatte : «Déesse Bastet, donne la vie,
la santé, une existence heureuse à untel, fils de untel.» Étonnez-vous donc
après cela de la dimension des fosses de Bubaste et des centaines de milliers
de chats de Beni-Hasan.

Le chien a été domestiqué, en Égypte, plus tôt que le chat mais il restait
encore de grandes troupes de chiens sauvages qui couraient les déserts et les
collines. On décrit toujours Anubis comme un dieu à tête de chacal mais
Keimer, égyptologue et zoologiste, s'élève contre cette fausse interprétation :
il n'y a pas et il n'y a jamais eu de chacal en Égypte mais seulement des chiens
errants qui ressemblent un peu à des loups, au museau effilé, porteurs de
grandes oreilles pointues et d'une longue queue touffue. Un fonctionnaire,
isolé, dans un poste frontière, décrivait ces hordes qui étaient sa seule
compagnie :

«Si jamais l'on débouche un pot plein de bière et que l'on sorte pour boire,
il y a deux cents grands chiens et trois cents chiens-loup : total cinq cents.
Ils sont tous les jours devant la porte, chaque fois que je sors à cause de
l'odeur de cruche qui émane du pot quand on l'a débouché. Que serait-ce si
je n'avais ici le jeune chien-loup du scribe royal Nahiho, à la maison ? C'est
lui qui me sauve d'eux en toute heure où je sors, et qui me sert de guide sur
la route.»

Plusieurs dieux se sont incarnés dans cet animal sauvage. Le plus célèbre était Anubis, particulièrement vénéré dans sa ville de Cynopolis, la cité des chiens, en Moyenne Egypte. C'était un dieu funéraire, celui qui avait inventé la momification en embaumant le corps d'Osiris. Il veillait aussi sur les nécropoles et protégeait les morts contre les voleurs et les chiens rôdeurs. On le figurait comme un chien noir (ou un chacal selon la tradition) allongé sur un socle ou comme un homme à tête de chien (fig. 40). La teinte noire,

40.   Anubis, en forme de chien noir, allongé sur un naos.

allusion à la couleur que prenait le corps après la momification, confirme bien son caractère funéraire et les prêtres devaient prendre garde à la forme et à la teinte des taches qui désignaient les animaux sacrés, représentants du dieu sur terre. Un chien personnifiait un autre dieu à Abydos, Khenty-Imentiou, chef des gens de l'Ouest, c'est-à-dire des morts. A la Basse Epoque, il fut confondu avec Osiris. Enfin, à Assiout, c'était encore un autre dieu qui veillait sur les défunts, Oupouaout, dépeint sous l'apparence d'un chien dressé sur ses pattes. Son nom signifie «ouvreur des chemins». Il précédait Osiris dans les combats et, devant le pharaon, marchait toujours un porteur d'étendard à l'image d'Oupouaout qui devait lui frayer un passage parmi les ennemis. Chien, chacal ou loup, nous appellerons tout simplement ces animaux des canidés puisque, sur les peintures et dans la littérature égyptienne, il est impossible de les catégoriser plus nettement.

Dès l'ère prédynastique, le chien était enterré avec déférence. Dans le cimetière d'Héliopolis où il avait déjà trouvé des tombes de gazelles, Debono a mis au jour des sépultures de chiens, creusées à plus faible profondeur. Les animaux reposaient sur le flanc, les pattes repliées, sans orientation déterminée ; leurs corps étaient alignés en bordure de la nécropole, peut-être comme s'ils devaient en être les gardiens, d'où un rapprochement qui s'impose avec l'idée d'un culte d'Anubis antérieur à l'époque historique.

Plus tard, tous les chiens, domestiques ou non, se virent attribuer les mêmes honneurs que les animaux sacrés, au moins dans certaines régions. Quand l'un d'eux était trouvé mort dans une demeure, tous les habitants se rasaient le corps en signe de deuil et il était défendu de toucher à toute nourriture qui était dans la maison. Les cimetières de chiens ne manquent pas en Egypte. A Thèbes, les bêtes avaient été enveloppées de bandelettes brunes ou ocre qui dessinaient des rectangles emboîtés. Mais la plus grande nécropole est peut-être celle d'Abydos fouillée par Peet au début de ce siècle. Un puits maçonné conduisait à des galeries souterraines sur lesquelles s'ouvraient les chambres mortuaires ; couloirs et chambres étaient remplis de momies de chiens entassées en couches jusqu'à une hauteur de 1,50 m et au nombre de huit à dix en profondeur. Il y en avait des milliers, orientées dans toutes les directions, sommairement enveloppées de linges blancs et médiocrement embaumées : quand on essaya de les sortir de leur caveau, la plupart tombèrent en poussière. La découverte de lampes romaines du Ier siècle av. J.-C., reposant sur le sable et recouvertes d'une couche de cadavres, permet de dater la sépulture avec une certaine précision. Près de l'entrée, des os brisés et un amas confus de squelettes et de linges signaient, une fois de plus, le passage des voleurs.

Atoum, le dieu d'Héliopolis avait, pour animaux sacrés, le lion, le serpent et, surtout, l'ichneumon, appelé plus familièrement mangouste. On élevait, en effet, des mangoustes dans les temples d'Atoum, spécialement à Bubaste : on les nourrissait avec du pain trempé dans du lait. On ne sait pas si ce

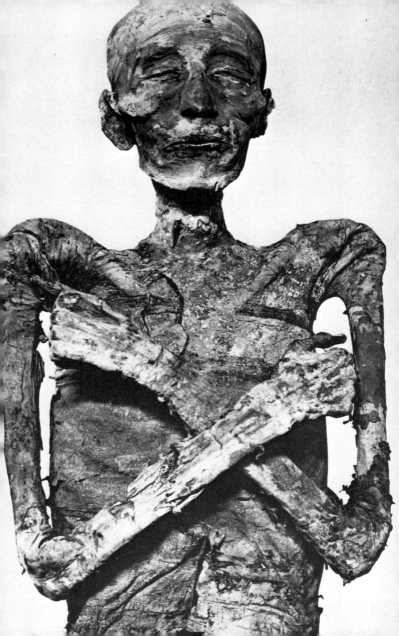

Mineptah était l'un des cent fils de Ramsès II. Il succéda à son père et régna vingt ans. La légende veut qu'il ait été le pharaon de l'Exode, celui qui chassa d'Egypte les Israélites conduits par Moïse. Sa momie révèle «un homme assez corpulent, chauve, atteint d'une grave arthrose des vertèbres cervicales...» et d'artériosclérose. Musée du Caire. *Photo Hachette*.

régime leur convenait parfaitement car la mangouste fait habituellement ses délices des serpents qu'elle combat avec une adresse diabolique. Dans la théologie égyptienne, elle était l'incarnation d'Atoum qui s'était transformé en ce animal pour vaincre l'énorme serpent Apophis, génie du mal, ennemi du Soleil, toujours vaincu mais toujours renaissant. Comme pour les chats, la magie sympathique, contraignante pour le dieu impliquait la mort par noyade, de la mangouste. En revanche, elle avait droit à une belle boîte de bronze, décorée à son effigie, en guise de cercueil.

Les musaraignes ont été plus rarement momifiées. On les voit parfois enserrées entre des oiseaux dans un assemblage en forme de fuseau; la découverte la plus surprenante fut celle de momies en forme d'ibis remplies simplement de crânes de musaraignes. Le plus souvent, elles sont conservées isolément dans leur paquet de bandelettes, le tout préservé par un petit sarcophage en bois de sycomore, sculpté à leur image; le couvercle du cercueil glisse alors dans des rainures comme celui d'un plumier d'écolier.

L'ibis et le babouin de Thot et le faucon d'Horus

Thot était l'intellectuel de la famille divine. On lui devait la prodigieuse invention de l'écriture, l'annalistique, la création des lois et l'organisation du temps. Il était, tout à la fois, le patron des scribes, le secrétaire des dieux, un écrivain, un historien et un calculateur. Maniant le langage comme personne, il avait acquis, de la sorte, un pouvoir magique redoutable d'où son rapprochement, à la période hellénistique, avec l'Hermès Trismégiste des Grecs, le trois fois très grand: le bruit circulait qu'il avait, de sa propre main, écrit des «livres hermétiques» jalousement conservés en un recoin secret du temple d'Hermopolis. Comme il lui fallait un représentant sur terre, on choisit, curieusement pour un dieu pourvu de telles prérogatives, un simple oiseau, l'ibis, que les Egyptiens appelaient, d'ailleurs, *hib*; pas n'importe quel ibis, ni le falcinelle au plumage brun, un peu terne, ni celui à aigrette, au plumage mordoré, mais le grand ibis blanc, à la tête noire, l'ibis sacré qui détruisait les reptiles et regagnait l'Egypte pour annoncer la crue du Nil. Sa taille a d'ailleurs diminué avec les siècles et les spécimens vivants, réfugiés au Soudan, sont loin d'atteindre les dimensions des grands ibis momifiés.

Les sanctuaires de Thot ne manquaient pas en Egypte, mais sa ville de prédilection devint bientôt Khmounou, dans la province du Lièvre, plus connue sous son nom gréco-égyptien d'Hermopolis. Khmounou ne l'avait pas attendu pour établir un culte qui s'adressait à un grand nombre de divinités incarnées dans le lièvre, la grenouille et, surtout, dans le babouin cynocéphale. Ce singe était ignoré dans le pays; on le faisait venir d'Ethiopie et du Soudan. Les peuples de la Nubie qui payaient, chaque année, un tribut obligatoire au pays suzerain, se voyaient taxés d'un certain nombre de ces animaux qu'ils capturaient dans leurs forêts. Le vieux mâle cynocéphale, au museau de chien, aux protubérances fessières écarlates, porte une épaisse crinière. Lubrique, le sexe souvent dressé, il n'est pas toujours d'un commerce agréable: son agressivité sporadique est telle que les scribes avaient fait suivre l'hiéroglyphe signifiant «être furieux» du dessin de l'animal en colère, dressé sur ses quatre pattes (fig. 41); mais il avait ses moments de tranquillité,

41.   Ecriture hiéroglyphique pour:
      «être en colère», suivi du signe
      déterminatif du babouin irrité,
      dressé sur ses pattes.

assis sur son arrière-train, les mains sur les genoux et c'est dans cette posture majestueuse que la statuaire le représente le plus souvent. Le dieu Thot eut tôt fait de l'adopter et, deux sûretés valant mieux qu'une, s'incarna sur terre, à la fois dans l'ibis que l'on imposa à Hermopolis et dans le cynocéphale qui s'y trouvait déjà.

Au nord d'Hermopolis, au lieu-dit Tounah-el-Gebel, se trouvaient le centre religieux et la nécropole. Les remarquables fouilles de l'Université égyptienne dirigées par Samuel Gabra ont dégagé un ensemble funéraire dont les vastes dimensions en disent long sur l'importance que le culte des animaux avait prise à l'époque de la décadence. Aux périodes de fête, les pèlerins, qui venaient en foule rendre hommage au dieu Thot dans son temple d'Hermopolis, parcouraient ensuite, à pied, les douze kilomètres qui les menaient au sanctuaire des animaux sacrés. Après cette marche épuisante sous le soleil, ils parvenaient dans cette oasis bien dénommée: «Le lieu du silence et de la fraîcheur.» Un jardin de palmiers servait de refuge aux singes qui sautaient de branche en branche et aux ibis pour qui on avait creusé aussi un vaste bassin. Un puits à deux étages, de trente-quatre mètres de profondeur, l'alimentait grâce à une ingénieuse machine élévatoire. En somme, à la limite du désert, l'enclos des animaux de Thot était un havre de repos et de bon accueil; des logements étaient prévus pour les visiteurs qui désiraient s'attarder. Comme en tout lieu saint le mercantilisme ne perd jamais ses droits, des commerçants ou, peut-être des prêtres eux-mêmes tenaient boutique autour du temple: ils vendaient des ex-voto sans l'achat desquels le pèlerinage serait resté lettre morte. On a encore retrouvé, dans le sable, près des échoppes, des pièces grecques et romaines d'or et d'argent.

Le grand temple, très ruiné, est actuellement dégagé de la colline de sable de douze mètres de haut sous laquelle il était enfoui. On l'appelait le « Temple des esprits supérieurs ». Petosiris, grand prêtre de Thot, y avait fait graver son nom ainsi qu'une supplique aux passants leur demandant de l'épeler afin qu'il restât éternellement vivant.

L'énorme cimetière des animaux sacrés qui occupe une superficie de quinze hectares était considéré, dès l'Antiquité, comme une merveille. Qui dit tombe, dit pillage : les fouilleurs clandestins de Tounah-el-Gebel étaient, bien entendu, passés, et depuis fort longtemps, avant les chercheurs de l'Université égyptienne. Une balustrade de pierre haute d'un mètre délimitait, sur une longueur de six cents mètres et sur une largeur de deux cents, l'enclos funéraire où se trouvaient les entrées des couloirs souterrains. Elle faisait le partage entre le territoire des humains, inhumés à l'extérieur et celui des dépouilles des animaux de Thot, enterrés dans son enceinte. C'est d'ici que partent donc trois galeries, longues de plusieurs centaines de mètres, chacune étant précédée d'une chapelle.

La galerie A, la plus récente, n'abritait que des momies d'ibis : elle se présente comme une véritable ville souterraine avec des rues sur lesquelles s'ouvrent, de temps à autre, des chambres noires, mal aérées où s'entassent des milliers de momies d'oiseaux, des ibis pour la plupart, mais aussi quelques rares faucons et flamants : on était peut-être moins regardant, à la Basse Epoque, sur l'espèce de l'animal. Ces oiseaux, médiocrement embaumés, reposent, à même le sol, en couches superposées ; certains ont été insérés dans de petites jarres.

La galerie B, d'époque ptolémaïque, la plus vaste, précédée d'un escalier monumental, est faite d'un labyrinthe de couloirs qui s'entrecroisent en toutes directions : aucun plan n'avait présidé à sa construction ; seule la résistance plus ou moins grande de la roche avait infléchi le trajet des corridors. Ici, pas ou peu de chambres, mais des logettes à perte de vue, superposées jusqu'au plafond en un alignement que les ombres portées rendent encore plus impressionnant. Les cachettes sont vides : certaines ont été pillées par les voleurs car on a retrouvé un grand nombre de jarres brisées mais, surtout, beaucoup avaient été creusées à l'avance, en prévision des futurs besoins du culte de l'ibis et n'avaient jamais été occupées.

La galerie C est la plus ancienne : c'est grâce à elle que l'on a pu se faire une idée assez précise des rites en usage chez les adorateurs de Thot. Une chapelle à ciel ouvert, dont la dernière restauration est due au fils d'Alexandre le Grand et de Roxane, accueillait les officiants pour la cérémonie funéraire qui précédait l'inhumation de l'ibis. Dans un bâtiment adjacent, le «Bureau des Archives», on a pu retrouver dans des jarres scellées, des documents comptables concernant le fonctionnement du temple. Un messager était venu du Fayoum apporter un ibis qui devait être momifié; une lettre portant le sceau de Psammétique Ier lui servait à la fois de sauf-conduit pendant son voyage et d'introduction auprès des prêtres. Enfin, Hermopolis était, sans doute, un relais pour les voyageurs, surtout à l'époque troublée de l'occupation perse, car on a découvert dans une poterie, soigneusement dissimulées entre des momies d'ibis, sept lettres écrites en araméen que des Juifs d'Eléphantine faisaient passer clandestinement à leurs coreligionnaires de Memphis.

A droite de l'entrée de la galerie, une petite pièce de deux mètres sur trois, l'atelier de momification, devait fonctionner sans interruption. On imagine très bien les taricheutes s'y relayant car on expliquerait mal, autrement, les quatre millions d'oiseaux momifiés qui occupent les souterrains de la nécropole. La table d'embaumement est disposée au centre de la chambre : un peu inclinée, elle se termine par une gouttière où s'écoulaient les liquides. Elle est encore recouverte de résine ou de bitume et, dans le sol, sont enfoncées des jarres où l'embaumeur puisait ses ingrédients. Dans un grand récipient de pierre, l'analyse chimique a mis en évidence les produits habituellement utilisés : du natron, du sel et de l'huile de térébenthine. Les ibis n'étaient pas éviscérés mais seulement traités par le natron et la résine. Ces opérations étaient effectuées aux frais du donateur qui venait faire hommage à Thot de la momie d'un de ses animaux consacrés. Si l'embaumeur travaillait de façon hâtive, l'homme chargé de l'emmaillotage apportait beaucoup d'application à son ouvrage : les bandelettes, croisées avec art, dessinent d'élégants motifs. Une fois terminé, le paquet offre une forme conique d'où sortent la tête et le long bec de l'oiseau (fig. 42), parfois c'est à l'image d'une momie humaine que l'animal a été emmailloté. Une déesse Isis, découpée dans des morceaux de tissu et collée sur la poitrine, peut venir compléter la décoration. L'oiseau embaumé allait alors trouver sa place dans la galerie. Tous les animaux n'avaient pas droit au même emplacement : ceux que les fidèles apportaient de l'extérieur étaient entassés à plusieurs dans des jarres que l'on déposait à même le sable des chambres et que l'on superposait jusqu'à la voûte : les animaux sacrés, élevés dans l'enceinte du temple, avaient seuls le privilège d'être installés dans les niches creusées dans les parois du couloir.

De temps à autre, le clergé célébrait des offices. Une statue de calcaire nous donne une idée du début de la cérémonie : un prêtre, vêtu de lin blanc, portant dans ses mains une table d'offrandes, descendait à reculons le grand escalier qui menait au souterrain. La foule des fidèles le suivait et le cortège s'arrêtait dans des chapelles, ménagées de place en place, décorées de

42.   Ibis bandeletté.

zodiaques et entourées de bancs de pierre. Dans une chapelle de la galerie C, Gabra a découvert un cynocéphale parfaitement momifié, couvert de bijoux d'or et d'amulettes. Car on momifiait aussi les singes sacrés, sans leur enlever le cerveau, semble-t-il. La quantité de singes embaumés ne saurait être comparable à celle des oiseaux car il s'agissait, nous l'avons vu, d'un animal d'importation.

Dans cet immense cimetière d'animaux, un être humain, un seul, avait désiré et obtenu d'être inhumé au milieu des bêtes qu'il avait vénérées toute sa vie. Il s'appelait Ankh-Hor et était grand prêtre de Thot. Il avait aménagé sa sépulture avec une certaine magnificence : on gagne encore sa tombe par un long corridor de chaque côté duquel s'ouvrent de grandes chambres de quinze mètres de côté sur six mètres de haut : le sol de celles-ci est recouvert de rangées de coffres de bois contenant des singes ; au-dessus sont superposées des milliers de jarres renfermant, chacune, quatre ibis.

Quatre millions d'ibis embaumés ! N'oublions pas ce nombre. Il indique bien la démesure à laquelle atteignit la zoolâtrie du peuple égyptien et il confirme aussi ce que nous avons dit plus haut à propos des chats : la mise à mort volontaire de l'animal à des fins magiques n'a sans doute pas été étrangère à l'approvisionnement de la nécropole d'Hermopolis. D'autant plus qu'on connaît d'autres cimetières où les ibis n'ont pas dû, non plus, mourir de maladie ou de vieillesse.

Abydos, par exemple, la ville sacrée d'Osiris, avait aussi sa nécropole d'ibis, non loin du cimetière des chiens, où, par milliers, les oiseaux avaient été inhumés dans des jarres. Les poteries faites d'argile séchée au soleil ou cuite au four, contenaient parfois jusqu'à une centaine de paquets, certaines n'en renfermaient qu'un seul. Pour y introduire l'animal, le potier avait découpé la panse en une ouverture circulaire et replacé le fragment enlevé qu'il lutait avec de la boue (fig. 43); quelques jarres ne contenaient que des

43.   *Ibis dans sa jarre operculée.*

œufs d'ibis, de quarante à deux cents, enveloppés de linges pour protéger la coquille. Les ibis étaient bandelettés de deux façons, selon que l'embaumement était fait avant ou après la rigidité cadavérique. Certains oiseaux, empaquetés en une forme compacte, avaient la tête baissée, le bec le long du ventre; d'autres, au contraire, avaient conservé la tête droite. Dans un cas comme dans l'autre, les pattes étaient repliées. Des bourrages de linges venaient compléter les vides laissés entre les bandelettes et le corps. Les derniers tours de bande étaient donnés de façon à réaliser des dessins géométriques d'une grande variété. Comme à Hermopolis, l'embaumeur avait donné une forme humaine à certains oiseaux mais avait conservé la tête de l'ibis qu'il avait sommée d'une couronne.

Sous la IIIe Dynastie, Imhotep, le vizir du roi Djoser, jouissait d'une grande notoriété, non seulement en raison de son rôle politique mais encore comme architecte de génie – on lui doit la fameuse pyramide à degrés – comme sage et scribe, prêtre-lecteur chef, astrologue et magicien. Sa gloire posthume fut encore plus étonnante car ce simple mortel fut élevé au rang des héros puis à celui des dieux. Déjà, sous Aménophis III, chaque scribe, avant de couvrir

sa feuille de papyrus d'hiéroglyphes, laissait tomber une goutte de sa plume
en l'honneur d'Imhotep. C'est vers 170 av. J.-C., sous Ptolémée Evergetes II,
qu'il fut déifié et qu'on le connut, fait inexplicable, comme un dieu de la
médecine. Peut-être avait-il réussi, de son vivant, quelques guérisons miracu-
leuses dont le souvenir s'était perpétué? Toujours est-il qu'on lui éleva des
sanctuaires et qu'un culte lui fut rendu. Il acquit alors, progressivement, en
raison de ses grandes qualités intellectuelles et de l'étendue de ses connaissances en de multiples domaines, un grand nombre des attributs du dieu
Thot : on lui décerna même le titre de «premier chef des ibis». Sa tombe n'a
pas encore été retrouvée mais il y a de fortes chances pour qu'elle ait été
creusée près de la pyramide à degrés qu'il éleva, pour son pharaon, à
Saqqarah. La présence, au nord de cette ville, d'une grande nécropole d'ibis,
vient encore renforcer cette hypothèse. C'est sans doute en raison du culte
que l'on vouait à ce dieu qu'on vint inhumer les ibis, oiseaux chers à Thot puis
à Imhotep, dans les environs de son tombeau. Ce cimetière était connu des plus
anciens visiteurs : au cours du séjour en Egypte de Bonaparte, le «tombeau des
momies d'oiseaux» était déjà une curiosité à ne pas manquer. Emery, en 1965,
y conduisit des fouilles qui le menèrent dans un dédale de couloirs souterrains;
leur superficie en est si étendue qu'il ne put les explorer complètement. Ces
corridors, creusés à Basse Epoque, circulent entre les tombes humaines des
Ancien et Moyen Empire. La création d'une telle nécropole dut nécessiter des
travaux de soutènement considérables : à chaque instant, les ouvriers rencon-
traient un puits funéraire ancien qu'il fallait consolider, ou le plancher d'une
tombe que l'on devait étayer. Il ne manquait cependant pas d'emplacements
vierges dans les environs : si l'on avait choisi délibérément d'accepter de
pareilles difficultés, la raison en était probablement la présence de la tombe
d'Imhotep. Enfermés dans des jarres scellées, des centaines de milliers d'ibis
reposent tout au long de ces couloirs et dans des chambres latérales dont
l'ouverture avait été fermée par un mélange de boue et de plâtre. Que ce fut
pour Thot à Hermopolis et à Abydos ou pour Imhotep à Saqqarah, l'hécatombe
des pauvres ibis égyptiens se poursuivait.

Ils n'avaient pas été les seuls représentants de la gent ailée à avoir reçu les
soins des embaumeurs. Sur un millier d'oiseaux momifiés, envoyés de toutes
les localités d'Egypte, Lortet et Gaillard ont pu distinguer trente-huit espèces
différentes. Il y avait de tout : des hiboux, des hirondelles, des passereaux
divers mais, après les ibis, ce sont surtout les rapaces diurnes que l'on
retrouve dans les tombes. On emmaillotait des busards, des éperviers, des
milans, de petits aigles quand on n'avait rien d'autres; cependant, l'oiseau
royal par excellence était le faucon. On l'imagine souvent comme l'incarnation
d'Horus le Grand, le dieu protecteur de la monarchie que la statuaire représente

soit comme l'oiseau lui-même, soit comme un homme à tête de faucon
(fig. 44). Il était aussi Rê, avec un disque solaire sur la tête, Montou, le dieu

44.   Rê-Harakti.

guerrier au chef surmonté de deux longues plumes, Sokaris, divinité funéraire
primitive, sous forme d'un faucon momifié, Horus, en tant que fils d'Isis,
coiffé de la double couronne royale, Horus de Behedet, représenté par un
disque solaire flanqué de deux ailes déployées, et bien d'autres. Innombrables
sont donc les localités où on l'adorait et où on l'embaumait pour le mettre soit
dans une boîte de bronze, soit dans un sarcophage de cartonnage, assez
souvent façonnés à l'image d'un petit homme, longs de cinquante centimètres
à peine. Les faucons ainsi momifiés étaient peut-être les oiseaux sacrés, ceux
que les gardiens élevaient dans les temples, qu'ils appelaient à haute voix et à
qui ils lançaient, pour qu'ils les saisissent en plein vol, les morceaux de
viande de leur repas quotidien. Pour les autres, ils étaient agglomérés en de
grands fuseaux longs de 1,50 m qui contiennent différentes espèces d'oiseaux

et, le plus souvent, de simples amas d'os et de plumes : il ne devait pas être facile de réunir, en un court laps de temps, un grand nombre de rapaces. Aussi, comme pour d'autres animaux, la collecte rassemblait quelquefois des corps en décomposition avancée que les habitants d'un village avaient apportés jour après jour. C'est finalement toujours la même distinction entre l'animal sacré privilégié, élevé par des prêtres dans l'enceinte d'un temple et ses congénères, non élus, offerts en hommage par de simples particuliers.

Même des animaux repoussants

Encore un dieu bien étrange que ce Sobek, transformé en Soukhos par les Grecs. On le vénérait sous l'apparence du crocodile en de nombreux temples établis tout au long du Nil. Son culte, sans doute très ancien, est attesté dès le Moyen Empire. L'imagerie religieuse le dépeint sous les traits du crocodile couché ou sous la forme d'un homme à la tête de l'animal, le chef portant une encornure de bélier surmontée des deux plumes d'Amon et, parfois, flanquée de deux cobras dressés ; surtout, entre les cornes, s'étale le disque solaire, symbole de l'appartenance religieuse de l'animal sacré qui, comme le soleil, sort de l'onde. C'était aussi, bien entendu, un dieu de l'eau, un symbole de vie et de résurrection et c'est à ce titre qu'on l'adorait à Kom Ombô où, chaque année, était célébrée l'arrivée de la crue bienfaisante du Nil. Là, à cinquante kilomètres au nord d'Assouan, on peut encore voir une construction unique dans toute l'Egypte : un temple double, dont toutes les parties, quoique étant communes, la cour, les deux salles hypostyles et les trois vestibules, possèdent chacune deux entrées ; tout au fond du sanctuaire, deux chapelles sont individualisées. Chacune d'elles était vouée à une triade divine : la première triade se composait d'Haroeris, Horus le Grand à la tête d'épervier et de ses deux compagnons, la déesse Senetnofret, «la Bonne sœur» et Panebtaoui, le «maître du Double Pays» ; la seconde comprenait Sobek, le dieu crocodile entouré de sa mère, la déesse Hathor à tête de vache et de son fils, le dieu Khonsou, homme à la tête de faucon. Près du mur nord-ouest du temple, on avait creusé un ensemble de puits qui alimentaient les bassins où l'on élevait de jeunes crocodiles.

Mais la ville sacrée par excellence était l'ancienne Shedit que les Grecs avaient baptisée Crocodilopolis et qui devint Arsinoé à l'époque ptolémaïque. Sur son emplacement, à cent kilomètres au sud du Caire, s'est installé l'actuel Medinet-el-Fayoum qui, malgré ses cent soixante-dix mille habitants, ne reflète plus l'intense activité de l'ancienne ville : l'afflux des visiteurs tenait au culte du crocodile et à un centre de thermalisme gréco-romain dont on devine encore les vestiges. Dès la XIIᵉ Dynastie, un temple consacré à Sobek y avait été élevé et Ramsès II l'avait fait restaurer mais c'est avec les Ptolémées que, l'hypertrophie du culte des animaux aidant, la ville connut son apogée. Des crocodiles monstrueux faisaient l'admiration du peuple et tout un collège sacerdotal veillait à leur entretien. Sur les bords d'un bassin sacré, ils pouvaient à loisir se prélasser au soleil sans se préoccuper de la quête de leur nourriture : pour le dîner, les prêtres leur apportaient du pain, de la viande cuite, un peu rôtie et un pichet d'hydromel. Ils n'avaient pas le moindre effort à fournir : quand venait l'heure de la pitance pour un crocodile, des assistants s'approchaient de l'animal, le maintenaient solidement, d'autres lui ouvraient la gueule tandis que l'un d'eux enfournait la viande, le miel et la boisson. Ayant reçu sa ration, l'animal sacré plongeait dans le lac et se réfugiait sur la rive opposée. Mais qu'un étranger se présentât avec des offrandes et aussitôt les prêtres, courant autour du bassin, rejoignaient la bête et recommençaient le manège. On imagine que les sauriens ne devaient pas survivre longtemps à un régime aussi peu diététique pour des représentants de leur espèce. Les Egyptiens considéraient le crocodile sacré comme un dieu et lui prodiguaient les plus grandes marques de vénération ; on peut croire Hérodote quand il déclare qu'on cerclait de bracelets ses pattes de devant mais on se demande où il a bien pu voir les oreilles auxquelles on accrochait des pendentifs ! Le temple de Sobek et son bassin étaient, pour le voyageur, indépendamment de leur caractère religieux, une attraction qui méritait un détour. Quand un certain Memmius, sénateur romain, vint visiter le pays, une lettre officielle le précédait recommandant que l'on mît tout en œuvre pour son confort et ses loisirs : parmi les frais était prévu un «supplément de nourriture pour Petesouchos et les crocodiles».

Lorsqu'une de ces bêtes venait à mourir, elle était confiée à l'embaumeur puis inhumée, avec tout le cérémonial usuel, dans le cimetière des crocodiles sacrés, le Soucheion, dont on n'a pas encore retrouvé la trace. On connaît, par contre, d'autres cimetières de sauriens, bêtes d'offrandes, si l'on peut dire, non revêtues du caractère singulier de l'animal élu. Ainsi, à vingt kilomètres au sud de Crocodilopolis, on a mis au jour la nécropole de Tebtynis d'où quelque deux mille crocodiles momifiés ont déjà été extraits et le filon n'est pas épuisé. Aucune stèle n'en indique l'emplacement ; il n'y a pas de constructions funéraires ; les tombes avaient été creusées à même le sable. Les momies sont ensevelies par groupes familiaux comprenant le père, la mère et cinq à six petits ; parfois quelques œufs les accompagnent. Avant de les emmailloter, l'embaumeur façonnait souvent la tête avec de longues bandes de papyrus où l'égyptologue peut découvrir des documents intéressants. La plupart des momies, modelées avec art à la forme de l'animal, sont fausses. Elles sont bourrées de paille, armées de tiges de palmier et contiennent tout au plus, au centre du paquet, un os de crocodile. Elles devaient être confectionnées dans le temple et leur vente représentait sûrement une prébende pour le clergé. Cependant, toutes les momies n'étaient pas truquées. L'une d'entre elles, trouvée en 1901 par Gorostarzu était particulièrement curieuse : à l'intérieur du paquet, il y avait un crocodile long de 1,80 m ; au-dessus de lui, une autre bête, plus grande, avait été découpée en morceaux que l'on avait disposés de façon symétrique sur les parties correspondantes du premier animal ; entre ces morceaux, une cinquantaine de petits crocodiles, à peine sortis de l'œuf, faisaient comme une armée en marche tout au long du corps de la grande momie.

En Haute Égypte, près d'Armant, un autre sanctuaire, moins célèbre, portait aussi le nom de Crocodilopolis. Dans une grotte, les Arabes y avaient découvert, mêlés à des momies humaines, une quantité de crocodiles de toutes tailles, empilés sans ordre. Les cartonnages, faits de papyrus grecs encollés, étaient une mine pour les chercheurs : aussi les indigènes fouillaient-ils la cachette avec avidité dans l'espoir d'en tirer un bon prix. L'exploitation de la réserve ne dura pas longtemps car, dans leur hâte maladroite, ils y mirent un jour le feu et tout le contenu de la grotte disparut en fumée.

L'Égypte était infestée de serpents. Dans les marais du Delta, le cobra glissait entre les herbes et se dressait soudain, gonflant sa gorge de colère, tel qu'on le voit en *uraeus* sur le front des pharaons ; dans les sables du désert, la petite vipère à queue noire et, surtout, la vipère à cornes se faufilaient sournoisement. L'eau que l'on faisait couler sur les statues guérisseuses couvertes d'inscriptions magiques ne pouvait pas grand-chose contre leur morsure. Le mieux était donc de s'en faire des alliés et de les élever au rang de divinités protectrices. La dame-cobra, «Renoutet, maîtresse du grenier», représentée sous l'aspect d'une femme à tête de cobra, assise, tenant sur ses genoux son fils Néper, était la déesse des moissons. Son effigie montait la garde devant les greniers et, chaque année, au moment des récoltes et des vendanges, une parcelle des biens de la terre lui était consacrée. Elle était répandue dans tout le pays mais Amenhemat III et Amenhemat IV lui avaient fait élever un temple à Medinet Mâdi. C'était un si petit bâtiment, qu'eu égard aux services rendus, Séthi II, Ramsès III et Osorkon lui adjoignirent une allée monumentale où devaient se dérouler des processions en son honneur.

A Deir-el-Medineh, le village des ouvriers de la nécropole thébaine, les artisans avaient une vénération particulière pour Meret-Seger, encore une déesse-serpent, «celle qui aime le silence». Elle les protégeait et veillait sur la ville des morts. On lui avait bâti un sanctuaire à mi-pente sur la montagne qui domine la vallée, à l'ouest de Thèbes ; on l'appelait aussi «La Cime». Ces divinités, bons génies qui ne s'égalaient pas aux dieux primordiaux, avaient, évidemment, pour sujet d'incarnation, le serpent. Comme tout animal sacré, celui-ci passait entre les mains de l'embaumeur. On en a retrouvé, enveloppés dans des bandelettes, déposés dans des fosses creusées dans le sable, mais le plus souvent, ils étaient enfermés dans de petits sarcophages de bois ou de bronze, décorés d'un serpent lové à tête humaine. Il n'était pas rare de rencontrer de telles boîtes suspendues dans les habitations.

La déesse Heket, à tête de grenouille, une des matrones qui s'affairaient autour de l'accouchée et à qui revenait le rôle de donner le souffle de vie au nouveau-né, imposa aussi le culte de la grenouille. L'animal momifié trouvait sa place dans un petit coffret de bronze.

La base de l'alimentation de l'Egyptien moyen était le poisson. D'innombrables variétés proliféraient dans le Nil, toutes comestibles, à l'exception du poisson-chat à la chair bien fade et du tétrodon, hérissé de piquants, qui se gonfle d'air au moindre danger. Ainsi, le fellah n'avait qu'à poser sa ligne ou lancer son filet sur les bords du fleuve ou dans les marais pour être assuré de sa nourriture quotidienne… S'il travaillait dans une équipe d'ouvriers, la ration de poisson faisait partie de son salaire. En apparence, les choses étaient simples ; dans la réalité, de nombreux interdits religieux venaient compliquer la situation. Le pharaon et les prêtres n'avaient pas le droit d'en consommer. A certains jours de fête, il eût été sacrilège de faire paraître du poisson sur la table. Par-dessus tout, telle espèce que l'on mangeait ici sans vergogne était considérée là comme sacrée et les croyances locales variaient du tout au tout à quelques lieues de distance.

Dans le Delta, à Pimasi, que les Grecs transformèrent en Oxyrhynkhos, on adorait le dieu Seth, l'ennemi juré d'Osiris. Une de ses représentations mortelles était précisément l'oxyrhynque, sorte de poisson électrique, au museau allongé et recourbé. Il passait pour avoir avalé, lors de la dispersion des fragments d'Osiris, le membre viril du dieu. A la fois incarnation de Seth et vivant reliquaire de son frère Osiris, il ne pouvait manquer d'être embaumé.

A Esnah, dans le sud de la Haute Egypte, la déesse Neith, déesse primordiale, créatrice androgyne du monde, elle qui dériva entre les eaux avant de lancer le soleil dans sa course sans fin, ne pouvait se matérialiser que sous l'aspect d'un poisson. On lui choisit la perche du Nil, le lates, d'où le nom de Latopolis que les Grecs assignèrent à la ville d'Esnah. A dix kilomètres à l'ouest de la cité, dans la plaine sablonneuse qui s'étend jusqu'aux contreforts de la chaîne libyque, on a découvert une incroyable quantité de poissons momifiés et bandelettés, ensevelis à même le sable. Il y avait des individus de toutes dimensions, des plus petits qui ne dépassaient guère quelques centimètres jusqu'aux plus grands qui atteignaient les deux mètres. Dans des sphères faites de joncs entrelacés et entourées de bandelettes, la piété populaire avait même placé des centaines d'alevins. Enfin, les pèlerins pauvres qui ne pouvaient s'offrir les services d'un embaumeur faisaient eux-mêmes des pelotes dans lesquelles ils avaient simplement glissé quelques écailles. Les plus beaux spécimens sont admirablement conservés : ils n'avaient pas été éviscérés mais une longue incision sur le flanc avait permis au natron de pénétrer dans les chairs. Avant le bandelettage, on les recouvrait d'une couche de vase très salée pour parfaire la préservation, puis on les ensevelissait dans le sable dont la sécheresse et la chaleur accroissaient la dessiccation. Certains étonnent encore par la vive couleur de leurs écailles et le reflet mordoré du fond de l'œil.

Si Rê était le soleil glorieux de midi et Atoum celui déclinant du soir, Khepri était l'astre levant du matin : on le représentait parfois sous la forme d'un homme dont la tête était remplacée par un scarabée entier. Yoyotte explique que l'hiéroglyphe Kheper, figuré par cet insecte, signifie : «Venir à l'existence en prenant une forme donnée», c'est-à-dire quelque chose comme, à la fois, être et devenir. Le scarabée qui pousse à reculons sa sphère de bouse peut ainsi très bien incarner le dieu Khepri, «venu de lui-même à l'existence». Les momies de scarabées sont rares : on peut en voir deux exemplaires au British Museum, l'un dans une boîte de bois, l'autre dans un petit sarcophage de pierre. Le papyrus magique qui indiquait comment tirer un bénéfice moral de la noyade d'un chat fournit les mêmes recommandations au sujet du scarabée. On devait le plonger dans un mélange de myrrhe et de vin de Mendès, puis l'envelopper d'une fine toile de lin avant de l'enterrer, en vertu de quoi l'auteur affirmait le succès : «Je ne connais pas, au monde entier, de recette plus efficace ; demande au dieu ce que tu veux et il te l'accordera.»

Dissimulé entre les pierres sèches, le scorpion d'Afrique faisait de nombreuses victimes parmi ceux qui, par mégarde, posaient sur lui le pied nu. La douleur que causait sa piqûre était atroce : «C'est plus chaud que du feu, plus brûlant que la flamme, plus aigu que l'aiguillon», dit le papyrus Chester Beatty VII. Sur des stèles funéraires nous pouvons encore lire le nom des malheureux que son venin a tués : «Appolonius, fils d'Eusèbe et fils de Tanis, tué par un scorpion dans l'île d'Apolinaris» ; «Aurelius Amonicus fut emporté, piqué par un scorpion». La fin survenait parfois en moins de vingt-quatre heures comme nous l'apprend cette stèle d'Abydos : «Toi qui as péri sans gloire et obscurément d'une mort violente, indigne de ta bonté, car, piquée par un scorpion dans le sanctuaire de Thripis, le dixième jour de Thot, dans la troisième année, à cinq heures, elle décéda le onzième jour.» L'eau lustrale que l'on versait sur les statues guérisseuses n'était apparemment pas d'une très grande efficacité. Un animal aussi redoutable ne pouvait manquer d'être l'incarnation d'une divinité, ici la déesse Selket, représentée comme un scorpion à tête de femme, ou comme femme au chef surmonté d'un scorpion. C'était une bonne déesse puisqu'elle était la patronne des guérisseurs auxquels on s'adressait quand on avait été piqué par l'animal. Les momies de scorpions sont très rares : on en possède quelques-unes, dans des boîtes rectangulaires décorées de l'effigie en bronze de la déesse, portant un disque solaire et des cornes.

Dans une tombe romaine, on fit une bien curieuse découverte. A côté des deux momies, dans leurs sarcophages au visage de plâtre, tels qu'on les faisait à ce moment, avait été déposée une petite fiole de verre, au goulot étranglé dans laquelle on avait introduit, un par un, des coléoptères nécrophages, des dermestes. Pour les conserver, l'embaumeur les avait fait cuire ou infuser dans du vin, puis le flacon avait été bouché à la cire. On s'interroge encore sur les mobiles qui ont présidé à une aussi curieuse pratique mais nous avons appris à ne plus nous étonner en matière d'embaumement des animaux.

Ce fut d'abord le pharaon, l'unique, que la momification égala à Osiris, puis sa famille et les dignitaires. De proche en proche, les hommes de toute condition voulurent accéder aux mêmes honneurs posthumes. De même, à partir de la momification de l'animal sacré, image vivante sur terre de la divinité, l'embaumement s'étendit à ses congénères et jusqu'aux plus petits représentants de l'espèce animale. Qui sait, même, si le grain de blé déposé dans la tombe n'était pas l'incarnation du petit dieu Néper, le symbole du renouveau, fils de Renoutet. Il était vraiment difficile d'aller plus loin dans la momification des êtres.

La civilisation copte vint et, après la disparition de la civilisation égyptienne proprement dite, s'évanouit cet acharnement à maintenir les apparences de la vie.

CHAPITRE IX

OÙ SONT PASSÉES LES MOMIES ?

L est peu d'individus qui, ayant souhaité, tout au long de leur vie, un repos éternel et, ayant consacré tant de temps et de richesses pour y parvenir, aient été aussi dérangés que les défunts égyptiens. Souverains ou particuliers, nobles ou roturiers, prêtres ou laïques, hommes ou femmes virent se retourner contre eux les précautions prises pour la survie de leur enveloppe charnelle. Les plus grands d'entre eux, ensevelis dans leur dernière demeure avec une profusion de bijoux et de mobilier précieux, excitaient plus encore la convoitise et les millions de tonnes de pierre des pyramides ou des mastabas qu'ils entassaient au-dessus de leurs puits funéraires, les dédales de leurs hypogées creusés en secret dans la montagne n'opposaient qu'un mince obstacle à l'ingéniosité des voleurs. La profanation des momies qui débuta dès leur inhumation ne connut plus de répit jusqu'à nos jours. Attirés par les trésors réels ou imaginés, les pilleurs de sépultures ont sévi dès les temps les plus anciens. Ce fut ensuite au tour des chrétiens iconoclastes de venir troubler le repos de ceux qui avaient eu le tort d'être polythéistes. Les Arabes cherchèrent, eux aussi, à rafler ce que les anciens Egyptiens avaient pu laisser dans les tombes. Au Moyen Age et à la Renaissance, les médecins ayant vanté les propriétés curatives de la poudre de momie, les Juifs firent un commerce éhonté des corps. Puis les curieux s'entichèrent d'égyptomanie et il était de bon ton de mettre une momie dans son cabinet de curiosités. Enfin, même encore de nos jours, les pillages clandestins se poursuivent, bousculant les corps qui auraient échappé à la sagacité des archéologues. Pauvres morts que la cupidité, la sottise et l'impiété auront dispersés d'âge en âge !

Actes sacrilèges dans l'Egypte ancienne

Au début de la XVIIIe Dynastie, il n'y avait pas une seule tombe royale qui n'ait été pillée. C'est une des raisons pour lesquelles, nous l'avons vu, les pharaons décidèrent de modifier leur type de sépulture en faisant creuser des hypogées dans la Vallée des Rois. Là, pensaient-ils, la surveillance d'un espace restreint les mettrait à l'abri des voleurs. Ils durent bien vite déchanter, car tout comme les autres, ces tombes furent l'objet, à une ou plusieurs reprises, de fouilles clandestines. Thoutmosis IV en fut victime dans les années mêmes qui suivirent sa mort : des graffiti inscrits dans son tombeau sur ordre du roi Horemheb dans la huitième année de son règne indiquent que celui-ci commanda à un certain Mayâ de «restaurer la sépulture du roi Thoutmosis IV dans la Précieuse Habitation de l'Ouest de Thèbes».

Le cercueil de Toutankhamon avait été épargné et le jeune roi est peut-être, seul de tous les pharaons, celui dont la momie est restée inviolée, mais son tombeau, où Carter allait découvrir une surabondance de mobilier et d'objets d'art, avait été visité à deux reprises. Le couloir de 7,60 m de long qui mène à l'antichambre avait été, après l'inhumation, comblé de pierrailles qui l'obstruaient sur toute sa longueur. Les voleurs avaient réussi à ménager, au sein de ces gravats, un étroit boyau par lequel ils avaient pu gagner l'épaisse porte de l'antichambre. Là, ils avaient foré un orifice suffisant pour permettre le passage d'un homme. Sans perdre de temps, ils firent main basse sur les huiles et les onguents précieux qu'ils vidèrent dans des outres apportées à cet effet : on en a retrouvé des fragments dans l'antichambre. Puis, certainement bien informés de la topographie des lieux, ils pénétrèrent dans la chambre du nord où ils trouvèrent des bijoux d'or. Il fallait faire vite car l'air ne parvenait qu'avec peine à travers l'étroit passage qu'ils avaient creusé. Comme les modernes monte-en-l'air qui vident sur le sol le contenu des tiroirs pour en faire rapidement l'inventaire, ils éparpillèrent les meubles, d'où l'aspect bouleversé de la tombe lorsque Carter y jeta le premier regard. Il est possible qu'ils aient été surpris dans leur travail ou, à tout le moins, ils durent agir avec précipitation car on retrouva, à terre, un petit mouchoir contenant quelques bagues, oublié dans la hâte de quitter le caveau.

Ramsès III (− 1198 − 1166) appartient à la XXe Dynastie. Son visage débarrassé de ses bandelettes, «apparaît comme un masque de cauchemar…» «Expression peu intelligente, peut-être légèrement bestiale, de la fierté, de l'obstination et un air de majesté souveraine.» Maspéro. Musée du Caire. *Photo Hachette.*

De nombreux moyens magiques ou matériels étaient mis en œuvre pour protéger les morts et, tout d'abord, les injonctions. On devait se prémunir contre l'usurpation des objets funéraires par l'intimidation : « Si quelqu'un écarte mon nom pour mettre le sien à la place, Dieu le lui rendra en détruisant son image sur la terre », ou en faisant appel à des sentiments plus intéressés : « S'il vénère mon nom sur cette stèle, Dieu le traitera comme lui m'aura traité. » Des malédictions étaient proférées à l'encontre de celui qui dérangeait la momie : le voleur était menacé de poursuites devant le tribunal du « dieu grand », ou bien, ne craignant pas de se faire justice soi-même, le défunt affirmait au coupable qu'il allait fondre sur lui comme l'oiseau de proie et l'enlever. Toutes ces mises en garde n'empêchaient pas les pharaons eux-mêmes de récupérer les sarcophages de leurs prédécesseurs après en avoir martelé les cartouches. Ptolémée XI pilla le tombeau d'Alexandre que l'on avait cependant proclamé fils d'Amon. Dans une tombe de Meidoum, l'imprécation paraît avoir eu quelque utilité : « L'esprit du mort tordra le cou du pillard comme celui d'une oie... » disait l'inscription sur la paroi et l'on trouva deux corps : celui du possesseur du tombeau, momifié et intact et celui d'un voleur, écrasé par une lourde pierre tombée de la voûte.

Doutant quand même de l'efficacité de ces formules, les entrepreneurs parsemaient les couloirs de herses, de chausse-trapes, créaient de multiples corridors inutiles, des portes factices pour détourner les fouilleurs sur de fausses pistes. Peine perdue ! Les détrousseurs de cadavres parvenaient quand même à leurs fins. Nous allons voir, avec Goyon, comment ils s'y prirent pour forcer la grande pyramide de Chéops. Un coup d'œil sur la coupe vers l'ouest nous en fera d'abord comprendre le mécanisme de fermeture (fig. 45). Le pharaon inhumé, au cœur de la pyramide, les ouvriers se retirèrent en bloquant l'entrée de la chambre royale par trois lourdes herses de granit qu'ils firent descendre par des cordes passant sur des rouleaux de bois. Des blocs de granit avaient été déposés dans la grande galerie : la manœuvre consista, en descendant à reculons, à ôter les cales successives qui les maintenaient en place et à les laisser glisser doucement vers l'extrémité nord du couloir ascendant où elles vinrent s'encastrer dans une portion rétrécie. Il était alors humainement impossible de perforer un bouchon de cette importance. Les ouvriers n'avaient plus qu'à remonter la portion du couloir descendant qui les menait jusqu'à l'entrée ouverte sur la face nord, au niveau de la dix-septième assise. Cette issue fut définitivement scellée par une lourde pierre. Les pillards ne pouvaient sans risques emprunter cette entrée naturelle, trop haut située sur la façade et trop exposée aux regards. Ils décidèrent donc de se frayer leur propre chemin, creusé en pleine pierre, à partir de la cinquième assise où, de nuit, ils pouvaient travailler sans se faire remarquer. L'ouvrage ne se fit pas en une fois et, entre chaque période de sape, ils

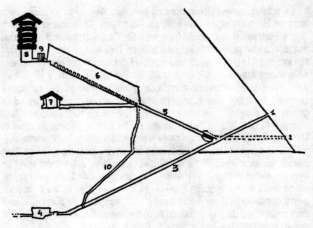

45. *Coupe de la pyramide de Chéops. 1. Entrée. 2. Passage foré pour le pillage.*
    3. Couloir descendant. 4. Chambre souterraine. 5. Couloir ascendant.
    6. Grande galerie. 7. Chambre de la Reine. 8. Chambre du Roi.
    9. Herses. 10. Passage foré pour le pillage.

devaient masquer leur ouverture. Ayant ainsi foré vingt mètres de tunnel, ils
parvinrent au point de croisement de la descenderie et du couloir ascendant
obstrué par les blocs de granit; ils empruntèrent alors cette descenderie
jusqu'à la chambre souterraine inoccupée et décidèrent de creuser un passage
ascendant au cœur de la pyramide. Ce boyau, d'abord oblique, puis vertical,
comporte des petits paliers de repos: le matériau dégagé était entreposé
dans la chambre souterraine. Ainsi, les pillards débouchèrent à l'intersection
du couloir ascendant, du passage horizontal qui va vers la chambre dite de la
Reine et de la grande galerie. Une telle perfection dans le tracé montre qu'ils
connaissaient parfaitement les lieux ou qu'ils jouissaient de complicité; ce ne
put être aussi qu'un travail d'équipe, l'œuvre d'une bande organisée.

   La pyramide à degrés de Djoser ne comporte pas de chambre dans sa
masse. Le tombeau, véritable labyrinthe aboutissant à onze chambres
funéraires, est souterrain et on y parvenait par un puits central suivi d'une
rampe latérale. Le blocage qui remplissait ces voies d'accès a été retiré, avec
beaucoup de méthode, par les voleurs qui avaient construit, dans le puits, une
plate-forme de bois servant de relais pour l'évacuation des déblais. Ils ne laissèrent, dans le caveau, que quelques vases de pierre sans valeur à leurs yeux.

Parfois, comme dans la nécropole de Tounah-el-Gebel où sont enterrés des milliers d'ibis, les fouilleurs se sont introduits dans les galeries par des failles naturelles de la roche, en rampant; c'est ce qu'ont fait également les premiers archéologues avant de découvrir et de dégager les escaliers monumentaux.

Toutankhamon fut un privilégié car, sitôt constatées les premières intrusions des malfaiteurs, des mesures énergiques furent prises. Celui qui avait déjà restauré Thoutmosis IV, Mayâ, le «chef des travaux dans la place de l'éternité» ordonna une visite de la tombe au cours de laquelle les inspecteurs remirent, tant bien que mal, un semblant d'ordre parmi le mobilier et vérifièrent surtout que le sarcophage n'avait pas été violé. Devant les risques de nouveaux pillages, Mayâ fit remplir l'escalier de la tombe par un amas de pierraille qui en dissimula totalement l'entrée. C'est surtout la construction ultérieure de cabanes d'ouvriers sur cet emplacement même qui protégea définitivement le jeune pharaon.

La crainte d'être découverts, l'air rare et vicié, le besoin d'emporter le plus possible de richesses expliquent les dégâts commis par les voleurs dans leur hâte. Lorsqu'ils avaient des raisons de supposer la présence de bijoux sur les momies, ils n'hésitaient pas à le démanteler, attaquant à coups de hache les bandelettes durcies par la résine, déchirant les suaires de leurs poignards, disloquant les membres, détachant la tête du tronc. Mais le pillage le plus audacieux fut, sans doute, découvert par Winlock, sur deux momies de Deir-el-Bahari. Lorsqu'il les vit tout d'abord, elles paraissaient absolument intactes. Le suaire d'Osiris était bien cousu sur le corps, les linges, les bandelettes étaient croisés avec beaucoup de soin, quand, au cours du débandelettage il commença à voir apparaître un certain désordre sur la poitrine: les linges étaient déplacés, des bandelettes étaient déchirées et tout à coup apparut, dans la résine du maillot, l'empreinte d'un pectoral en forme de faucon, entourée, sur des linges qui auraient dû être propres, de marques de doigts poisseux. Le bijou avait été enlevé; par contre, on avait remis en place, maladroitement, le scarabée de cœur qui n'avait aucune valeur marchande. Les mains avaient été dépouillées de leurs bagues. Il n'y a qu'une seule explication à cette étrange découverte: les momies avaient été détroussées avant même que le bandelettage ne fût complètement terminé.

Quelques rares spoliations furent conduites avec une extrême minutie par des voleurs que ne risquait pas de déranger une ronde de gardiens. Le cercueil doré de Sekenenrê avait été débarrassé de son or par grattage et toutes les traces laissées par l'écaillage du métal précieux avaient été repeintes en jaune. C'était encore des applications de peinture qui masquaient l'emplacement des pierres semi-précieuses arrachées de leur incrustation. Cependant, l'or avait été laissé en place sur chaque symbole religieux ou royal. Ces précautions dénonçaient les auteurs du forfait : les malfaiteurs ne pouvaient être que des prêtres.

Toutefois, les vols étaient le plus souvent le fait des ouvriers de la nécropole. Alors qu'il leur arrivait d'être obligés de se mettre en grève pour toucher leur juste salaire sous forme de nourriture, comment les maçons n'auraient-ils pas été tentés par les trésors qu'ils voyaient enfouir dans les tombes de certains particuliers ? Habitués qu'ils étaient à creuser la roche, le percement d'une galerie n'était pas pour les faire reculer. Ménager un passage d'une tombe nouvelle à laquelle ils travaillaient à une tombe ancienne située dans le voisinage était pour eux un jeu d'enfants. Certains s'arrangeaient même pour combiner dans la tombe qu'ils construisaient un boyau secret connu d'eux seuls ou laisser quelque faille dans la protection jugée inexpugnable par l'architecte.

Les violations de sépultures allaient en se multipliant. Nous ne possédons pas moins de seize papyrus des XIXe et XXe Dynasties qui traitent de ce sujet : les plus importants sont le papyrus Abbott, le papyrus Léopold II et le papyrus Amherst qui nous renseignent sur un procès instruit à Thèbes sous le règne de Ramsès IX, vers 1115 av. J.-C. Nous y verrons éclater, tout au long, la hardiesse des malfaiteurs, la désorganisation de l'administration et l'impéritie des tribunaux de cette époque.

Trois personnages mènent l'action : Paser, le maire de Thèbes-Est, la cité des vivants, Paour, le maire de Thèbes-Ouest, la nécropole, de l'autre côté du Nil, et le vizir Khamouese, représentant de l'administration centrale. Les deux maires, Paser et Paour, se détestaient cordialement et chacun d'eux n'attendait qu'une occasion pour noircir l'autre auprès des autorités. Elle se présenta, un beau jour, pour Paser, sous la forme d'un rapport officieux concernant un pillage entrepris sur une grande échelle dans la cité des morts. Au lieu d'en avertir son collègue, comme la courtoisie l'aurait exigé, il s'adressa directement à leur supérieur hiérarchique, le vizir Khamouese et lui affirma, avec force détails, qu'il avait eu vent de la violation de dix tombes royales, de quatre tombes de prêtresses et d'une multitude de caveaux privés. Paour, pris de court, ne put régler l'affaire lui-même et fut bien obligé d'en référer également au vizir. Le délit étant d'importance, Khamouese était assisté, en l'occurrence, de deux hauts fonctionnaires : « L'écuyer tranchant royal Nésamon, scribe de Pharaon et directeur des domaines de la Grande Prêtresse d'Amon, roi des dieux – et l'écuyer tranchant royal Neferkerê-em-per-Amon, l'informateur du pharaon. » Ainsi réunis en comité, les trois princes constituèrent une commission d'enquête à la tête de laquelle on nomma Paour lui-même, bien placé de la sorte pour atténuer sa responsabilité. Il était entouré de deux de ses officiers de police, sans doute à sa dévotion, du scribe du vizir et d'autres officiels, parmi lesquels des prêtres. L'inspection commença dans la nécropole, se faisant plus minutieuse sur les tombes dont Paser avait dénoncé l'effraction. Elle fut suivie d'un rapport circonstancié selon lequel, parmi les dix sépultures royales signalées par Paser, une seule avait été réellement forcée. Ce petit chef-d'œuvre de littérature administrative mérite d'être rapporté car on y voit, surtout dans le premier paragraphe, Paour, qui s'estimait injustement accusé, lancer quelques traits fielleux à l'encontre de son collègue :

« 1. L'horizon éternel [la tombe] du roi Aménophis Ier... au sujet duquel le prince de la ville, Paser, a adressé une plainte au vizir et gouverneur de la ville, Khamouese... Il fut trouvé intact par les inspecteurs.

2. La pyramide du roi, fils de Rê Antef l'aîné... elle fut trouvée intacte.

3. La pyramide du roi Noubkheperrê, fils de Rê Antef, on a trouvé que les voleurs avaient commencé à y ouvrir une brèche ; ils avaient foré un trou de deux coudées à sa base et un autre d'une coudée par la salle extérieure du tombeau en ruine de Yourai, directeur des offrandes du temple d'Amon : elle était intacte, les voleurs n'avaient pas réussi à y pénétrer.

4. La pyramide du roi Sekhemrê-Ouepmaat, fils de Rê Antef l'aîné : on trouva que les voleurs avaient commencé à y ouvrir une brèche à l'endroit où est placée sa stèle... elle fut trouvée intacte, les voleurs n'avaient pas réussi à y pénétrer.

5. La pyramide du roi Sekhmenrê-Shedtaoui, fils de Rê Sebekemsaf : on a trouvé que les voleurs l'avait ouverte avec effraction au moyen d'un travail de tailleurs de pierres, à la base de la pyramide, en partant du portique d'entrée du tombeau de Nebamoun, directeur des greniers sous le roi Thoutmosis III. On trouva que le lieu de sépulture du roi son maître avait été pillé et, de même, le lieu de sépulture de la reine Khasnoub, sa royale épouse ; les voleurs avaient porté la main sur eux.

Le vizir et les princes écuyers tranchants firent procéder à un examen minutieux et l'on détermina la façon dont les voleurs avaient porté la main sur le roi et sur sa royale épouse... »

In cauda venenum, la conclusion de l'enquête, menée par Paour parmi les tombes royales, était éloquente dans sa sécheresse :

Pyramides des rois ancêtres qui ont été examinées en ce jour par les inspecteurs :

trouvées intactes : pyramides	9
trouvées ouvertes par effraction : pyramide	1
total :	10

Que d'histoires de la part de Paser pour une pyramide là où il en avait
annoncé dix et pourquoi, vraiment, avoir dérangé le vizir pour si peu ! Bien sûr,
deux des quatre tombes des chanteuses de la grande prêtresse d'Amon
avaient été ouvertes. Quant aux tombeaux des particuliers, «on trouva que
tous avaient été violés par des voleurs : ceux-ci avaient arraché les cadavres
de leurs bandelettes et cercueils, les avaient jetés sur le sol et avaient volé le
mobilier et les objets de parure qui se trouvaient dans leurs bandelettes».
Cela devait être pratique courante car on ne parut guère s'émouvoir de ces
dernières spoliations et l'essentiel n'était-il pas que les sépultures royales
fussent demeurées intactes sauf une ?

Paour fit même bonne mesure en livrant sur-le-champ les coupables. Il est
très probable qu'il était déjà au courant de leurs agissements pour avoir pu
les faire arrêter aussi vite. Ou bien n'étaient-ce que des comparses qui se
hâtèrent d'avouer ce qu'on voulait leur entendre dire au cours de «leur interrogatoire après qu'on leur eut donné la bastonnade et qu'on les eut frappés
sur les mains et les pieds». Ils étaient huit brigands bien organisés dont cinq
laissèrent leur nom dans les annales du crime : Hapi, le tailleur de pierres,
Iramen, l'artisan, Amen-em-Heb, le paysan, Kemouese, le porteur d'eau et
Emnefer, l'esclave noir. Leurs aveux tiennent en quelques lignes : «Alors,
nous ouvrîmes leurs cercueils et les linges qui les bandelettaient. Nous avons
trouvé l'auguste momie du roi... Il avait une grande quantité d'amulettes et
de bijoux d'or autour du cou; sa tête était recouverte d'un masque d'or.
L'auguste momie du roi était entièrement recouverte d'or et les cercueils
étaient revêtus d'or et d'argent, à l'extérieur comme à l'intérieur et incrustés
de pierres précieuses. Nous avons arraché l'or que nous avons trouvé sur
l'auguste momie de ce dieu et les amulettes qui étaient autour de son cou et
les bandelettes dans lesquelles il reposait. Nous avons aussi trouvé l'épouse
du roi et nous avons arraché de même tout ce que nous avons trouvé sur elle.
Nous avons pris les objets que nous avions découverts auprès d'eux,
c'est-à-dire des vases d'or, d'argent et de bronze. Nous avons partagé entre
nous et nous avons fait huit parts de l'or que nous avions trouvé sur ces deux
dieux, sur leurs momies, les amulettes, les bijoux et les enveloppes.» Nous
savons que les voleurs furent emprisonnés mais nous ignorons le verdict
du tribunal : il est probable qu'ils furent condamnés à la peine capitale à
moins que des circonstances atténuantes leur aient valu, seulement, l'amputation du nez et des oreilles.

Le lendemain, le vizir et l'écuyer tranchant Nésamon se rendirent eux-
mêmes sur les lieux pour enquêter sur une autre affaire : un ouvrier en
métaux, serf du temple de Ramsès III, connu sous le nom de Pikharè, avait
été condamné, trois ans auparavant, après une instruction bâclée, pour
s'être introduit dans la tombe d'Isis, épouse royale de Ramsès II. Il s'agissait

de se rendre compte si d'autres sépultures de parents de rois avaient été violées dans l'endroit dit «le lieu des beautés». On décida donc de procéder à la reconstitution du crime et Pikharè fut amené, les yeux bandés, dans la nécropole : «Quand on lui eut rendu l'usage de ses yeux, les princes lui dirent : «Marche devant nous vers la tombe où tu as volé quelque chose, selon tes dires». Précédant les prêtres, l'ouvrier en métaux se dirigea vers l'une des tombes des enfants du roi Ramsès II, dans laquelle on n'avait jamais enterré personne et qui était ouverte, et vers l'habitation de l'ouvrier de la nécropole Amenemone et il dit : «Vois, ce sont les endroits où je suis allé.» Ce n'était pas du tout ce qu'attendait la commission d'enquête et, pour faire jaillir la vérité, les baguettes de bois commencèrent à cingler les mains et les pieds du malheureux. Cette fois, il tint bon et ne renouvela pas les aveux qui lui avaient été arrachés par la torture lors du premier interrogatoire. «Il jura, par le roi, qu'on lui coupe le nez et les oreilles et qu'on l'empale s'il connaissait un autre endroit que cette tombe ouverte et cette habitation qu'il leur avait indiquées.» Grâce à tant de fermeté il obtint, cette fois, un non-lieu. Les princes terminèrent leur inspection du «lieu des beautés» et se déclarèrent satisfaits de trouver les tombes intactes.

Paour exultait et, comme il n'avait pas le triomphe modeste, il dépêcha, en corps constitué, à Thèbes-Est, «les inspecteurs, les administrateurs de la nécropole, les ouvriers, la police et tous les travailleurs du cimetière». L'honneur de la nécropole était sauf et on le fit savoir bien haut aux habitants de la ville des vivants ; les manifestations se firent particulièrement bruyantes autour de la demeure de Paser, le dénonciateur. Ce dernier était ulcéré car il soupçonnait, sans doute à juste titre, quelque connivence entre Paour et les princes et tenait pour certain que ce Paour tirait profit du pillage des tombes. Il l'accusait, en somme, d'avoir faussé l'enquête et décidait, passant par-dessus le vizir, de s'adresser directement au roi. Il avait, disait-il, de nouveaux éléments en sa possession : «Le scribe, Hori-Sherê, de la nécropole, est venu dans ma demeure sur la rive principale de la ville et m'a fait trois déclarations concernant des choses très importantes. Mon scribe et celui des deux circonscriptions de la ville en ont rédigé le procès-verbal. Ensuite, Pibès, le scribe de la nécropole, m'a fait deux autres déclarations ; donc, au total cinq. Il a été également rédigé procès de ces deux dernières. Il est impossible de les passer sous silence. Ce sont des crimes si graves qu'ils méritent la peine capitale, le pal et toutes sortes de supplices. J'écris à présent à leur sujet, au roi, mon maître, afin qu'on envoie un homme du roi pour vous arrêter». Le vizir, qui était sans doute complice de Paour, fut vexé par cette démarche et probablement inquiet. Ne pouvant complètement étouffer l'affaire, il décida, pour faire obstacle aux menaces de Paser, de réunir un nouveau tribunal aux fins de juger les trois inculpés.

«Vois, le gouverneur de la ville et vizir Khamouese a fait amener l'ouvrier en métaux Pikharè, l'ouvrier en métaux Zaroy, l'ouvrier en métaux Pikamen, tous trois du temple de Ramsès III. Le vizir dit aux grands princes du tribunal de la ville : ce prince de la ville a tenu, aux inspecteurs et aux ouvriers de la nécropole, le 19 Hathôr de l'an 16, des propos en présence de l'écuyer tranchant royal, le scribe du pharaon, Nésamon et, ce faisant, a parlé d'une façon calomnieuse au sujet des grandes places qui se trouvent dans la «place des beautés». Mais moi, le vizir du pays, j'y suis allé, accompagné de l'écuyer tranchant Nésamon, scribe de Pharaon. Nous avons examiné les places où le prince de la ville avait dit que les ouvriers en métaux du temple de Ramsès III dans la demeure d'Amon auraient pénétré, et nous les avons trouvées intactes. Tout ce qu'il avait dit fut donc, ainsi, reconnu inexact. Voyez, à présent les ouvriers en métaux se trouvent devant vous, qu'ils racontent tout ce qui s'est passé. On les entendit et on constata que ces gens ne connaissaient aucun des endroits de la nécropole au sujet desquels ce prince de la ville avait parlé. Il fut donc, sur ce point, déclaré coupable. Les grands prêtres accordèrent la vie sauve aux ouvriers en métaux du temple de Ramsès III.»

Sérieusement malmené par le témoignage du vizir, condamné pour fausse accusation, Paser baissa pavillon. Découragé par tant d'injustice et manquant peut-être d'informations suffisamment précises pour aller jusqu'au pharaon, il dut faire amende honorable. Ainsi se termine, dans la concussion et l'iniquité, le premier procès dont l'Histoire ait retenu la mémoire.

Une telle indulgence envers les voleurs de la part du tribunal ne pouvait qu'encourager la poursuite du pillage des tombes. Les dénonciations de Paser reposaient bien sur des faits réels, car trois ans plus tard, sous Ramsès X, c'est une soixantaine de voleurs qui furent traînés en justice et, parmi eux, un scribe du trésor d'Amon et deux prêtres. La violation des sépultures, organisée à l'échelle industrielle, tournait au désastre. Le gouvernement, dont le pouvoir allait en s'affaiblissant régulièrement, se montrait incapable de s'y opposer. On continuait à monter la garde auprès des tombeaux privés mais sans la moindre illusion car la police, soudoyée par les malfaiteurs, fermait le plus souvent les yeux quand elle ne prêtait pas mainforte. Aussi à partir de la XXIe Dynastie, s'attacha-t-on à sauvegarder les momies royales qui avaient déjà souffert aux mains des pillards. Elles étaient dans un tel état qu'il était quelquefois nécessaire de les réenvelopper de bandelettes et de leur donner un nouveau cercueil, ce que les inscriptions appelaient «renouveler l'inhumation du roi». Ces inscriptions, portées à l'encre sur les linceuls ou tracées sur les cercueils donnent les dates et lieux de réinhumation et permettent de suivre les tribulations des momies. Car c'est une incroyable partie de cache-cache qui va se jouer entre les voleurs et les prêtres. Dès qu'une tombe était menacée, on en délogeait son occupant pour le déposer dans l'hypogée d'un autre pharaon que l'on croyait mieux protégé. Ainsi, sous l'autorité du grand prêtre Pinedjem, furent restaurées les momies de Thoutmosis Ier, Aménophis Ier, Séthi Ier, Ramsès II et Ramsès III. Aménophis Ier dut être bandeletté une seconde fois sous le pontificat de Masaharte car les voleurs s'étaient à nouveau acharnés sur sa dépouille. On réinhuma également Ahmosis, la reine Satkamès et le prince Siamon. De même Menkheperrê fit réemmailloter Séthi Ier. Ramsès III fut dérangé et réenseveli trois fois durant la XXIe Dynastie. A la fin du pontificat de Pinedjem II, on sortit les momies de Ramsès Ier, de Ramsès II et de Séthi Ier de la tombe de ce dernier où elles avaient déjà été regroupées pour les transporter dans la demeure plus modeste de la reine Inhâpi. Pinedjem II devait les y rejoindre bientôt. Enfin, le grand prêtre Psousennès, mieux inspiré que ses prédécesseurs, les emmena tous, avec d'autres, dans la fameuse cachette de Deir-el-Bahari où ils trouvèrent enfin la paix... jusqu'à leur découverte à la fin du siècle dernier.

Les pharaons du Delta, ceux de la XXIIe Dynastie, qui avaient établi leur capitale à Tanis, ainsi que certains nobles furent peut-être un peu plus heureux. Les momies de Psousennès, de son chef des archers Ounoudjebaouendjebet, d'Amenemope et de Sheshonq II ne reçurent pas la visite des voleurs ; il est vrai que l'humidité de la région ne les traita pas mieux ! Par contre, Osorkon II, Sheshonq III et Takelot II ne furent pas épargnés. On était aussi avide de richesse au nord qu'au sud de l'Egypte.

La situation ne cessa d'empirer : les pillards, parfaitement organisés profitaient de tout et, devant la quantité de cercueils de réemploi dont le nom avait été effacé pour faire place à celui d'un second propriétaire, on peut se demander dans quelle mesure la rapine n'avait pas fini par être officialisée. Du plus riche au plus humble, on n'hésitait pas à s'offrir un des ces cercueils d'occasion de belle qualité et de bonne époque, XVIIIe, XIXe ou XXe Dynastie, que les entrepreneurs acquéraient auprès des bandes de voleurs. Au IVe siècle av. J.-C., Perses et Macédoniens dévastèrent le cimetière de Memphis. C'est alors que l'on vit apparaître, sur le marché, de magnifiques sarcophages gravés dont on avait martelé le nom du possesseur. Les Egyptiens les achetaient mais l'exportation allait bon train puisqu'on en a retrouvé jusqu'en Phénicie, à Tyr et à Sidon. Qu'étaient devenues les momies qu'ils contenaient ? Voleurs et Perses ne durent pas s'embarrasser de beaucoup de scrupules à leur égard.

Les livres des trésors cachés

Vers le IIe ou IIIe siècle de notre ère apparaît, en Egypte, une nouvelle civilisation d'origine chrétienne, la civilisation copte. Les monastères prolifèrent. Les communautés les plus riches créent leurs propres bâtiments qui, rompant avec la tradition pharaonique et hellénistique, s'inspirent, évidemment, des modèles romains. D'autres, moins aisées, se contentent de s'installer dans les chapelles et caveaux. On imagine mal qu'elles aient pu cohabiter avec les momies dont plus d'une alors a dû disparaître pour faire place aux nouveaux venus. Parallèlement à l'organisation monacale, des anachorètes, fuyant la société, se retiraient dans des tombes désaffectées ou chassaient, de leur sépulture, les anciens occupants. Les peintures murales n'étaient pas toujours de leur goût car, dans un tombeau, à Thèbes, un ermite, voulant éviter la tentation de la chair, avait effacé de la paroi toutes les représentations de femmes. Mais, dans l'ensemble, les Coptes firent assez peu de dégâts. Désintéressés des biens de ce monde, ils ne mirent pas les cimetières en coupe réglée.

Il n'en fut pas de même des Arabes pour qui la recherche des trésors semblait être devenue la préoccupation majeure. Ils s'étaient mis en tête que les tombeaux égyptiens recélaient des fortunes mirifiques et quasiment inépuisables, enfouies par les anciens rois. Des spécialistes allèrent jusqu'à rédiger des traités qui indiquaient les emplacements privilégiés. Ils fournissaient aussi des formules magiques pour les découvrir et toutes sortes de conjurations pour éloigner du fouilleur les mauvais génies qui gardaient jalousement ces richesses. L'idée en était si bien ancrée que, lorsqu'on voulut plus tard mettre un frein au saccage des tombes, c'est à ces livres qu'on s'attaqua en premier lieu pour en démontrer l'inanité. Mais il fallut du temps avant de vaincre ces superstitions. Le recours aux traités magiques avait permis, nous dit Mas'Oudi, de retrouver, près des pyramides, des statues dont les yeux étaient «faits de toutes sortes de pierres précieuses, telles que rubis, émeraudes, turquoises et quelques-unes avaient un visage d'or et d'argent». L'exagération du rapport était manifeste mais Abd-el-Latif signale que, déjà vers 1200, une «foule de gens n'ont d'autre gagne-pain que de fouiller les cimetières et de tirer tout ce qui s'offre à leurs recherches».

La violation des sépultures était à tel point admise que le butin ramassé pouvait servir à s'acquitter de ses impôts. Autant que les particuliers, l'administration était à l'affût de toute nouvelle source de profit. Pour arrondir le trésor de l'Etat, Ibn Khaldoun déclare qu'à un certain moment, «lorsqu'on mit des impositions sur les diverses contrées et sur les différents genres d'industries, on en mit aussi sur les gens qui font métier de chercher des trésors». Non seulement il n'y avait plus banditisme, mais on encourageait même la dévastation des monuments. Un voyageur, Vansleb, de passage à Alexandrie en 1672, s'étonnait de trouver un air penché à la colonne de

Pompée qu'il avait vue droite huit ans plus tôt: c'est que, entre-temps, les Arabes avaient fouillé sous son piédestal.

Les princes donnaient eux-mêmes l'exemple. Après avoir enlevé la plus grande partie du revêtement extérieur de la grande pyramide, ce qui lui évitait d'aller tirer des dalles à la carrière, le calife Al-Maamoun, le fils du grand Haroun-al-Rachid, donna l'ordre de s'emparer du trésor de Chéops. Après avoir en vain creusé un tunnel qui se perdit dans la masse de la pyramide, les fouilleurs n'eurent d'autre ressource que de vider la descenderie, toute encombrée de pierraille. Parvenus au bouchon de granit qui obstruait le couloir descendant, ils le contournèrent et atteignirent enfin la grande galerie pour s'apercevoir que d'autres étaient passés avant eux. La description hyperbolique du poète tente de cacher la déception mais révèle bien que l'entreprise dut être coûteuse: «Quand les ouvriers parvinrent au centre de la construction, ils trouvèrent, ô merveille! un bassin rempli de dinars dont le montant était exactement celui qu'il avait fallu dépenser pour parvenir jusque-là».

Mangez de la momie

Au Moyen-Age et à la Renaissance, il se fit dans toute l'Europe, une grande consommation de momies sous forme d'une drogue que l'on appelait la «mummie». Un des plus grands médecins de l'Antiquité, Avicenne, la déclarait souveraine contre les «abcès et éruptions, fractures, contusions, paralysies, migraines, épilepsie, hémoptysie, maux de gorge, toux, palpitations, débilité de l'estomac, nausées, désordres du foie et de la rate, ulcères internes et aussi dans les cas d'empoisonnements». Il eut plus vite fait de nous révéler les rares cas où cette panacée restait inefficace. C'est surtout El-Magar, un médecin juif exerçant à Alexandrie aux environs de 1300, qui prit l'habitude de la prescrire à ses patients et en lança la mode.

Le produit était livré dans les boutiques d'apothicaires, soit sous forme de morceaux de cadavre, soit comme une matière visqueuse, résidu de la combustion des momies, soit, plus récemment, comme une pâte noirâtre qui n'avait plus rien à voir avec les corps embaumés mais était simplement le bitume de Judée, le pissalphate, qu'on appelait encore le «baume des funérailles». Schroder distinguait quatre variétés de «mummie»: «Celle des Arabes, sorte de liqueur composée d'aloès, de myrrhe et de ce baume extrait des corps et que l'on trouve dans les tombeaux; celle des Egyptiens, liqueur qui découle des cadavres du menu peuple et qui ont été embaumés avec le pissalphate, on trouve encore de ces cadavres tout entiers; le pissalphate artificiel, composition de poix et de bitume qu'on vend pour de la vraie momie; enfin les cadavres enterrés sous le sable et torréfiés par la chaleur du soleil». Au début du XVIIᵉ siècle, Savary de Bruslon conseillait de donner la préférence à «la momie la moins luisante, bien noire, d'une bonne odeur et qui, brûlée, ne sente point la poix». Les cadavres spontanément desséchés étaient beaucoup moins cotés car il leur manquait ces résines et ces aromates qui faisaient toute l'efficacité de la vraie momie embaumée.

Finalement, au XVIᵉ siècle, parmi les innombrables indications préconisées par Avicenne, il en restait essentiellement deux: les douleurs gastriques contre lesquelles on utilisait la «mummie» en ingestion et les blessures, ecchymoses, meurtrissures où on l'appliquait par voie externe. François Iᵉʳ ne se déplaçait jamais sans que ses sommeliers n'en soient amplement pourvus et lui-même ne partait pas en voyage sans avoir auparavant, pour le cas d'urgence, accroché à la selle de son cheval, dans un petit sac de cuir, un morceau de momie. A la Cour impériale de Bohème, il y avait même une momie entière, «tout un bonhomme», nous dit Christoph Harant.

Bruyère a vu, au cours de ses fouilles, il y a une cinquantaine d'années, que les Arabes de Gournah l'utilisaient encore pour arrêter les effusions de sang. Pour obtenir une assez grande quantité de «mummie» noire, ils brisaient les crânes remplis de substance résineuse, brûlaient les membres et faisaient bouillir ces produits dans des récipients qui étaient souvent les crânes mêmes des cadavres.

Heureusement, certaines voix s'élevaient contre l'emploi immodéré que l'on faisait de la mummie et Ambroise Paré, le grand chirurgien français de la Renaissance, semblait en être fort dégoûté. Dans ses œuvres complètes, il n'hésita pas à consacrer un chapitre entier à ce sujet, le «Discours de la mummie», pour en combattre l'usage. Il s'irritait que l'on put faire si peu de cas des coutumes religieuses des anciens qui n'avaient pas embaumé les corps pour qu'ils «servissent à boire et à manger aux vivants». Selon lui, «non seulement cette méchante drogue ne profite en rien aux malades…mais elle leur cause une grande douleur à l'estomac, avec puanteur de bouche, grand vomissement qui est plutôt cause d'émouvoir le sang et le faire davantage sortir hors de ses vaisseaux que de l'arrêter». Il estimait ces «appâts puants» tout au plus bons aux pêcheurs pour «allécher le poisson». Dans sa conclusion, il affirmait avec force qu'il n'en ordonnait jamais ni ne permettait à quiconque d'en prendre.

Il faut croire qu'on ne voulut pas l'entendre car, à la superstition, s'étaient liés de grands intérêts d'argent. Le trafic bien organisé de ce qu'on pourrait appeler la route des momies commençait dans les tombes égyptiennes.

Dans le cimetière de Deir-el-Medineh, où étaient enterrés les artisans de la nécropole thébaine, Bruyère a constaté des traces d'incendie dans presque tous les caveaux. En présence de quelques foyers isolés, on aurait pu penser que des fouilleurs clandestins avaient, avec leur torche, embrasé par mégarde le contenu de quelques tombes mais leur caractère généralisé évoque plutôt une destruction systématisée. Celle-ci ne pouvait être le fait des anciens pilleurs de sépultures qui n'auraient pas signalé aussi clairement leur présence. Les moines coptes auraient pu, dans un esprit de purification, effacer ainsi toute trace d'une occupation antérieure mais, dans certains hypogées, les chambres sont restées intactes et ont conservé leurs décorations païennes. La seule explication logique reste la préparation de la «mummie». Dans ces tombeaux, des pièces servaient de réserve : on y entassait les momies qui allaient être utilisées à la confection de la médecine. D'autres, véritables dépotoirs, voyaient s'amonceler des tas de bandelettes, des morceaux de membres déchiquetés, prêts à l'expédition à l'état naturel ou dans l'attente d'être brûlés ; on y a trouvé des crânes brisés dont la résine avait été extraite. Là encore, on réduisait les cercueils en menus fragments pour alimenter les brasiers. Enfin, dans les pièces destinées à l'incinération, on fabriquait la «mummie» à l'état de pâte ou de liqueur à partir des cadavres. Les murs de ces chambres sont noircis par la fumée et sur le sol, durci par le feu, gisent encore des cendres et des ossements à demi carbonisés.

C'était l'époque où Jan Sommer, voyageur hollandais, pouvait contempler cet étrange spectacle : des indigènes menant des ânes et des chameaux chargés de momies. Entières, ou déjà presque préparées pour la consommation, elles gagnaient alors des officines semi-clandestines du Caire ou d'Alexandrie. De là elles étaient embarquées sur des navires portugais ou vénitiens qui semblent s'être fait une spécialité de ce trafic, puis elles naviguaient vers la France où la demande de la «mummie» était beaucoup plus forte qu'ailleurs. Lyon paraît avoir été une véritable plaque tournante pour l'approvisionnement des apothicaires qui, au stade du commerce de détail, revendaient à prix d'or les restes ou l'extrait de ces Egyptiens qui avaient tant fait pour leur repos éternel.

Il n'était cependant pas toujours si facile de se procurer de vraies momies égyptiennes et il valait mieux ne pas se faire prendre. Aussi, la matière se faisant rare, d'astucieux commerçants, trompant leur clientèle, fabriquaient de la fausse momie. En 1564, Guy de La Fontaine, médecin du roi de Navarre, demanda à voir le stock du principal fournisseur d'Alexandrie. Celui-ci, fier de son établissement, ne se fit point prier et lui ouvrit son magasin où se trouvaient une quarantaine de corps entassés. Comme le médecin s'étonnait et lui demandait où il se les était procurés et s'ils provenaient de tombes anciennes, le boutiquier se mit à rire et lui affirma qu'aucun de ces cadavres n'avait plus de quatre ans. C'étaient, pour beaucoup, des corps d'esclaves. Guy de La Fontaine s'enquit alors de quelle nationalité ils étaient et s'ils n'étaient

pas décédés de quelque affection redoutable telles que la lèpre, la variole ou
la peste. La réponse fut que tout cela n'avait aucune importance, qu'ils fussent
jeunes ou vieux, mâles ou femelles, ni d'où ils venaient : l'essentiel était que
l'on pût se les procurer et ne plus les reconnaître une fois morts. Mais
comment les embaumez-vous ? demanda-t-il alors. « Tout simplement, après
leur avoir ôté le cerveau et les entrailles, je fais de longues et profondes
incisions dans les muscles et les remplis de poix de Judée, puis je prends de
vieux linges que je trempe dans cette poix, je les dépose dans ces incisions
et je bande chaque partie séparément ; puis j'enveloppe le tout d'un drap.
Quand ils sont préparés, je les laisse ainsi confire pendant deux à trois mois. »
Ce qu'il ne dit pas et qui était peut-être le secret de sa technique, c'est qu'il
les faisait sans doute dessécher, soit à la chaleur du soleil, soit dans un four.
En guise de conclusion cynique, le mercanti se moqua des chrétiens qui
étaient « tant friands de manger le corps des morts ». Des laboratoires de ce
genre existaient aussi en France où l'on se procurait les cadavres des criminels exécutés en prison et de ceux qui mouraient, non réclamés par leur
famille, dans les hôpitaux.

Vers la fin du XVIIe siècle, le commerce périclita. Un Juif de Damiette,
faussaire en momies, avait un esclave chrétien qu'il s'était mis en tête de
faire abjurer sa religion pour adopter la sienne propre. Comme l'esclave
tenait à être en bons termes avec son maître, il dut pendant un certain temps,
déguiser ses sentiments jusqu'au jour où le Juif, pour preuve de sa sincérité,
lui demanda de se soumettre à la circoncision. Il n'était plus question de
feindre et l'esclave refusa catégoriquement. Alors, commencèrent les vexations et les mauvais traitements jusqu'à ce que, lassé, l'esclave s'en fût se
plaindre auprès du pacha et dénonçât en même temps les pratiques illicites
de son maître. Le trafiquant fut jeté en prison et condamné, pour recouvrer
sa liberté, à payer trois cents sultans d'or. Quand ce fait fut connu des gou-
verneurs des autres villes de l'Egypte, comme celles d'Alexandrie et de
Rosette, ils y virent le moyen d'obtenir rapidement des bénéfices supplémentaires et imposèrent la taxe à tous les marchands de momies. Les
commandes se raréfiant et les impôts se faisant trop lourds, les Juifs cessè-
rent l'exploitation de la momie.

Le poète et la momie

Nous avons déjà dit, dans le premier chapitre, combien les voyageurs
occidentaux des XVIe et XVIIe siècles s'intéressèrent aux momies. Beaucoup
les recherchaient pour leur emploi pharmaceutique mais, quand celui-ci fut

tombé en désuétude, on continuait encore de faire venir les corps pour garnir les cabinets de curiosités. La quantité de momies exportées diminua alors dans des proportions considérables et ce ne furent plus que quelques spécimens qui traversèrent clandestinement la Méditerranée.

A la période romantique, la littérature fit grand cas des découvertes égyptologiques récemment rapportées par l'expédition de Bonaparte. De tous les écrivains, Théophile Gautier fut, après Flaubert, le plus vivement impressionné par l'Egypte. Le baron Vivant Denon, membre de cette expédition, avait trouvé, dans le fond d'un tombeau de la Vallée des Rois, le petit pied embaumé d'une jeune femme qu'il ne put se résoudre à laisser sur place. L'ayant rapporté en France, il en fit un dessin qu'il accompagna d'un commentaire éloquent. Théophile Gautier, en ayant lu la description, l'interpréta à sa façon dans un conte intitulé *Le pied de momie* et voici ce que devint, sous sa plume, ce reste desséché:

«Les doigts étaient fins, délicats, terminés par des ongles parfaits, fins et transparents comme des agates; le pouce, un peu séparé, contrariait heureusement le plan des autres doigts à la manière antique et lui donnait une allure dégagée, une sveltesse de pied d'oiseau; la plante, à peine rayée de quelques hachures invisibles, montrait qu'elle n'avait jamais touché la terre et ne s'était trouvée en contact qu'avec les plus fines nattes de roseaux du Nil ou les plus moelleux tapis de peaux de panthères.»

Le conte ayant plu et l'Egypte étant très à la mode, Gautier récidiva et écrivit cette fois un ouvrage plus long *Le roman de la momie,* publié chez Hachette en 1858. Influencé par ses conversations avec Flaubert et Maxime du Camp qui avaient remonté le Nil, orienté dans ses lectures par Ernest Feydeau dont il avait publié le compte rendu de son grand ouvrage *Histoire des usages funèbres et des sépultures des peuples anciens,* il alla chercher ses documents aux meilleures sources parmi les travaux des égyptologues: Champollion, Wilkinson, Rossellini, Lepsius furent pendant longtemps ses livres de chevet. Son roman, malgré quelques erreurs inhérentes à l'insuffisance des connaissances de l'époque, fourmille de détails techniques de bonne venue et prouve qu'il avait bien assimilé ses lectures. Mais son imagination débordante l'ayant entraîné, il fit, de la momie de Tahoser, découverte par les deux savants Rumphins et Everdale, une description dont le romanesque est à mille lieues de la réalité:

«Le dernier obstacle enlevé, la jeune femme se dessina dans la chaste nudité de ses belles formes, gardant, malgré tant de siècles écoulés, toute la rondeur de ses contours, toute la grâce souple de ses lignes pures. Sa pose, peu fréquente chez les momies, était celle de la Vénus de Médicis, comme si les embaumeurs eussent voulu ôter, à ce corps charmant, la triste attitude de la mort, et adoucir pour lui l'inflexible rigidité du cadavre. L'une de ses mains voilait à demi sa gorge virginale, l'autre cachait des beautés mystérieuses comme si la pudeur de la morte n'eût pas été rassurée suffisamment par les ombres protectrices du sépulcre... Jamais statue grecque ou romaine n'offrit un galbe plus élégant; les caractères particuliers de l'idéal égyptien donnaient à ce beau corps, si miraculeusement conservé, une sveltesse et une légèreté que n'ont pas les marbres antiques. L'exiguïté des mains fuselées, la distinction des pieds étroits aux doigts terminés par des ongles brillants comme l'agate, la finesse de la taille, la coupe du sein, petit et retroussé comme la pointe d'un tatbets sous la feuille d'or qui l'enveloppait, le contour peu sorti de la hanche, la rondeur de la cuisse, la jambe un peu longue aux malléoles délicatement modelées, rappelaient la grâce élancée des musiciennes et des danseuses...»

Dix ans plus tard, un des pavillons de l'Egypte à l'Exposition universelle de 1867 à Paris recevait plusieurs caisses de momies et, lors d'une cérémonie à laquelle furent conviés médecins, savants, artistes et gens de lettres, on démaillota un de ces corps. Théophile Gautier était de l'assistance et put voir cette fois de ses propres yeux, un cadavre embaumé. La description qu'il en donna fut tout autre que celle à laquelle il s'était laissé aller dans son roman. C'était aussi une femme, Nes-Khons: «Ses yeux d'émail avaient une fixité effrayante, son nez était rabattu du bout pour cacher l'incision par laquelle on avait vidé le crâne de sa cervelle; une feuille d'or scellait sa bouche. Le torse montrait sa peau rougeâtre où le contact de l'air faisait venir une fleur bleue semblable au chanci des tableaux et laissait voir, au flanc, l'incision qui avait servi à retirer les entrailles et d'où s'échappait, comme le son d'une poupée décousue, une sciure de bois aromatique mêlée d'une résine en petits grains ayant l'air de colophane. Les bras amaigris s'allongeaient et les mains osseuses, aux ongles dorés, simulaient, avec une pudeur sépulcrale, le geste de la Vénus de Médicis.» Comme nous sommes loin de la belle momie idéalisée de Tahoser.

Balzac, plus réaliste, ne s'était jamais fait d'illusion sur les corps embaumés des Egyptiens et les considérait tels qu'il les avait vus à l'exposition organisée par Passalacqua. Dans *Le Père Goriot* il décrit: «Mademoiselle Michonneau, grêle, sèche et froide autant qu'une momie». Il n'est plus question ici de finesse de la taille ou de rondeur de la cuisse. Et, dans les *Illusions perdues:* «Monsieur de Rastignac, très au fait des affaires d'Angoulême, avait fait rire déjà deux loges aux dépens de cette espèce de momie que la marquise nommait «sa cousine».

Décidément non! Il fallait la fantaisie du poète pour nous faire croire que les momies sont belles.

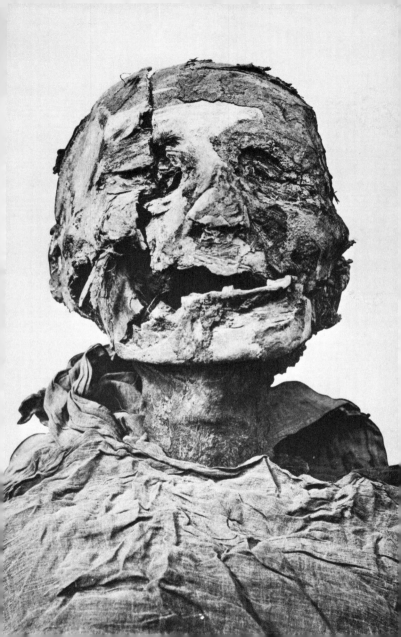

Ramsès VI (entre − 1166 − 1085), pharaon de la XXᵉ Dynastie, est probablement mort, d'après sa dentition entre quarante et cinquante ans, «mais le visage avait été si écrasé et tailladé à coups de couteau qu'il est méconnaissable». Musée du Caire. *Photo Hachete*.

Laissons dormir les momies!

Aux XIXᵉ et XXᵉ siècles, les momies connurent encore bien des persécutions. L'ère des fouilles archéologiques, surtout à ses débuts, avait entraîné une demande accrue d'objets de collection de la part des amateurs et l'égyptomanie aidant, l'appétit des voleurs ne connut plus de bornes. Jomard raconte, avec un sens consommé du tragique, les rencontres que peut faire un chercheur au fond d'un hypogée : ayant parcouru, depuis des heures, salles et galeries où sont entassées les momies, il entend tout à coup un bruit au fond d'un souterrain ; il en est troublé puis inquiet, mais l'émotion tourne à la panique lorsqu'il voit surgir, entre les cadavres, une forme blanche agitant une lampe ; il lui faut beaucoup de sang-froid pour que, revenu à la réalité, il reconnaisse dans ce fantôme un Arabe, vêtu de son burnous, qui vient faire sa provision quotidienne de pièces à vendre sur le marché clandestin. C'était l'époque, en ce début du XIXᵉ siècle, où les indigènes, pour se réchauffer la nuit, allumaient à la sortie des tombeaux de grands feux visibles de loin avec, pout tout combustible, des momies mises en pièces. C'était encore le temps où l'on trouvait, dans les appartements de certains Européens, comme chez ce marchand italien Piccini, des planches de cercueil utilisées en guise de boiseries pour confectionner portes, fenêtres, escaliers et planchers. Le baron Minutoli ne pouvait faire cuire sa nourriture que sur des feux alimentés par des sarcophages brisés. On lui en apporta, une fois, le chargement de six chameaux. C'était vraiment le seul bois que pouvaient se procurer ses serviteurs.

Il n'y a pas si longtemps encore que les Arabes allumaient dans les tombeaux des feux qui prenaient parfois la dimension d'un incendie. L'égyptologue allemand Lepsius avait copié, à Thèbes, dans le sépulcre d'Anher-Khaoui, des textes et des scènes fort intéressants. Quelques dizaines d'années plus tard, fouillant dans le même secteur, Bruyère ne retrouva plus que des ruines calcinées.

De la période ramesside, tout un cimetière à Deir-el-Medineh, avait été utilisé par les Egyptiens qui avaient bâti, au-dessus de chaque tombe, une demeure d'habitation. Le caveau leur apportait un peu de fraîcheur pendant les heures torrides du jour et les mettait à l'abri des nuits froides. Ces logements se sont transmis de génération en génération avec leur contenu et Bruyère, en 1930, s'étonnait de trouver, dans de pauvres demeures d'ouvriers, de riches parures et un matériel ancien qui venaient du fond des âges.

D'autres Egyptiens ont eu une destinée assez étonnante. Sous Charles X, des momies, rapportées par l'expédition de Bonaparte et conservées au Musée du Louvre, dans leurs sarcophages, commencèrent à se détériorer à tel point

qu'on dut les enterrer pour éviter que ne se répandit, dans les réserves, une
odeur insupportable. On alla au plus court en choisissant, pour leur deuxième
sépulture, les jardins du Louvre qui bordent la colonnade de Perrault. Après
les trois journées de 1830, les révolutionnaires tombés sur les barricades des
environs, furent inhumés exactement au même endroit. Puis on décida d'éri-
ger, place de la Bastille, en souvenir des Trois Glorieuses et à la mémoire de
leurs héros, une colonne dont la construction fut achevée en 1840. Alors, en
grande pompe, on déposa, sous cette colonne, les cinq cent quatre victimes
de la révolution de 1830. Mais, dans les jardins du Louvre, les fossoyeurs qui
exhumèrent les combattants ne purent, après plusieurs années passées sous
terre, les distinguer des momies si bien qu'un certain nombre de celles-ci
ont finalement trouvé le repos sous la colonne de la Bastille !

L'Angleterre des années 1830 connut un incroyable spectacle : celui d'un
chirurgien, professeur d'anatomie, donnant des représentations publiques de
déroulement de momies. Dawson nous retrace sa biographie. Cet homme,
nommé T.J. Pettigrew, qui a d'ailleurs beaucoup fait pour notre connaissance
des procédés techniques de momification de l'Egypte ancienne, commença à
débandeletter son premier cadavre dans sa propre demeure, à Spring Gardens.
Il l'avait acheté dans une vente publique. Ce corps, mal momifié à l'époque
ptolémaïque, n'était pas en bon état et Pettigrew ne put guère en tirer d'indications. Il s'en procura un autre, pour vingt-trois livres, au cours d'une adjudi-
cation chez Sotheby. Comme son ami Saunders avait aussi poussé les enchè-
res jusqu'à trente-six livres pour une autre momie, ce fut deux corps que le
chirurgien eut à démailloter. Son appartement privé ne se prêtant guère à
ce genre d'exercice, il effectua l'opération dans l'amphithéâtre de conférence
du Charing Cross Hospital où il enseignait l'anatomie. Cette fois, il avait convié
à sa démonstration des princes, des Lords, des médecins, des archéologues,
des voyageurs et beaucoup d'autres invités. Puis il s'attaqua à la dépouille
d'une prêtresse de la XXIe Dynastie qu'un autre de ses amis avait acquise
dans la même vente, véritable marché aux momies. De représentation en
représentation, il parvint à l'amphithéâtre du Royal College of Surgeons :
c'était la consécration. On dut délivrer des tickets tant la demande était grande ;
aux portes d'entrée c'était la bousculade et des personnalités aussi importantes que l'archevêque de Canterbury et l'évêque de Londres ne purent pénétrer
dans la salle. Enfin, le jeudi 6 janvier 1834, à treize heures précises, un silence
religieux s'établit dans l'amphithéâtre quand entrèrent Pettigrew et ses assistants, précédés du président et des membres du conseil des chirurgiens. Il
obtint un vif succès, ce qui le décida à donner, dans les années suivantes,

---

1.   J. HILLAIRET : *Dictionnaire historique des rues de Paris.*

des cycles de conférences sur l'embaumement, chaque cycle se terminant en apothéose, par le débandelettage d'une momie.

Un jour, cependant, il fit un faux pas ou se laissa peut-être abuser par un spéculateur, un certain d'Athanasi, qui lui offrit d'autopsier une momie dont il était propriétaire. Pettigrew accepta, mais on préfère croire, pour sa mémoire, qu'il ne participa pas à la rédaction du prospectus annonçant l'exhibition de la façon suivante : « Giovanni d'Athanasi informe respectueusement le public que, dans la soirée du lundi, le 10 avril suivant à dix-sept heures, la plus intéressante momie qui ait jamais été découverte en Egypte sera déroulée dans la grande salle de l'Exeter Hall ». Tout à la fin, en petits caractères, on pouvait lire : « Des tickets, avec la description de la momie, sont dès maintenant en vente chez Giovanni d'Athanasi, au n° 3, Wellington Street, Strand. Un nombre limité de places assises sera réservé immédiatement autour des tables sur lesquelles sera placée la momie, au prix de six shillings. Des places au balcon et sur l'estrade, quatre shillings. Toutes les autres places, au centre du hall et de la galerie : deux shillings et six pence ». Cinq à six cents personnes se pressèrent ce jour-là pour voir Pettigrew aux prises avec la momie qui, de toute sa carrière, lui offrit la plus grande résistance : marteau, ciseau, couteau ne parvenaient pas à entamer la dure carapace de résine dont elle était enrobée et, après trois heures d'efforts, on dut annoncer que l'intervention serait poursuivie ailleurs et les résultats présentés ultérieurement. La renommée de Pettigrew ne diminua pas pour autant. Il eut même, lui qui démaillota tant de momies, à en confectionner une. Le 18 août 1852 mourait à Londres Alexandre, dixième duc de Hamilton. Ce curieux personnage s'était fait construire, de son vivant, un énorme mausolée dans les jardins de sa propriété et, par son testament, il réclamait d'être embaumé par les soins de Pettigrew et déposé dans un sarcophage égyptien. Ses vœux furent exaucés.

Aux Etats-Unis, le sort des momies n'était guère plus enviable. On ne sait ce que sont devenus les corps que l'on a spoliés de leurs suaires et bandelettes pour en faire de la pâte à papier. Il y a fort à parier qu'ils n'ont pas été ensevelis avec tout le soin désirable. Vers la fin du XIXe siècle, un astucieux commerçant américain, Auguste Stanwood qui possédait des moulins à papier dans le Maine, entreprit de fabriquer du papier à base de chiffons dont on sait qu'il est particulièrement prisé. Il n'y avait rien là de répréhensible jusqu'au jour où il utilisa, comme matière première, les linges et bandelettes de momies qu'il se procurait auprès des Bédouins, détrousseurs de cadavres. Hélas ! les chiffons imprégnés de résine, donnaient un papier brunâtre qu'aucun procédé ne parvenait à blanchir. Stanwood, ne voulant rien perdre de son stock, se contenta alors de le transformer en papier d'emballage qu'il vendit aux détaillants de l'alimentation. Ainsi les ménagères américaines sortaient de chez le boucher ou de chez l'épicier avec leur commande empaquetée dans du papier confectionné avec les linges funéraires des momies égyptiennes. Tout allait pour le mieux quand éclata une épidémie de choléra dont les autorités sanitaires retrouvèrent bien vite la source chez les chiffonniers du moulin de Stanwood. Ce fut la fin du papier de momie[1].

Les grandes momies royales que nous avions vu extraire de leur cachette de Deir-el-Bahari n'avaient pas achevé leurs tribulations. Après être passées de tombe en tombe, elles allaient connaître maintenant divers musées. Nous les avions laissées à l'entrée du caveau où E. Brugsch et Ahmed Effendi Kamal en prenaient réception au fur et à mesure de leur issue, ainsi que des objets qui les entouraient. Ils les faisaient aligner côte à côte au pied de la colline. De la Vallée des Rois, il fallait gagner Louxor où devait se faire l'embarquement et, pour cela, traverser la plaine de Thèbes, dans la poussière, sous l'accablante chaleur de juillet. La plupart des cercueils, que plus d'une douzaine d'hommes soulevaient à grand-peine, furent ainsi acheminés, de la montagne à la rive, au prix d'une marche épuisante de sept à huit heures. Il était difficile de faire main basse sur les momies mais quelques indigènes ne se privèrent pas de détourner de menus objets. La police veillait et en obtint rapidement la restitution; seul un panier contenant une cinquantaine de figurines d'émail bleu disparut et son contenu doit être maintenant dispersé chez des collectionneurs privés. Dans la soirée du 11 juillet 1881, tout le chargement de momies, de cercueils et de mobilier était parvenu à Louxor. Les momies, bien enveloppées dans des nattes, se préparaient à quitter Thèbes pour rejoindre la nouvelle capitale de leur pays, Le Caire. On dut attendre trois jours l'arrivée du bateau à vapeur du Musée, le Menshieh, que l'on avait fait venir en hâte. Le temps de charger les rois et le bateau repartait. Pendant toute la première partie du trajet, sur plus de trente kilomètres, de Louxor à Kouft, les femmes échevelées, sur les deux rives, poussaient des cris perçants et les hommes tiraient des coups de fusil. Avertis du transfert de leurs anciens maîtres, les fellahs leur faisaient, à leur façon, de nouvelles funérailles.

A leur arrivée au Musée de Boulaq, l'ancien Musée des Antiquités égyptiennes, déjà très encombré, on tenta de faire une place aux momies. Les objets furent déposés dans les magasins et les corps, exposés provisoirement dans une salle centrale. Quatre années furent nécessaires pour faire l'inventaire précis de tout ce qui avait été sorti de l'hypogée. Elles furent mises à profit pour agrandir le musée de quelques salles complémentaires et l'on commanda douze vitrines pour abriter les momies les plus intéressantes; on installa les plus beaux objets dans de grandes armoires.

---

1.   M.M. PACE: *Wrapped for eternity*, 1 vol., Mac Graw Hill, 1974.

A peine les rois étaient-ils arrivés à Boulaq que, sans en avoir averti Maspéro, E. Brugsch entreprit de débandeletter la momie de Thoutmosis III. Il récidiva en septembre 1873, sur la reine Nefertari non par curiosité cette fois, mais parce que la décomposition en avait rendu l'odeur insupportable. Devant ces faits, Maspéro décida alors d'examiner lui-même toutes les momies et commença par l'ouverture de Ramsès II dont nous avons lu, plus haut, le procès-verbal. Le seul qui fut épargné, Aménophis Ier, le dut à la qualité exceptionnelle de son emmaillotage. Mais déjà, en 1914, soit trente-trois ans après la sortie des corps de leur sépulture, Maspéro pouvait écrire : « Ils se sont gravement endommagés depuis la découverte et, quelques soins qu'on ait mis à les entourer de substances préservatrices, les insectes se sont attaqués à la plupart d'entre eux : on prévoit le jour où ils disparaîtront sous leurs atteintes. » Le visiteur peut encore les contempler dans le nouveau Musée égyptien où, après leur séjour au Musée de Boulaq à Guiza, ils occupent maintenant la salle 52.

Toutankhamon, bien que dépouillé de la plupart de ses ornements, est resté dans sa tombe de la Vallée des Rois. Aménophis II connut un sort différent mais qui ne fut pas moins agité. En 1898, Loret avait découvert, dans sa tombe, une bonne partie des pharaons de la XVIIIe Dynastie qui manquaient dans la cachette de Deir-el-Bahari. Aménophis II était bien entendu du nombre. L'ordre vint du ministère de laisser les momies sur place et de murer d'entrée de l'hypogée. En 1900, l'autorisation fut enfin donnée de rouvrir la tombe et de ramener au Musée les momies royales, à l'exception d'Aménophis II qui devait rester dans sa sépulture, allongé dans son sarcophage, et de quatre autres momies anonymes dont trois regagnèrent le réduit où on les avait trouvées ; la quatrième, un cadavre noir, grimaçant, au crâne fendu, peut-être un voleur, fut laissée gisante dans une barque funéraire. Pour permettre aux touristes d'arriver jusqu'au roi, on avait jeté une passerelle qui enjambait les puits dangereux. De solides portes en fer forgé mettaient la momie royale hors de toute atteinte, en dehors des heures de visite. Du moins le croyait-on dans l'ignorance où l'on était que, parmi les indigènes, les langues allaient bon train, racontant que les momies étaient couvertes de bijoux. La tentation était si grande que l'inévitable se produisit.

Le 24 novembre 1901, trois gardiens de nuit dînaient tranquillement dans la tombe no 10 lorsqu'ils virent surgir treize hommes armés, le visage masqué. Sous la menace des fusils, ils durent rester sur place, gardés par six hommes tandis que les sept autres s'en allaient vers la tombe d'Aménophis II et en revenaient bientôt avec leur butin. Tous les bandits s'enfuirent alors par le passage au-dessus des collines, vers Medinet Habou. Les gardiens, faisant preuve de courage, essayèrent de les rattraper, mais furent arrêtés, à trois reprises par des coups de feu et s'en revinrent sagement finir leur dîner. Puis l'un d'eux alla raconter toute la scène à l'inspecteur. Celui-ci arriva peu après pour constater que la momie noire qui était sur le bateau avait été mise en pièces, que le bateau avait été volé et que la momie du roi avait été ouverte.

Le 25 novembre, pressés par une avalanche de questions, les gardes durent avouer avoir reconnu trois hommes parmi leurs treize agresseurs, Mohamed Abd-el-Rassoul, encore lui, Ahmed Abd-el-Rassoul et Mohamed Abdrachman, tous trois de Gournah. On les incarcéra aussitôt mais, alertée par quelques anomalies, la police décida aussi de garder à vue les trois gardiens.

Le 27 novembre, Carter, examinant Aménophis II, s'aperçut que les incisions dans les bandelettes avaient été faites aux endroits où l'on trouve habituellement des objets. Il ne pouvait s'agir que d'un travail de spécialiste.

Le 28 novembre, Carter mena une véritable enquête policière pour établir les responsabilités réelles. Le cadenas de la grille avait été refermé par les voleurs qui avaient même maquillé les traces d'effraction avec de petites languettes de plomb et de la résine comme ils l'avaient déjà fait, quelques jours plus tôt, dans la tombe d'un particulier. Cette tentative de dissimulation de leur forfait était incompatible avec le récit que les gardiens avaient fait du vol précipité. Mohamed Abd-el-Rassoul était suspect et on le confondit aisément grâce aux empreintes parfaites de ses pieds nus qu'il avait laissées dans la tombe mais on n'avait pas encore éclairci le rôle des gardiens. Dormaient-ils pendant leur service ? S'étaient-ils momentanément absentés ? Ou étaient-ils complices ? D'autres veilleurs postés à quelque distance, avaient bien entendu les trois coups de feu, mais qui les avait tirés ? L'examen des fusils de nos trois gardiens prouva qu'ils avaient été utilisés récemment par eux-mêmes et leur complicité fut établie sans peine.

Aménophis II allait-il enfin connaître le repos ? Pas immédiatement car il lui faudrait encore se soumettre à quelques formalités administratives. La direction du Musée lui accorda asile en 1931, au milieu de ses pairs, dans une vitrine où il serait à l'abri des pillards. On le ramena donc par bateau jusqu'aux portes du Caire où le dernier obstacle restait à franchir : l'octroi. Toute marchandise pénétrant dans la ville devait payer un droit. Le préposé rechercha alors quelle taxe était appliquée aux momies ; peu lui importait qu'elles fussent royales ou non. Rien n'était inscrit sur son registre mais il fallait bien pourtant acquitter une redevance. C'est ainsi que par assimilation, Aménophis II paya pour son droit de passage, la taxe... sur le poisson séché.

Les voyages ne réussissent pas toujours aux momies. Le 14 avril 1912, l'une d'elles, appartenant à un Lord anglais, effectuait la traversée de Londres à New York. Elle était couchée dans un magnifique sarcophage de bois et, en raison du caractère particulier du colis, on ne l'avait pas installée dans la soute à bagages, mais derrière la passerelle du commandant[1]. Dans la soirée, le navire pénétrait dans un champ de glaces flottantes, aux environs de Terre-Neuve. Dans la nuit du 14 au 15, il donnait du flanc contre un gigantesque iceberg qui l'éventrait sur une longueur de cent mètres. Ce paquebot s'appelait le *Titanic*. Moins de trois heures plus tard, l'arrière se dressait et le navire s'enfonçait par la proue, engloutissant mille quatre cent quatre-vingt-dix passagers et une momie. C'est ainsi qu'un ancien Egyptien repose en plein Atlantique par cinq mille mètres de fond.

Il était une momie que l'on espérait bien conserver longtemps, une des plus anciennes que l'on ait découvertes. Elle avait été épargnée par ses contemporains; son corps n'avait pas été débité en menus fragments pour en faire quelque drogue; les Arabes ne l'avaient pas pillée; son corps, bien embaumé, n'était pas tombé en poussière à la sortie du tombeau; enfin, elle avait échappé aux dangers du voyage qui l'avait menée jusqu'à Londres. Là, elle coulait des jours paisibles dans une vitrine du Royal College of Surgeons quand, en 1941, lors d'un bombardement, le musée fut littéralement soufflé. La momie s'était volatilisée à tout jamais.

On pourrait penser que les pillages ont cessé de nos jours avec l'organisation et la réglementation des fouilles. Il n'en est rien. En 1939, les fouilles de Montet, à Tanis, dans le Delta, s'étaient révélées fructueuses en mettant au jour la riche sépulture des rois de la XXIᵉ Dynastie. C'est par camions militaires cette fois, que les découvertes furent transportées au Musée du Caire. Avec la seconde guerre mondiale, les recherches furent interrompues et on posta simplement quelques soldats pour protéger le site. Le conflit s'éternisant, le bruit courut dans la région, que l'on ne reverrait jamais la mission française. La surveillance se relâcha, ce qui permit aux voleurs de s'introduire dans la maison d'habitation de Montet, près du chantier, de piller les magasins et de faire main basse sur les objets de valeur qui n'avaient pas encore été évacués. La tombe de Psousennès fut forcée mais, heureusement, les bandits ne découvrirent pas le trésor qui ne fut dégagé qu'à la reprise des fouilles par les égyptologues français en 1946.

Les ouvriers qui travaillent sur les chantiers d'excavation parviennent parfois à dissimuler quelques objets. Tous les archéologues n'ont pas l'audace d'imiter ce chercheur anglais de la fin du XIXᵉ siècle qui administrait une purgation aux travailleurs qu'il soupçonnait d'avoir caché secrètement de petits scarabées-amulettes.

---

1   P. VANDENBERG: *La malédiction des momies,* 1975, Belfond.

En 1969, des égyptologues explorant le site de Gizeh trouvèrent auprès d'un sarcophage, un corps décharné reposant dans un curieuse position. Le couvercle de la cuve avait été en partie repoussé; l'homme gisait le long de ce sarcophage, un bras dressé étendu vers le couvercle, la main pendante à l'intérieur. Il s'agissait apparemment d'un de ces anciens pilleurs de tombeaux surpris et tué par des gardiens ou décédé de mort subite alors qu'il s'apprêtait à s'emparer du butin. Cependant des restes de vêtements pourris affublaient encore le cadavre. De la poche de ce qui avait été une veste, les archéologues eurent la surprise de sortir des fragments d'un journal dont la date était en partie lisible: 1944. La vengeance des dieux de l'Égypte ou plutôt, une banale cause naturelle avait mis fin brutalement à la carrière d'un voleur contemporain[1].

Le 8 février 1973, une agence de presse allemande annonçait une nouvelle incroyable: on avait pillé cinq mille tombeaux de l'époque pharaonique. Le journaliste en avait sûrement grossi le nombre pour faire sensation mais il y avait cependant une fonds de vérité dans cette information que détaille Vandenberg[2]. Des coups de feu avaient été entendus dans la région de Beni Souef, à 121 km au sud du Caire. La police, alertée, se rendit sur les lieux à la tombée du jour, et, à la lumière d'un projecteur, découvrit, en plein désert, un véritable chantier. D'une fosse dépassait une échelle par où remontèrent trois hommes. Ceux-ci durent avouer, au cours de leur interrogatoire, la surprenante histoire dont ils avaient été les instigateurs. Quelques mois auparavant ils avaient trouvé une tombe jusque-là inexplorée et bien garnie; plusieurs autres furent bientôt mises au jour si bien que, devant la promesse de richesses à venir, ils abandonnèrent tous trois la fabrique de coton où ils étaient employés et s'adonnèrent uniquement à cette archéologie très spéciale. L'importance du cimetière était telle qu'ils durent embaucher de la main-d'œuvre; les équipes se relayaient jour et nuit pour extraire les trésors et bientôt, ces ouvriers, jusque-là très misérables, purent rouler voiture. L'organisation fonctionna bien jusqu'à la découverte d'une tombe infiniment plus riche que les autres dont tous voulurent leur part. Les fondateurs de l'entreprise, peu soucieux de partager les bénéfices, se mirent à fouiller en cachette de leurs compagnons. Mais ceux-ci veillaient, d'où la fusillade qui fit découvrir le pot aux roses.

Pour une fouille clandestine dévoilée, combien se poursuivent encore qui détruisent peut-être des documents de première importance dans le seul but d'extraire des objets monnayables sous le manteau.

1.   M.M. PACE: *op. cit.*
2.   P. VANDENBERG: *op. cit.*

Chapitre X

LA FIN DES LÉGENDES

QUE n'a-t-on pas écrit sur la religion, la civilisation et, plus particulièrement, sur l'ésotérisme des Egyptiens! Il est aisé, après coup d'écarter toute explication simple d'un phénomène et, rejetant l'histoire, la religion et les lois naturelles, d'y voir l'intervention d'une force occulte dont la transcendance ne peut qu'échapper à notre propre compréhension. Les adeptes de la cabale tissent un réseau de correspondances entre les objets, les êtres et les cosmos et font appel à toutes les ressources de l'herméneutique pour nous aveugler de fausses preuves. A les en croire, les prêtres égyptiens possédaient les secrets de la Connaissance qui ne sortaient jamais, bien entendu, de leur clan d'initiés; notre savoir ferait bien pâle figure si la révélation nous était faite de ce qu'avaient découvert ces hommes hors du commun.

Il est une pseudo-science, la pyramidologie, qui, à force de manipulations arithmétiques, permet d'extraire des pyramides un fatras de données époustouflantes. Les rapports de leurs dimensions, de leurs angles de pente, de la disposition des chambres intérieures, de l'orientation des couloirs, le tout mélangé de diverses façons à des chiffres bibliques, aboutissent à des considérations géodésiques et astronomiques dont les bâtisseurs étaient, sans

doute, fort éloignés. Il nous semble bien qu'en manipulant ainsi les mesures
du château de Versailles ou de l'Arc de Triomphe, on pourrait aussi leur
faire dire bien des choses.

L'égyptologie symboliste, comme toute recherche occultiste, loin de
précéder nos acquisitions scientifiques ou de les améliorer, s'en empare
pour démontrer, après coup, que tout avait déjà été dit. Au moment de la
découverte des ondes hertziennes, des «ondes» mystérieuses émanant des
objets de fouilles étaient à la mode; avec l'utilisation des rayons X, ce sont
d'étranges rayonnements que commencèrent à émettre ces mêmes objets;
depuis que l'on connaît mieux l'atome, certains se sont mis en tête de
prouver que les anciens Egyptiens l'avaient manipulé bien avant nous.

Un peu de magie, un peu de mystère, quelques faits d'apparence scientifique faussement interprétés, un zeste de science officielle pour donner
l'illusion du sérieux et voilà une très bonne recette pour faire passer pour
vraie, aux yeux du profane, n'importe quelle affabulation. Même sans la
moindre ombre de preuve, on réitère des affirmations dont la répétition
devrait finir par convaincre le plus incrédule. Que certains suivent cette voie
où ils trouvent sans doute une consolation aux difficultés de notre temps,
nul ne saurait les en blâmer. Il est probablement plus difficile et plus ingrat
de se contenter de la réalité objective: cette attitude a notre préférence.

Le blé de momie

On a parfois trouvé dans les tombes des figurines d'Osiris recouvertes
de végétation desséchée (fig. 46). C'étaient soit des statuettes façonnées

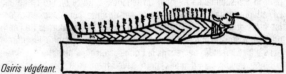

46.   Osiris végétant.

dans l'argile à la forme du dieu et reposant sur un petit lit, soit des moules
osiriens remplis de sable ou de terre. On y semait quelques grains et on
arrosait. Dans le tombeau fermé pour l'éternité, le grain germait, transformant
la statue en un petit champ verdoyant qui conservait la silhouette du dieu.
Le symbolisme de ces représentations est clair. Osiris n'était pas seulement

le dieu des morts, mais, par sa résurrection légendaire, il présidait au destin de la terre ; au moment de l'inondation, il était l'eau qui fait reverdir les champs ; il mourait avec la fin des cultures et renaissait avec les pousses nouvelles. Ce n'est pas un hasard si le dieu des morts était aussi celui du renouveau de la nature.

Pour l'alimentation du défunt, on déposait aussi, à ses côtés, dans des sachets ou des vases, des grains de blé et d'orge. A maintes reprises, on en a retrouvé qui paraissaient intacts quoique un peu brunis. Le comte de Sternberg affirmait avoir obtenu la germination de deux de ces grains de blé pharaonique. Plusieurs botanistes avaient renouvelé l'expérience avec le même succès et depuis, on répétait, sans le moindre esprit critique, que les anciens Egyptiens étaient parvenus à conserver indéfiniment vivantes les graines de céréales. En fait, les expérimentateurs s'étaient laissé abuser et avaient acquis, pour du blé de momie, des graines qui n'avaient que quelques mois. Il fallut l'obstination des scientifiques pour démontrer l'inanité de ces affirmations. Brocq-Rousseu et Gain purent obtenir des graines de diverses origines et tentèrent de les faire germer en les plaçant dans des conditions optimales. Ils plantèrent ainsi des germes provenant du Musée de Boulaq qui avaient entre cinq mille et deux mille ans, d'autres venant du cimetière de Pachacamac, au Pérou, vieilles de cinq cents ans, d'autres encore prélevées dans des herbiers du XVIIIe siècle : aucune ne poussa.

Alphonse de Candolle, sur trois cent soixante-huit espèces différentes de graines ayant quinze ans d'âge, ne parvint à en faire germer que dix-sept. La plus grande longévité reste celle du haricot de l'herbier de Tournefort que l'on vit pousser au bout de cent ans.

On sait qu'une graine est – schématiquement – composée de deux parties : l'embryon, ébauche de la future plante, et l'albumen, réserve d'où l'embryon tire sa nourriture au début de sa croissance. Pour dégrader ces réserves et pouvoir ainsi les utiliser, la plantule fabrique des enzymes. Or, qu'observe-t-on sur ces vieilles graines ? Les réserves sont intactes et utilisables : l'amidon a conservé ses propriétés et serait même panifiable. Par contre, les enzymes, beaucoup plus fragiles, ont complètement disparu. On en a retrouvé la présence dans des graines du XIXe siècle mais, au-delà du XVIIIe, ils font complètement défaut. L'embryon est détaché de ses réserves qu'il ne saurait donc plus utiliser. Enfin, si la petite plante conserve son organisation cellulaire, les cellules elles-mêmes sont profondément altérées et ne portent plus les signes de la vie.

En dépit de toutes ces études qui remontent au début du siècle, la légende du blé de momie a la vie dure et l'expérience plus récente de l'Anglais Parker qui a vu les graines se ratatiner et se couvrir de moisissures au bout de quinze jours n'a pas encore complètement convaincu tous ceux qui voudraient pouvoir se réfugier dans le merveilleux.

La colline des ressuscités

A peu de distance au sud du Caire, en un lieu qui varia peu avec les temps, de nombreux récits de voyageurs du XVe au XVIIIe siècle attestent qu'un «miracle» se produisait chaque année, le Vendredi saint, ainsi que quelques jours avant et après. Le miracle préfigurait la Résurrection du Christ: sur une petite colline sablonneuse, près du Nil, on voyait, à périodes fixes, les morts sortir de leurs tombeaux. Il y avait là un cimetière où, en ce jour solennel, les chrétiens accouraient en foule pour contempler le prodige; des Juifs se mêlaient aux curieux; quant aux Turcs, selon le récit qu'en fit Thévenot en 1727, «ils venaient en procession avec toutes leurs bannières, parce qu'ils y ont un Scheik enterré dont les os, à ce qu'ils disent, sortent tous les ans. Comme les autres, ils vont faire leurs prières avec dévotion».

Si tous les voyageurs n'ont pas contemplé le spectacle de leurs propres yeux, presque tous ceux que leur périple a menés en Egypte le racontent. Certains introduisent dans leur narration, une note de scepticisme. L'un d'eux, même, dévoila la supercherie. Le scénario se déroulait de la façon suivante: le voyageur marchait dans les sables quand, soudain, un indigène lui signalait, venant de surgir derrière son dos, ici un bras, là une jambe, ailleurs une tête, ou mieux, un tronc tout entier. Il faut dire que le phénomène avait de quoi surprendre mais, ou bien les momies étaient déjà sorties, ou bien le membre venait d'apparaître alors que le spectateur regardait ailleurs; cependant, nul n'avait jamais observé un corps en train de jaillir du sol. Un jour, un Français, voulant en avoir le cœur net, se retourna brusquement avant qu'on ne l'ait averti et vit un Egyptien qui tenait sous sa veste un membre de momie. Le mystère était éclairci. Les gens de la région pillaient un cimetière de momies et, misant sur la crédulité des croyants, plantaient de-ci, de-là, quelques fragments de corps desséchés pour entretenir les légendes. Le but de cette imposture n'était pas désintéressé: elle était montée par les bateliers qui préparaient la mise en scène pendant la nuit et tiraient profit, le lendemain, du passage d'une centaine de curieux qui traversaient le Nil pour assister aux apparitions.

La momie qui bouge

En 1881, Maspéro avait sorti de la cachette de Deir-el-Bahari, les corps de nombreux pharaons du Nouvel Empire. On les avait laissés quelque temps à l'extérieur de la tombe, sous une étroite surveillance. Puis ils furent déplacés à plusieurs reprises, au fur et à mesure que de nouveaux rois ou du mobilier étaient extraits du puits funéraire. Parmi les momies, une des plus grandes par la taillle était celle de Ramsès Ier, en très bon état de conservation … Vers midi, on lui avait trouvé un endroit bien ombragé et on l'y avait momentanément déposé en attendant de le transférer sur le bateau. Elle était là, bien paisible, les bras allongés le long du corps et on aurait presque pu croire qu'elle dormait tout comme les ouvriers, d'ailleurs, qui, leur tâche matinale achevée, s'en allèrent faire la sieste pendant les heures chaudes de la journée. Lorsqu'ils revinrent, un spectacle horrifiant sema l'épouvante dans leurs rangs: la momie avait dressé un de ses bras qui, tendu, paraissait les menacer. Les vieilles superstitions ne furent pas longues à renaître et il fallut toute l'autorité des directeurs de fouilles pour ramener un semblant de calme. On fit une brève enquête et l'on s'aperçut que, si l'endroit où gisait la momie était bien abrité à midi, il recevait en plein les rayons du soleil de midi à une heure. L'échauffement des tissus avait provoqué leur rétraction et tiré le bras dans la position inquiétante où on l'avait retrouvé: on eut beaucoup de peine à le ramener à sa position initiale.

La punition du sacrilège

Les indigènes, nous l'avons vu, bâtissaient souvent leur demeure au-dessus d'une tombe. Ainsi en était-il d'un nommé Ahmed-ibn-Soliman qui avait choisi de s'installer dans la nécropole de Drah-Abou-el-Neggah, dans la région thébaine. Sa petite maison, accrochée au flanc de la colline, comportait, sur le derrière, une pièce empruntée à un ancien tombeau creusé dans le rocher; elle servait à la fois d'étable et de resserre et était plus fraîche que les autres chambres. Pourquoi fallut-il qu'au début du mois de novembre 1905 un parent, Ali Younis, vint débarrasser cette cave et y découvrir l'entrée masquée et oubliée d'un passage descendant qui s'enfonçait dans le sol? Il entrevit aussitôt la promesse de richesses ensevelies dans une chambre dérobée du sépulcre. Sans tarder, il se mit à déblayer le couloir de la terre et des blocs de pierre qui l'encombraient et, jour après jour, le boyau avançait vers le trésor convoité. Le 10 novembre, profitant d'un moment où la famille s'était absentée, Ali acheva enfin de dégager le tunnel. Le lendemain, sa femme inquiète de ne l'avoir pas vu rentrer s'en vint elle aussi dans le caveau et, voyant le corridor ouvert, elle s'y engagea, pensant trouver son mari. On ne devait plus la revoir vivante. On commençait à jaser autour de la maison d'Ahmed-ibn-Soliman quand la belle-mère du disparu décida à son tour d'explorer le tombeau; elle s'était fait accompagner par deux cousins d'Ali. Quelques heures plus tard, ils n'étaient toujours pas ressortis. L'inquiétude grandissait et tournait à la panique. Deux indigènes courageux résolurent d'élucider le mystère et prirent la précaution d'emporter des chandelles. Au bout de trois mètres, le tunnel faisait un brusque coude vers la gauche puis, aussitôt après, tournait une nouvelle fois sur la gauche. Alors les lumignons commencèrent à faiblir et, à leur maigre lueur, les fellahs découvrirent un des deux hommes râlant encore. Ils se hâtèrent de le ramener à l'air libre mais en vain; il mourut quelques instants plus tard. Ces disparitions insolites furent signalées aux autorités et l'on vit bientôt accourir la police accompagnée de Mursi Effendi Halim, l'inspecteur des antiquités du district. Celui-ci, suivi de quatre hommes, entra dans le caveau; il put dépasser l'endroit où l'on avait relevé le cousin mourant et, après quelques détours, il pénétra dans une salle soutenue par des piliers grossièrement taillés. La lumière des lampes à huile diminua rapidement mais leur laissa le temps d'entrevoir les corps des malheureux. Ils essayèrent de les atteindre mais chaque geste exigeait d'eux un effort surhumain et, soulevés de nausées, ils durent quitter précipitamment la tombe. Leur état était tel à leur sortie qu'ils renoncèrent à toute nouvelle exploration et que personne d'autre n'eut le courage de s'aventurer dans le couloir. Le bruit courut, parmi la population, qu'un génie veillait sur un amoncellement de richesses et qu'il avait étranglé les importuns. En fait, la mort des cinq visiteurs et les malaises accusés par les survivants étaient dus à l'inhalation de gaz toxiques qui s'étaient accumulés dans la tombe. L'inspection sanitaire s'en mêla. L'archéologue Weigall proposa de faire venir une pompe pour évacuer l'air vicié mais, finalement le ministère de l'Intérieur choisit de laisser les cadavres où ils étaient et de faire murer le passage. Une ancienne tombe pharaonique renferme désormais les corps de quatre Egyptiens contemporains.

Une pareille mésaventure faillit arriver à l'égyptologue Gabra et à ses assistants lorsqu'ils fouillèrent, à Tounah-el-Gebel, la grande galerie du cimetière des ibis. Après avoir dégagé l'escalier monumental de soixante-quinze marches, ils descendirent en hâte dans le souterrain, impatients d'explorer leur découverte. A peine arrivés dans l'antichambre, ils furent tous saisis de violents maux de tête et durent aussitôt ressortir. Au bout de trois jours, ils purent enfin redescendre: l'atmosphère était devenue plus saine et ils poursuivirent leurs travaux sans le moindre malaise. Mais déjà la fable prenait corps parmi les ouvriers, selon laquelle une formule magique, inscrite dans la galerie, condamnait à mort tous ceux qui s'introduiraient dans ce sanctuaire réservé aux prêtres du dieu Thot.

Le besoin de surnaturel et le crédit accordé au savoir insigne des prêtres ont suscité, à propos de ces phénomènes, des explications aussi singulières qu'incontrôlées. On a imaginé que, si les tombeaux avaient été scellés avec un tel soin d'étanchéité, c'est qu'on les avait transformés en de véritables chambres à gaz. D'ailleurs, les anciens pillards auraient été si bien informés qu'ils perçaient un orifice gros comme le poing dans la paroi pour laisser s'échapper les vapeurs mortelles avant de pénétrer dans le sépulcre. Quelle était la nature de ce gaz? Tout simplement des vapeurs d'acide cyanhydrique comme celles utilisées lors de l'exécution de la peine capitale aux Etats-Unis. Mais les Egyptiens connaissaient-ils cet acide? Ce n'est pas impossible si l'on veut orienter dans ce sens l'interprétation d'une phrase trouvée dans un ancien papyrus du Louvre: «Ne prononcez pas le nom d'Iao sous la peine du pêcher», c'est-à-dire, ne prononcez pas le nom de dieu ou, encore, ne révélez pas les secrets liturgiques sous peine de périr par empoisonnement. En effet, de la feuille et du noyau du pêcher, on peut extraire l'acide cyanhydrique. Donc les embaumeurs auraient simplement badigeonné les bandelettes avec de l'huile d'amandes amères qui, au contact de l'oxygène de l'air, laisse se volatiliser l'acide cyanhydrique. Hélas pour les amateurs de merveilleux, aucune preuve ne vient étayer une telle hypothèse! La petite phrase du papyrus reste unique dans la littérature égyptienne; on n'a trouvé aucune trace d'huile d'amandes amères sur les bandelettes de momies; enfin, une telle manipulation, étant donné la longueur du bandelettage et des cérémonies rituelles qui l'accompagnaient et le suivaient, aurait fait périr les assistants bien avant que le mort ne fût installé dans sa tombe. Il est bien plus probable que, dans certains de ces tombeaux depuis longtemps fermés, l'accumulation de gaz provenant de la décomposition du cadavre et la disparition de l'oxygène dont l'extinction des chandelles est la preuve, sont responsables de ces accidents auxquels la connaissance ésotérique est tout à fait étrangère.

La malédiction de Toutankhamon

Nanti d'une immense fortune, Lord Carnarvon, grand seigneur anglais, n'était pas parfaitement heureux car sa santé fragile l'empêchait de jouir pleinement des plaisirs de la vie dont il était avide. Passionné de sport automobile, il était propriétaire de plusieurs voitures particulièrement rapides. Ce fut sur une route d'Allemagne, dans l'embardée d'une voiture de course que se terminèrent ses exploits: relevé dans le coma, grièvement brûlé, il ne se remit de cet accident que grâce à de multiples interventions chirurgicales mais la convalescence fut longue. Toute sa vie, il continua de souffrir de troubles respiratoires pour lesquels son médecin lui conseilla le climat sec et chaud de l'Egypte.

Il s'y rendit en 1902 et ce fut aussitôt le coup de foudre: il se prit d'une vive curiosité pour l'égyptologie et entrevit, en même temps, dans la subvention des fouilles, le moyen de faire fructifier son argent. Maspéro, qui était directeur du Service des Antiquités, lui fit obtenir une concession et ce fut la création du tandem Carnarvon-Carter, le mécène et l'égyptologue, qui allait devenir célèbre dans le monde entier. Au début, Lord Carnarvon ne venait qu'épisodiquement sur les chantiers. Aussi, lorsque Carter parvint devant la porte du tombeau de Toutankhamon, le 4 novembre 1922, il en avertit aussitôt Lord Carnarvon qui était retourné en Angleterre, pour la saison de la chasse, dans son domaine de Highclere. Devant l'importance de la découverte, il ne lui fallut que le temps d'un voyage pour se retrouver à Louxor le 23 novembre et assister à l'ouverture de la tombe le 25. Déjà comblé par ce qu'il avait aperçu, il rentra chez lui pour les fêtes de Christmas et ne regagna l'Egypte qu'au début de 1923. A partir de ce moment, on le vit chaque matin, dans la Vallée des Rois, où il venait participer à l'exhumation du mobilier.

Vers la mi-mars, l'insignifiante piqûre d'un moustique sur la joue prit, sur son organisme affaibli, des proportions inquiétantes puis l'infection gagna de telle manière qu'on dut le ramener au Caire. Après une période d'apparente amélioration, le mal reprit et, vers la fin du mois, une congestion pulmonaire se déclarait. On commença alors à craindre pour sa vie et l'on rappela des Indes, où il était officier, son fils, le jeune Lord Porchester. La renommée de Lord Carnarvon était si grande qu'on n'hésita pas à dérouter un bateau pour que le fils pût arriver à temps. Pendant toute la traversée, les pèlerins musulmans, sur le pont du navire, prièrent pour son salut, mais leurs appels ne furent pas entendus. Lorsque Lord Porchester arriva au Caire, son père avait perdu connaissance. Lady Almina, son épouse, était à son chevet, effondrée, ainsi que Carter. Le 5 avril 1923, à deux heures moins cinq de la nuit, Lord Carnarvon s'éteignait. Il avait assisté au début des fouilles du tombeau de Toutankhamon mais n'avait pas eu la joie de contempler les éblouissants sarcophages et la momie du jeune roi.

Bien qu'il soit toujours difficile de faire un diagnostic rétrospectif à partir de quelques éléments cliniques isolés, on peut très bien imaginer que l'infection du visage avait pu se propager aux veines du cerveau, complication autrefois courante, ou avait été le point de départ d'une septicémie, presque constamment mortelle avant l'apparition des antibiotiques.

Son fils, devenu sixième Earl of Carnarvon, raconte depuis deux histoires très étranges, de ces sortes de concours de circonstances où certains voient l'intervention de forces mystérieuses. Au moment précis où Lord Carnarvon rendait le dernier soupir, toutes les lumières du Caire s'éteignirent; la panne dura trois minutes et nul ne put, aux services de l'électricité, en fournir la

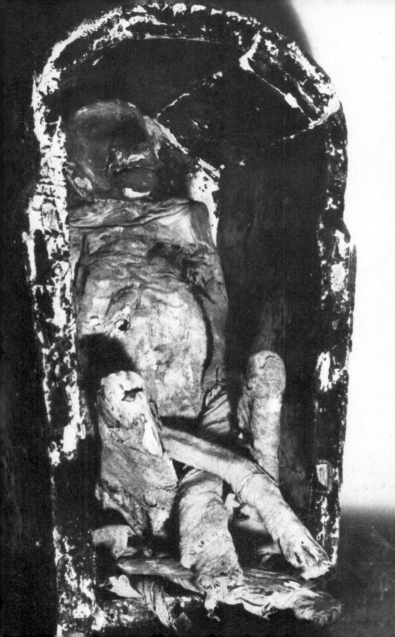

Les animaux familiers des rois de l'Egypte antique étaient eux aussi embaumés. Nous voyons ici la momie d'un singe dans son sarcophage. Musée du Caire. *Rapho*.

moindre explication. A la même heure, la chienne fidèle du mort, dans le lointain château de Highclere, poussa, sans raison apparente, un long hurlement, se dressa sur ses pattes de derrière et mourut sur-le-champ. L'histoire du chien n'a pas eu beaucoup de témoins. Admettons pourtant le rapport qui nous en a été fait : il n'a, de toute façon, rien à voir avec une malédiction pharaonique. Quant à l'autre circonstance, il faut bien reconnaître qu'au rythme où meurent les habitants d'une grande ville, il s'en trouvera toujours un ou plusieurs pour décéder en coïncidence avec un événement quelconque : Lord Carnarvon est mort durant une panne d'électricité. A partir de ce fait brut, il faut vraiment colorer le récit pour y introduire l'influence maléfique d'une puissance d'outre-tombe.

Les partisans de la «vengeance» de Toutankhamon triomphèrent lorsque, six mois plus tard, disparurent, à peu de temps d'intervalle, le demi-frère du Lord, le Colonel Aubrey et l'infirmière qui l'avait veillé pendant son agonie au Caire. Cette fois, une certaine presse à sensation s'empara de l'affaire et commença à comptabiliser les morts. En 1924, le Docteur Archibald Douglas Reed n'eut que le temps de radiographier la momie ; à peine était-il rentré dans son Angleterre natale qu'il rendait l'âme. Jay Gould, milliardaire américain, ami de Lord Carnarvon, avait prié Carter de lui faire visiter la tombe. Bien mal lui en prit, car le lendemain soir, après vingt-quatre heures d'une très forte fièvre, il était mort. Les médecins déclarèrent qu'il avait été emporté par la peste et l'on ne voit pas pourquoi on écarterait cette cause naturelle au profit d'une explication trouble. Il y aurait à cela quelque excuse après le décès, dans des circonstances identiques, de l'industriel anglais, Joël Woolf, à qui le pharaon permit cependant de quitter le sol égyptien pour mourir sur le bateau de retour. Un Canadien, le professeur La Fleur, qui n'enseignait même pas l'égyptologie mais la littérature anglaise, était venu en simple touriste pour voir le tombeau dont on parlait dans le monde entier. Il ne survécut qu'une nuit et une journée à sa curiosité. En 1926, Georges Bénédite, conservateur en chef du département des Antiquités égyptiennes du Musée du Louvre, disparaissait, emporté par une congestion pulmonaire contractée dans la Vallée des Rois. Il était suivi de peu par Arthur C. Mace, conservateur adjoint au Metropolitan Museum of Art de New York : il avait aidé Carter à défoncer le mur de la chambre funéraire. De là à dire qu'il avait, par ce geste, signé son arrêt de mort…!

La colère du pharaon semblait apaisée lorsque, trois ans plus tard, en 1929, il s'en prit d'abord à l'épouse de Lord Carnarvon, Lady Almina, puis au secrétaire de Carter, Richard Bethell. A propos de ce dernier, trouvé un matin mort dans son lit, les médecins diagnostiquèrent une crise cardiaque. Si l'on en croit Vandenberg, son père, rongé de chagrin, se jeta par la fenêtre d'un septième étage; enfin, innocente victime, un petit garçon fut écrasé par le corbillard.

Au total, on a pu dénombrer entre dix-sept et vingt-cinq victimes expiatoires. Mais, on oublie de dire que si Bethell n'avait que quarante-cinq ans le jour de sa mort et Mace cinquante-deux ans, Lord Carnarvon et Bénédite étaient âgés respectivement de cinquante-sept et soixante-neuf ans. On comprend mal aussi que Carter, l'homme qui avait le premier violé la tombe et qui fut l'âme de l'entreprise, ait été épargné par Toutankhamon et ait pu mourir à soixante-cinq ans, en 1939, soit seize ans après son... forfait. On peut encore accumuler d'autres preuves contraires à la malédiction. Le Docteur Evelyn White, une des premières à être entrée dans le sépulcre, mourut vingt ans après. Il est vrai qu'elle connut une fin tragique puisqu'elle se pendit, non sans avoir auparavant écrit aux siens : « J'ai succombé à une malédiction qui m'a forcée à disparaître ». Il n'y a en fait rien d'étrange dans ce drame : une égyptologue peut, comme tout un chacun, être acculée au suicide au terme d'une grave dépression mélancolique et la lettre qu'elle a laissée traduit simplement ses préoccupations habituelles. Hall, un dessinateur, et Callender, l'assistant de Carter, moururent, le premier en 1930 et le second en 1931. Hauser, un autre dessinateur, ne s'éteignit qu'en 1960. P. Lacau, qui assista à l'ouverture et déchiffra de nombreuses inscriptions, vécut jusqu'en 1963; il travaillait encore à quatre-vingts ans. Sir Alan Gardiner, auteur anglais d'une célèbre grammaire égyptienne, également présent à la découverte de la tombe, disparut la même année que Lacau, actif jusqu'à l'âge de soixante-quatorze ans. Le Docteur Douglas Derry, qui commit le sacrilège de débandeletter le pharaon et poursuivit encore longtemps ses occupations, s'éteignit paisiblement à l'âge de quatre-vingts ans. Lucas, le chimiste du Service des Antiquités du Caire, entre les mains de qui passèrent la plupart des objets, était encore en vie vingt-deux ans après l'événement. Burton, le photographe de l'équipe, ne mourut qu'après la deuxième guerre mondiale. Engelbach, l'inspecteur en chef des Antiquités de Haute Egypte, survécut vingt-trois ans à l'exhumation du pharaon. Gustave Lefèvre, alors conservateur en chef du Musée du Caire et qui organisa la présentation du trésor, mourut en 1957, à l'âge de soixante-dix-huit ans, après une carrière bien remplie.

Tout compte fait, Toutankhamon a montré quelque indulgence dans l'exécution de ses malédictions et les sortilèges malfaisants dont on l'a cru coupable, à moins qu'on ne les ait attribués à quelque divinité, sont des contes à dormir debout. Pourquoi d'ailleurs, serait-il le seul à avoir manifesté sa mauvaise humeur quand les grandes momies royales de Deir-el-Bahari et celles de Tanis étaient restées impassibles ?

Revenant aux réalités, on a cherché, dans une maladie virale inconnue, une explication plus naturelle au décès de certains archéologues et visiteurs. On avait bien découvert en 1962, sur une momie copte, des virus qui avaient été le point de départ d'une petite épidémie au Service des Antiquités; c'étaient en fait des virus déposés par un homme déjà malade et qui venait de manipuler le corps. On sait en effet, les difficultés auxquelles on se heurte pour cultiver un virus sur milieu vivant; jamais des tissus morts ne se prêteraient à une telle culture. Ces virus contemporains ne pouvaient donc pas être incriminés dans les disparitions que nous avons citées.

La dernière hypothèse avancée est celle d'une maladie analogue à l'affection qui atteint les spéléologues, l'histoplamose. Elle se traduit essentiellement par des manifestations pulmonaires qui l'apparentent à la pneumonie. Elle est due à un champignon microscopique qui se développe particulièrement bien dans l'intestin des chauves-souris et que l'on retrouve dans les excréments dont elles souillent les cavernes. L'infestation de l'homme se fait par inhalation de poussière de guano en suspension dans l'air. L'hypothèse, qui n'a rien de chimérique, est ingénieuse, car elle rendrait compte de l'atteinte inégale des sujets, suivant leur sensibilité particulière à la maladie et des signes pulmonaires relevés, entre autres, chez Lord Carnarvon et chez Bénédite. Il est cependant difficile de l'admettre sans réserves car la tombe de Toutankhamon était restée hermétiquement fermée depuis près de trois millénaires et ne renfermait donc ni chauves-souris, ni champignons vivants.

Décidément, toute tentative pour trouver une explication commune à la mort des archéologues impliqués dans la découverte de ce tombeau est restée vaine : ni le surnaturel, ni les interprétations médicales n'ont pu trouver un lien qui, sans doute, n'existe pas.

Toute une littérature ésotérique s'est emparée de ce sujet apparemment si inquiétant et à tout le moins insolite : les momies de l'Egypte ancienne et la momification. La réalité, nous l'avons vu, est bien simple et, même présentée sans le fatras de magie et de sciences occultes dont on a voulu l'entourer, elle est encore suffisamment fascinante pour laisser, aux nostalgiques de l'Egypte secrète, une grande part de rêve.

CHRONOLOGIE DES PHARAONS
(*d'après* E. Drioton et J. Vandier)

Epoques préthinite et thinite (3300-2778)

Iʳᵉ Dynastie

Narmer   Oudimou
Aha   Adjib
Djer   Sémerkhet
Ouadji   Ka

IIᵉ Dynastie

Hotepsékhemoui Senedi
Nebrê   Péribsen
Nineter   Khasékhem
Ouneg   Khasékhemoui

Ancien Empire (2778-2423)

IIIe Dynastie (2778-2723)

Nétérierkhet   Néferka (Neferkare)
Sanakht (Nebka) Djeser II   Hou (Houni)

IVe Dynastie (2723-2563)

Snéfrou   Khéphren
Chéops   Mykérinus
Didoufri   Shepseskaf

Ve Dynastie (2563-2423)

Ouserkaf   Niouserrê-Ini
Sahourê   Menkahouher-Akaouhor
Neferirakarê-Kakai   Dedkarê-Isési
Neféréfrê   Ounas

Fin de l'ancien Empire (2423-2242)

VIe Dynastie

Téti   Mérirê Antienhsaf
Ousirkarê   Neferkarê Pépi II
Mérirê Pépi I

VIIe Dynastie (fictive)

VIIIe Dynastie (?-2242)

Dans l'état actuel de nos connaissances, il est impossible de dresser une liste
de rois appartenant à cette dynastie.

Dynasties hérakléopolitaines

IXe Dynastie (2242-2150)

Méribrê Khéti I (2242-2200)   Cinq rois dont le nom n'est pas connu
                                     (2200-2150)

Xe Dynastie (2150-2060)

Neferkarê (2130 ?-2120)   Mérikarê (2070-2050)
Ouahkarê Khéti III (2120-2070)

Moyen Empire (2160 ?-1580)

XIe Dynastie

Sehertaoui Antef I (2130-2120)   Nebhepetrê Mentouhotep III
Ouahankh Antef II (2120-2070)   (2060-2010)
Nekhtnebtepnefer Antef III   Seankarê Seankhakaré Mentouhotep IV
(2070-2065)   (2075-2007)
Seankhibtaoui Mentouhotep I   Nehtaouirê Mentouhotep V
(2065-2015)   (2007-2000)
Nebhepetrê Mentouhotep II
(2065-2060)

XIIe Dynastie (2000-1785)

Seheptibrê Amenemhat I (2000-1970)   Nimaatrê Amenemhat III (1850-1800)
Khéperkarê Sésostris I (1970-1936)   Maakherourê Amenemhat IV
Nebkaourê Amenemhat II (1938-1904)   (1800-1792)
Khakheperrê Sésostris II (1906-1888) Sébeknefrourê (1792-1785)
Khakaourê Sésostris III (1887-1850)

XIIIe et XIVe Dynasties (1785-1680)

Sekhemrê Khoutaoui Amenemhat Sé-   Skhemrê Seouadjtaoui Sebekhotep
bekhotep   Khasekhemrê Neferhotep
Séankhtaoui Sékhemkarê   Khaneferrê Sebekhotep
Sekhemrê Khoutaoui Penten   Khanakhrê Sebekhotep
Sékhemkarê Amenemhat Senbouf   Khahétéprê Sebekhotep
Seankhibrê Améni Antef Amenemhat   Mersékhemrê Neferhotep
Sedjefakarê Kai Amenemhat   Merkaourê Sebekhotep

Khoutaouirê Ougaf
Sneferibrê Sesostris
Heribshedet Amenemhat
Sehetepibrê Amenemhat
Djedneferrê Didoumès
Djedheteprê Didoumès
Séouahenrê Senebmiou
Djedankhrê Mentouemsaf
Semenkharê Mermesha

Nikhaimaatrê Khendjer
Ouserarê Khendjer
Ouahirê Iaib
Mernéferrê Ai
Séouadjenrê Neberieraout
Néhés
Menkaourê Seshib
Hétépibrê Siamou Hornedjheriotef

XVe et XVIe Dynasties (Hyksos) (1730-1580)

Seouserenerê Chian
Aouserrê Apopi
Nebkhepeshrê Apopi

Aasehrê
Aakenenrê Apopi

XVIIe Dynastie (1680?-1580)

Sekhemrê Ouakhanou Rê Hotep
Sekhemrê Herouhermaat Antef
Sekhemprê Oupmaat Antef
Nebkheperrê Antef
Sekhemrê Ouadjkhaou Sébekemesaf

Sekhemrê Shedtaoui Sébekemesaf
Sekhemrê Sementaoui Djehouti
Senakhtenrê Taâ
Sekenenrê Taâ
Ouadjkheperrê Kamès

Nouvel Empire (1580-1090)

XVIIIe Dynastie (1580-1314)

Nebpethirê Ahmosis (1580-1558)
Djeserkarê Aménophis I (1557-1530)
Aakheperkarê Thoutmosis I
(1530-1520)
Aakheperenrê Thoutmosis II } (1520-
Makarê Hatchepsout   }   1484)
Menkheperrê Thoutmosis III
(1504-1450)
Ahkheperourê Aménophis II
(1450-1425 ?)

Menkheperourê Thoutmosis IV
(1425-1408)
Nebmarê Aménophis III (1408-1372)
Neferkheperourê Aménophis IV Akhe-
naton (1372-1354)
Semerkhkarê
Nebkheperourê Toutankhamon } (1352-
Khepekheperourê Ai   }   1314)
Djeserkheperourê Horemheb   }

XIXᵉ Dynastie (1314-1200)

Menpehtirê Ramsès I (1314-1312)
Menmarê Séthi I (1312-1298)
Ousimarê Ramsès II (1301-1235)
Mineptah
Amenmès

Mineptah-Siptah
Ouserkheperourê Séthi II (1210-1205)
Ramsès-Siptah   } (1205-1200)
Iarsou   }

XXᵉ Dynastie

Sethnakht (1200-1198)
Ousimarê Ramsès III (1198-1166)
Ousimarê Setpenamon Ramsès IV
Ousimarê Sekheperenre Ramsès V
Nebmarê Miamon Ramsès VI
Ousimarê Miamon Ramsès VII
Ousimarê Akhanamon Ramsès VIII
Neferkharê Setpenre Ramsès IX
Khepermarê Setpenptah Ramsès X
Menmarê Setpenptah Ramsès XI

} (1166-1085)

Basse Epoque (1085-332)

XXIᵉ Dynastie (1085-950)

Smendès   } (1085-1054)
Hérihor   }
Psousennès I } (1054-1009)
Pinedjem   }

Aménophthis (1009-1000)
Siamon (1000-984)
Psousennès II (984-950)

XXIIᵉ Dynastie (950-730)

Sheshonq I (950-929)
Osorkon I (929-893)
Takelot I (893-870)
Osorkon II (870-847)
Sheshonq II (847)

Takelot II (847-823)
Sheshonq III (823-772)
Pami (772-767)
Sheshonq V (767-730)

XXIIIᵉ Dynastie (817-730)

Pédoubast (817?-763)
Sheshonq IV (763-757)
Osorkon III (757-748)

Takelot III }
Amouroud   } (748-730)
Osorkon IV }

XXIVe Dynastie (730-715)

Tefnakht (730-720)   Bocchoris (720-715)

XXVe Dynastie (751-656)

Piankhi (751-716)   Taharqa (689-663)
Shabaka (716-701)   Tanoutamon (663-656)
Shabataka (701-689)

XXVIe Dynastie (663-525)

Psammétique I (663-609)   Apriès (588-568)
Nékao (609-594)   Amasis (568-526)
Psammétique II (594-588)   Psammétique III (526-525)

XXVIIe Dynastie (525-404)

Cambyse (525-522)   Artaxerxès (464-424)
Darius I (522-483)   Darius II (424-404)
Xerxès (485-464)

XXVIIIe Dynastie (404-398)

Amyrtée (404-398)

XXIXe Dynastie (398-378)

Néphéritès I (398-392)   Achoris (390-378)
Psammouthis (391-390)   Néphéritès II (378)

XXXe Dynastie (378-341)

Nectanébo I (378-360)   Nectanébo II (359-341)
Teos (361-359)

Seconde domination perse (341-333)

Artaxerxès III Ochos (341-338)   Darius III Codoman (335-330)
Arsès (338-335)

Epoque grecque

Alexandre le Grand (333-323)
Philippe Arrhidée et Alexandre Aegus
(323)
Ptolémée Soter I (323-283)
Ptolémée II Philadelphe (283-246)
Ptolémée III Evergète (246-222)
Ptolémée IV Philopator (222-205)
Ptolémée V Epiphane (205-181)
Ptolémée VI Euprator (181)
Ptolémée VII Philométor (181-146)
Ptolémée VIII Neos Philopator (146)

Ptolémée IX Evergète Physkon
(146-117)
Ptolémée X Soter Lathyre (117-106)
Ptolémée XI Alexandre (106-87)
Ptolémée XII Alexandre (87-80)
Ptolémée XIII Néos Dionysos Aulète
(80-51)
Ptolémée XIV (57-47)
Ptolémée XV (47-44)
Cléopâtre (51-30)

BIBLIOGRAPHIE SOMMAIRE

Le caractère d'un tel ouvrage et le manque de place ne nous permettent pas de signaler toutes les sources qui furent utilisées pour sa rédaction.

Beaucoup appartiennent à des revues égyptologiques telles que : A.S.A.E., Annales du Service des Antiquités de l'Egypte, Le Caire ; B.I.F.A.O., Bulletin de l'Institut Français d'Archéologie Orientale, Le Caire ; CdE, Chronique d'Egypte ; F.I.F.A.O., Fouilles de l'Institut Français d'Archéologie Orientale du Caire ; J.E.A., The Journal of egyptian archaeology ; M.D.I.A.K., Mitteilungen des deutschen Instituts für ägyptische Altertumskunde in Kairo ; M.M.A.F., Mémoires publiés par les membres de la mission archéologique française du Caire ; O.M.R.O., Oudheidkundige Mededelingen uit het Rijksmuseum von Oudheden te Leiden ; RdE, Revue d'égyptologie ; R.A.P.H., Recherches d'Archéologie, de Philologie et d'Histoire ; Rec. Trav., Recueil de travaux relatifs à la Philologie et à l'Archéologie égyptiennes et assyriennes. Paris ; Z.A.S., Zeitschrift für ägyptische Sprache und Altertumskunde.

Quelques-unes proviennent de revues médicales spécialisées.

Le lecteur qui trouverait ici son premier contact avec l'égyptologie se reportera avec profit : pour l'histoire générale de l'Egypte, au livre de

DRIOTON (Etienne) et VANDIER (JACQUES): *L'Egypte,* paru dans la collection
Clio, Paris, P.U.F., 1962, 1 vol., 676 p.; pour l'ensemble de la civilisation,
au livre, si agréable à consulter, de POSENER (Georges), SAUNERON (Serge)
et YOYOTTE (Jean): *Dictionnaire de la Civilisation égyptienne,* Paris, Hazan,
1959, 1 vol., 324 p., ainsi qu'à celui d'ERMAN (A.) et RANKE (H.): *La civilisation
égyptienne,* Paris, Payot, 1963, 1 vol., 737 p. Pour le repérage des sites
archéologiques, au *Guide Bleu de l'Egypte,* Paris, Hachette, 1967. Ces
quatre ouvrages de base, d'une lecture aisée, permettront de situer dans le
temps et dans l'espace, chacun des chapitres de notre livre. Ils pourront
être complétés par l'ouvrage de BUDGE (E.A.W.): *The mummy. Chapters on
egyptian funerals,* 2nd ed., New York, Biblo and Taunened ed., 1964,
1 vol., 404 p.

Le lecteur qui voudrait pénétrer plus avant dans l'étude d'un fait précis
trouvera, ci-après, les références bibliographiques essentielles, chaque
ouvrage consulté l'aidant au besoin à enrichir, lui-même, sa propre bibliographie.

CHAPITRE I: SOURCES DE NOS CONNAISSANCES

Les textes égyptiens font l'objet d'une bonne analyse de la part de
GOYON (G.): *Rituels funéraires de l'ancienne Egypte,* Paris, Editions du Cerf,
1972, 1 vol., 357 p. – *Le Rituel de l'Embaumement* a été spécialement
étudié par SAUNERON (Serge), Le Caire, Imprimerie Nationale, 1952, 1 vol.,
61 p. – Pour les auteurs grecs et latins, outre les traductions d'Hérodote,
de Diodore de Sicile et de Strabon, on pourra lire MERCIER (M.) et SEGUIN (A.):
Textes latins et grecs relatifs à l'embaumement, Thalès, 4, 1937-1939,
pp. 121-131. Pour les voyageurs à la Renaissance, outre KHATER (A.):
Le régime juridique des fouilles et des antiquités en Egypte, R.A.P.H., 1962,
tome XII, on pourra lire la série des récits de *«Voyages en Egypte»* publiés
au Caire par l'I.F.A.O. de 1970 à 1973 (9 volumes édités jusqu'à présent).
Pour l'expédition de Bonaparte, lire MONTET (Pierre): *Isis ou à la recherche de
l'Egypte ensevelie,* Paris, Hachette, 1956, 1 vol., 272 p. et surtout JOMARD (E.):
Description de l'Egypte; description générale de Thèbes, tome III, Paris, 1821.
Pour les découvertes contemporaines, se reporter à MONTET: op. cit., MASPÉRO
(Gustave): *La trouvaille de Deir el-Bahari,* Le Caire, Imprimerie Française,
1881; CARTER (Howard) et MACE (A.): *The tomb of Tut-Ankh-Amen,* Londres,
Cassel and Co ed., 1923, 3 vol.

CHAPITRE II: POURQUOI LES MOMIES?

Des explications du démembrement des cadavres sont fournies, entre autres, par Hermann (A.) dans *«Numen»*, 3, 1956, pp. 81–96; par Maspéro (G.) dans le *Guide du Visiteur au Musée du Caire*, éd. de 1915, pp. 8-9; et par Massoulard (R.) dans *Préhistoire et histoire de l'Egypte*, Paris, Institut d'ethnologie, 1949, 1 vol., 567 p. Chez ce dernier on trouvera également des données sur l'évolution des tombes prédynastiques. Pirenne (J.): *Ame et vie d'outre-tombe chez les Egyptiens de l'Ancien Empire*, CdE, 34, 1959, pp. 208-218, offre une notion claire du Ka et du Ba.

CHAPITRE III: LES FABRICANTS DE MOMIES

Les deux références essentielles sont: Bataille (André): *Les Memnonia. Recherches de papyrologie et d'épigraphie grecques sur la Nécropole de la Thèbes d'Egypte aux époques hellénistique et romaine.* R.A.P.H., 1952, et les publications de fouilles de Bruyère (B.) à Deir el-Medineh dans la F.I.F.A.O., particulièrement dans les volumes II, 1925, pp. 24–29; x, 1934–35, p. 84; XVI, 1939, p. 14. Sur la tente de purification, l'analyse par Drioton (E.) in A.S.A.E. 40, 1940, pp. 1007–1014, du travail de Groseloff (B.) et le *Manuel d'archéologie égyptiene* de Vandier (J), Tome II 1, p. 54 et p. 141 et Tome II 2, p. 568. Sur la manufacture de momies, de Meulénaère (H.): *Trois campagnes de fouilles dans l'Assassif,* American Research Center in Egypt News letter, 82, juillet 1972, p. 8. Sur les lits d'embaument, la plupart des références sont dans Habachi (L.): *An embalming bed of Amenhotep, Steward of Memphis under Amenophis III,* M.D.I.A.K., 22, 1967, pp. 42–47. Sur l'organisation de la Nécropole de Thèbes, Maspéro (G.): *Une enquête judiciaire à Thèbes au temps de la XXe Dynastie. Etude sur le papyrus Abbott,* Paris, Imprimerie Nationale, 1871, 1 vol., 86 p.; Malinine (M.): *Taxes funéraires égyptiennes à l'époque gréco-romaine.,* Mélanges Mariette, pp. 137–168; Jelinkova-Reymond (E.): *«Paiements» du Président de la Nécropole.,* B.I.F.A.O., 55, 1956, pp. 33–55.

CHAPITRE IV: CONFECTION D'UNE MOMIE

La bibliographie, trop abondante pour être citée ici, peut se résumer en Dawson (W.R.): *Makina a mummy,* J.E.A., 13, 1927, pp. 40–49, et Lucas (A.): *Ancient egyptian materials and industries.,* 4e éd., Londres, W.J. Mackay and Co. Ltd. éd., 1972, 1 vol. 523 p., pp. 270–326. Pour le bandelettage, voir plus spécialement Bataille, *op. cit.*, ainsi que Bruyère (G.) et Bataille (A.): *Une tombe gréco-romaine de Deir el-Medineh*, B.I.F.A.O., 38, 1939, pp. 73-107. Dans ce dernier article, on trouvera également des indications sur les masques de cartonnage. Sur les déchets de la momification, on pourra lire: Lauer (J.P.) et Iskander (Z.): *Données nouvelles sur la momification de l'Egypte ancienne*, A.S.A.E., 53, 1955, pp. 167-194, ainsi que Winlock (H.E.): *Materials used at the embalming of King Tut-Ankh-Amen*, New York, 1941, reprinted by Arno Press, 1973, 1 vol., 18 p.

CHAPITRE V: RITES AUTOUR DE LA MOMIE

Les ouvrages essentiels sont Goyon (G.): *Rites funéraires...* et Bataille (A.): *Les Memnonia...* Pour le deuil, on consultera aussi Desroches-Noblecourt (Ch.): *Une coutume égyptienne méconnue*, B.I.F.A.O., 45, 1946, pp. 185-232. Pour le cortège funéraire, Blackward (M.) et Apted (R.). *The Rock Tombs of Meir*, part V, Londres, Faulkner. R.O. ed., 1953, 1 vol., 61 p. Pour le mort chez soi, Petrie (W.F.) Flinders): *Hawara, Biahmu and Arsinoe*, Londres, Fields and Teuer éd., 1889, 1 vol. 66 p. Pour l'évolution des tombes, Daressy (G.): *Les recherches archéologiques en Egypte*, La Science Moderne, 3, 1926, n° 3, pp. 141-149. Pour l'évolution des cercueils, Drioton (Etienne) et Bourguet (Pierre du): *Les Pharaons à la conquête de l'art*, Paris, Desclée de Brouwer, 1965, 1 vol., 424 p.

CHAPITRE VI: LES MOMIES ET LA SCIENCE

Les études techniques les plus avancées sont retrouvées dans Cockburn (A.): *Death and disease in ancient Egypt*, «Science», 181, 1973, pp. 470-471 et dans Cockburn (A.), Barraco (R.A.), Reyman (T.A.), Peck (W.H.): *Autopsy of an egyptian mummy*, «Science» 187, 1975, pp. 1155-1160. Les constantes radiographiques à utiliser sont données par Gray (P.H.K.): *Radiological aspects of the mummies of ancient Egyptians in the Rijksmuseum Van Oudheden, Leiden*, O.M.R.O., 47, 1966, pp. 1-29. L'historique de l'histologie, rendant hommage aux travaux de Sandison a été fait par Chiarelli (B.) et Rabino-Massa (E.): *La conservazione dei tissuti nelle mummie egiziane*, «Riv. Antrop.», 54, 1967, pp. 167-170. Pour la chimie, on se reportera à Lucas: *op. cit.*, et à Iskander (Z.) et Abdel Moeiz Shaheen: *Temporary stuffing materials used in the process of mummification in ancient Egypt*, A.S.A.E., 58, 1964, pp. 197-208. Pour les groupes sanguins des momies, à Connoly (R.C.): *Kingship of Semenkhkaré and Tut-Ankh-Amen demonstrated serologically*, «Nature», 224, 1969, pp. 325-326.

CHAPITRE VII: LES MOMIES TÉMOINS DE LEUR TEMPS

Première partie: Civilisation et pathologie

Pour les amulettes, on lira Desroches-Noblecourt (Ch.): *Vie et mort d'un Pharaon,* Paris, Hachette, 1963, 1 vol. 312 p. La plupart des références concernant la pathologie et les traumatismes seront retrouvées dans Leca (A.P.): *La médecine égyptienne au temps des Pharaons,* Paris, Dacosta éd., 1971, 1 vol. 486 p. Pour la pathologie dentaire et l'alimentation, se reporter aussi à Brunschwig (Gisèle): *L'odonto-stomatologie dans l'ancienne Egypte,* Thèse Chir. Dent., Paris, 1973 et à Leek (F.F.): *Bread of the Pharaoh's baker,* American Research Center in Egypt, News letter, Avril 1971, p. 2. Pour les tatouages, l'ouvrage de base est Kheimer (L.): *Remarques sur le tatouage dans l'Egypte ancienne,* Mémoires présentés à l'Institut d'Egypte, t. 53, Le Caire, 1948, 1 vol., 118 p.

Deuxième partie: Contribution à l'histoire

Le lecteur retrouvera planches et description des momies royales dans: Smith (G.E.): *The royal mummies,* Catalogue général des Antiquités égyptiennes du Musée du Caire, 1912. On lira aussi Harris (J.E.) et Weeks (K.R.): *X Raying the Pharaohs,* New York, C. Scribner's, 1973, 1 vol., 195 p. et, pour leur histoire, Drioton et Vandier *op. cit.* Pour les soixante soldats inconnus, lire le récit de Winlock (H.E.): *The slains soldiers of Neb-hepet-Rê Mentu-Hotep,* New York, the M.M.A. Egyptian expeditions publications ed., 1945, 1 vol. Pour la tranchée des exécutés, on trouvera des renseignements dans Smith (G.E.), Wood-Jones (F.) et Reisner (G.): *The archaeological survey of Nubia,* Bulletins 1 à 4, Le Caire, National Printing Depart., 1908. Pour la vierge et l'enfant, l'article essentiel est de Yoyotte (J.): *Les adoratrices de la troisième période intermédiaire,* Bull. Soc. Franç. d'Egyptologie, 64, juin 1972, pp. 31–52.

CHAPITRE VIII: MOMIES ANIMALES

Un ouvrage essentiel de Daressy (G.) et Gaillard (C.): *La faune momifiée,* Catalogue Général du Caire, 1905, 1 vol. Sur les taureaux sacrés, on pourra lire Devéria (G.): *Théodule Devéria (1831–1871). Notice biographique,* Bibliothèque égyptologique IV, Devéria, I. – Lauer (J.-P.): *Mariette à Saqqarah. Du Serapeum à la direction des Antiquités,* B.I.F. A.O., 32, 1961, pp. 3–56; Mariette (A.): *Le Serapeum de Memphis,* Paris, 1882, 1 vol.;

et, surtout Mond (Sir Robert) et Myers (Olivier H.): *The Bucheum,* Londres, The Egypt exploration Soc. ed. 1934, tome I. — Pour les autres ruminants, Debono (F.): *La Nécropole prédynastique d'Héliopolis* (fouilles de 1950), A.S.A.E., 52, 1954, pp. 625-652 – Pour le bélier de Mendès: Vandier (J.): *Memphis et le taureau Apis dans le papyrus Jumilhac,* I.F.A.O., 32 (Mélanges Mariette), 1961, pp. 105-123 – Pour les chats et les chiens: Capart (J.): *Chats sacrés,* CdE, 18, 1943, pp. 36-37. Debono, *op. cit.* Naville (E.): *Bubastis,* Londres, 8th memoir of the Egypt exploration Fund 1891, 1 vol., 71 p. Peet (T.E.): *The cemeteries of Abydos II,* Londres, 34th memoir of the Egypt exploration Fund, 1914, 1 vol. 133 p. – Pour les ibis et les cynocéphales, Gabra (S.): *Chez les derniers adorateurs du Trismégiste. La Nécropole d'Hermopolis. Tounah el Gebel,* Le Caire, Société égyptienne éd., 1971, 1 vol., 215 p. Whittemore (T.): *The ibis cemetery at Abydos,* 1914, J.E.A., I, 1914, pp. 248-249. Lortet et Gaillard: *Sur les oiseaux momifiés,* A.S.A.E., 3, 1902, pp. 18-21. Pour les autres animaux, Bagnani (G.): *The great egyptian crocodile mystery,* Archaeology, 5, 1952, pp. 75-78. — Gorostarzu M.X. de): *Lettre sur deux tombeaux de crocodiles découverts au Fayoum,* A.S.A.E., 2, 1901, pp. 182-184. – Lortet et Hugouneng: *Sur les poissons momifiés,* A.S.A.E. 1902 pp. 18-21.

CHAPITRE IX: OÙ SONT PASSÉES LES MOMIES?

Sur les actes sacrilèges dans l'Egypte ancienne, lire: Maspéro (G.): *Une enquête judiciaire à Thèbes au temps de la XXᵉ Dynastie. Etude sur le papyrus* Abbott, Paris, Imprimerie Nationale, 1871, 1 vol., 88 p. — Goyon (G.): *Le mécanisme de fermeture à la pyramide de Chéops,* Rev. Archéol., 2, 1963, pp. 1-24. — Winlock (H.E.): *Excavations at Deir el Bahari,* New York, The MacMillan Co. ed., 1942, 1 vol., 235 p. – Thomas (Elisabeth): *The Royal Necropolis at Thebes,* Princeton, 1966, 1 vol. 298 p. — Pour les pillages arabes, se reporter à Khater, *op. cit.* – Pour la momie en tant que remède, le livre de base est Paré (Ambroise): *Œuvres complètes; le Traité de la mummie,* que l'on pourra compléter par Pettigrew (Thomas-Joseph): *A history of Egyptian mummies and an account of the worship and embalming of the sacral animals by ancient Egyptians,* Londres, Longman, Rees, Orme ed., 1834 1 vol., 266 p. – Pour le poète et la momie, les renseignements essentiels se trouvent dans Lefèvre (G.): *L'Egypte et le vocabulaire de Balzac et de Théophile Gautier,* Institut de France. Lecture faite de la séance du vendredi 16 novembre 1945 (tiré à part) et dans Carré (J.-M.): *Voyageurs et écrivains français en Egypte,* R.A.P.H., 4, 1932, 2 vol. Sur les pillages et les fouilles contemporaines, se reporter à Maspéro (G.): *Les momies royales de Deir el-Bahari,* M.M.A.F., I, fasc. 4, 1889, pp. 511–787. — Montet: *op. cit.* Weigall (A.E.P.): *Report on the suffocation of five persons in a tomb of Egyptology,* J.E.A., 20 1934, pp. 170–182.

CHAPITRE X: LA FIN DES LÉGENDES

Sur le blé de momie, on se rapportera à Brocq-Rousseu et Gain (E.): *Sur la durée des peroxydiastases des graines,* A.S.A.E. II, 1911, pp. 40–43 et à Varigny (H. de): *Blé de momie,* CdE, 3, 1927–1928, pp. 100–101. Sur la «Colline des ressuscités», tous les rapports des voyageurs ont été réunis par Sauneron (S.): *Villes et légendes d'Egypte,* B.I.F.A.O., 69, 1971, pp. 43–51 et 200–205. La momie qui bouge est décrite par Maspéro (G.): *Les Momies royales...* On trouvera, en bas de page, dans le texte, les références essentielles concernant la punition du sacrilège et la malédiction des pharaons ainsi que dans Destaing (F.): *La malédiction de Toutankhamon,* Panorama médical, n° 37, pp. 1–5.

ILLUSTRATIONS IN-TEXTE

(Dessins de l'auteur)

1. Carte de la Nécropole thébaine *(Guide Bleu Egypte)* . . .   20
2. Osiris, le dieu des morts (Musée du Louvre)   28
3. Coupe d'un mastaba (d'après E. Drioton et P. du Bourguet: *Les pharaons à la conquête de l'art*)   32
4. Table d'offrandes (Tombe de Nakht à Cheikh Abd-el-Gournah   33
5. La tente de Purification (d'après E. Drioton, in A.S.A.E., 40, 1940)   37
6. Reconstitution des pyramides d'Abousir (d'après J. Vandier: *Manuel d'archéologie égyptienne,* tome II, 1)   37
7. Reconstitution de la façade du Temple bas de Chephren d'après J. Vandier: *Manuel d'archéologie égyptienne,* tome II, 1)   38
8. Table d'embaumement provenant du Temple de Medinet Habou (d'après E. Winlock, in A.S.A.E., 30, 1930) . .   40
9. Maison type de Deir-el-Medineh dans le village des ouvriers de la Nécropole (d'après B. Bruyère et Della Monica)   45

10. Tracé de l'incision d'éviscération 50
11. Les quatre vases canopes 52
12. Doigtiers et bagues d'or sur la main de la momie de Tout-
    ankhamon (d'après photo Griffith Institute Ashmolean
    Museum, in DESROCHES-NOBLECOURT: *Vie et mort d'un*
    pharaon) 69
13. Différents temps de l'emmaillotage. Tombe de Thoui. Dessin
    en partie reconstitué (d'après de GARIS DAVIS et DAWSON) . 70-71
14. Masque égypto-romain dit d'Antinoé (Musée du Louvre). . 72
15. Cortège de pleureuses (Tombe de Ramose à Thèbes) . . 77
16. Le deuil d'Akhnaton (d'après PENDLEBURY, in J.E.A, 18, 1932) 77
17. L'aspersion lustrale du cadavre. Dessin sur le cercueil de la
    dame Moutardis (d'après CAPART in CdE, 18, 1943) . . . 78
18. Ultimes préparatifs de la momie par Anubis (Tombe de
    Senedjem à Deir-el-Medineh) 80
19. Le rite de l'ouverture de la bouche (Tombe de Khabekhet
    à Deir-el-Medineh) 82
20. Transport simple de la momie (Tombe d'Amenemonet
    à Thèbes) 83
21. Transport du sarcophage (Tombe de Khabekhet à Thèbes) 84-85
22. Barque funéraire transportant le mort. Modèle en bois
    stuqué et peint du Moyen Empire (Musée du Louvre) . . 86
23. Sarcophage de bois (Musée du Caire) 88-89
24. Œil oudjat (British Museum) 107
25. Pilier djed et nœud d'Isis 107
26. Chevet de momie 108
27. Diadème de Toutankhamon (Musée du Caire) 109
28. Ecriture hiéroglyphique pour «être vieux» 110
29. Deux dents réunies par un fil d'or torsadé, découvertes par
    Junker à Gizeh 113
30. Pied bot du pharaon Siptah (d'après Catalogue général
    du Caire) 119
31. Danseuse thébaine tatouée (d'après KEIMER) 125
32. Dieu Bès; calcaire et pierres dures incrustées (Musée
    du Louvre) 127
33. Marques de linges de la tombe des soixante soldats
    (d'après WINLOCK) 144
34. Pièce de cuir pour la protection du poignet chez les
    archers (d'après WINLOCK) 146
35. Palette de Narmer (Musée du Caire) 148
36. Reconstitution du taureau Buchis momifié 165

37. Instruments trouvés dans le Bucheum ayant servi à la
    momification du taureau Buchis (d'après Mond et Myers) .   167
38. L'allée des béliers d'Amon à Karnak   171
39. Momie de chat emmaillotée (Musé du Caire)   173
40. Anubis sur un naos (Tombe de Toutankhamon, Musée
    du Caire)   175
41. Ecriture hiéroglyphique pour «être en colère»   178
42. Ibis bandeletté (Musée du Caire)   181
43. Ibis dans sa jarre operculée (Musée du Caire)   182
44. Rê-Harakti (Tombe de Nefertari à Thèbes)   184
45. Coupe de la pyramide de Chéops (d'après Goyon) . . .   194
46. Osiris végétant, Papyrus Jumilhac (Musée du Louvre) . .   218

TABLE DES MATIÈRES

INTRODUCTION   7

CHAPITRE PREMIER
      SOURCES DE NOS CONNAISSANCES   9
      Le premier guide de l'embaumement   9
      Grecs, Latins et pères de l'Eglise   11
      Les premiers touristes européens en Egypte . .   12
      Bonaparte, les savants et les momies   16
      Pillages éhontés et fouilles méthodiques   18

CHAPITRE II
      POURQUOI LES MOMIES?   27
      Les cadavres démembrés   27
      Osiris, le dieu des morts   29
      L'âme et le corps sont immortels   30

CHAPITRE III
          LES FABRICANTS DE MOMIES   35
          La purification sous la tente   36
          La manufacture de momies   38
          Grandeur et misère des embaumeurs   41
          Direction et employés   43
          Condition ouvrière et grèves sociales 44

CHAPITRE IV
          CONFECTION D'UNE MOMIE   47
          Les crochets de bronze dans le crâne   48
          L'ablation des entrailles   49
          La deuxième toilette du mort   51
          Vases à viscères ou paquets d'entrailles   51
          Plongés dans le bain ou enfouis sous le sel   54
          La troisième toilette du mort   57
          Les ongles peints   57
          Il faut combler les vides   57
          Prothèses oculaires post-mortem   58
          Les organes génitaux   58
          Huiles et onguents   59
          La plaque de flanc   60
          Ultimes préparatifs   60
          Chirurgie esthétique des momies   61
          Un curieux clystère   62
          Bras croisés ou bras tendus   63
          Naissance et désuétude de la momification 63
          Des centaines de mètres de bandelettes 65
          Soixante-dix jours pour faire une momie 73
          Les déchets   73

CHAPITRE V
          RITES AUTOUR DE LA MOMIE   75
          Deux mois de jeûne et d'abstinence   75
          La traversée du Nil   76
          La première lustration   78
          Anubis entre en scène   79
          L'ouverture de la bouche   81
          Le dernier cortège   83
          Le mort chez soi   86
          Evolution des cercueils et des tombes 87

CHAPITRE VI
      LES MOMIES ET LA SCIENCE   95
      Quelques exemples d'autopsie   96
      Les momies aux rayons X   98
      Les momies sous le microscope   100
      Le groupe sanguin de Toutankhamon   101
      Nous sommes plus pollués que les momies . . .   102
      La chimie au secours de l'histoire   103

CHAPITRE VII
      LES MOMIES TÉMOINS DE LEUR TEMPS . . .   105
I.   Civilisation et pathologie   106
      Des kilos d'or sur la momie   106
      Le bel âge pour faire une momie   110
      Ils mangeaient des briques   111
      De l'athérome à l'infarctus   114
      Bronchite et tuberculose   115
      Les mêmes misères physiques que les nôtres . .   116
      Le déchiffrement des squelettes   120
      Coups et blessures   121
      Le signe de la débauche   125
II.   Contribution à l'histoire   126
      Les momies royales   126
      Les soixante soldats inconnus   143
      La tranchée des exécutés   148
      La Vierge et l'enfant   149

CHAPITRE VIII
      MOMIES ANIMALES   151
      Des animaux momifiés par millions   151
      Les taureaux sacrés   155
            Le taureau Apis   155
            Le taureau Mnevis   163
            Le taureau Buchis   163
      Des momies de tous les rumimants   167
      Des chats, des chiens et des mangoustes . . .   170
      L'ibis et le babouin de Thot et le faucon d'Horus . .   177
      Même des animaux repoussants   185

CHAPITRE IX
      OÙ SONT PASSÉES LES MOMIES?   191

Actes sacrilèges dans l'Egypte ancienne   192
Les livres des trésors cachés   201
Mangez de la momie   203
Le poète et la momie   206
Laissons dormir les momies !   209

CHAPITRE X
        LA FIN DES LÉGENDES   217
        Le blé de momie   218
        La colline des ressuscités   220
        La momie qui bouge   220
        La punition du sacrilège   221
        La malédiction de Toutankhamon   223
Chronologie des Pharaons   229
Bibliographie   237
Liste des illustrations   245

Cet ouvrage
composé en Univers de corps 9
a été réalisé par
les Editions Famot à Genève
d'après une maquette originale.
Il a été tiré sur
papier bouffant de luxe.

Litografía A. Romero, S. A. - Avda. A. Romero, s/n.
Santa Cruz de Tenerife
Depósito Legal: TF. 832 - 1977 (II)
Printed in Spain